강력한 한양대 인문계 논술

기출문제

저자 소개

저자 김근현은 현재 탁트인 교육, 일으킨 바람, 에듀코어 대표이다.
前 메가스터디 온라인에서 대입 논술과 면접, 자기소개서, 학생부종합 등 다양한 동영상 강의를 하였다.
현재는 학습 프로그램 개발 및 연구 활동을 통해 교육의 발전을 고민하고 있다.
홍익대학교에서 전자전기공학부를 졸업하고 동대학원에서 전자공학 석사(반도체 레이저)를 전공하였다. 또한 연세대학교 교육경영최고위자 과정을 마쳤으며 연세대학교 교육대학원에서 평생교육 경영을 공부하고 있다.

강력한 한양대 인문계 논술 기출 문제

발 행 | 2023년 07월 10일
개정판 | 2024년 06월 10일
저 자 | 김근현
펴낸이 | 김근현
펴낸곳 | 일으킨 바람
출판사등록 | 2018.11.12.(제2018-000186호)
주 소 | 경기도 고양시 일산서구 하이파크 3로 61 409동 1503호
전 화 | 031-713-7925
이메일 | ileukinbaram@gmail.com

ISBN | 979-11-93208-57-1

www.iluekinbaram.com

강력한 한양대 인문계 논술 기출문제

김 근 현 지음

차례

머리말

책을 쓰기 위해 책상에 앉으면 아쉬움과 안타까움, 나의 게으름에 늘 한숨을 먼저 쉰다.
왜 지금 쓸까?
왜 지금에서야 이 내용을 쓸까?
왜 지금까지 뭐했니?
스스로 자책을 한다.

또 애절함도 함께 느낀다.
시험이 코앞에서야 급한 마음에 달려오는
수험생들에게 왜 미리 제대로 준비된 걸 챙겨주지 못했을까?
그렇게 하루, 한 달, 일 년 그렇게 몇 해가 지나 이제야 조금 마음의 짐을 내려놓는다.

입에 단내 가득하도록 학생들에게 강의를 했고,
코앞에 다가온 연속된 수험생의 긴장감을 함께하다보면
그렇게 바쁘게 초조하게 지냈던 것 같다.

그렇게 함께했던 시간을 알기에
부족하겠지만
부디 이 책으로 수험생들이 부족한 일부를 채울 수 있고,
한 걸음이라도 희망하는 꿈을 향해 다갈 수 있길 간절히 바래 본다.

김 근 현

I. 한양대학교 논술 전형 분석

1. 논술 전형 분석

1) 전형 요소별 반영 비율

구분	논술	학생부	총 비율
일괄합산	90%	10%(학생부종합평가 10%)	100%

학생부종합평가 반영방법
① 학교생활기록부에 기재되어 있는 출결, 봉사활동 등을 참고하여 학교생활 성실도 중심 종합평가 진행
② 학생부 없는 자 학생부종합평가 반영방법
대 상 : 2022년 2월 이전 졸업자(2021년 2월 졸업자 포함) 또는 학생부 성적을 산출할 수 없는 자(검정고시 출신자, 외국고교 졸업자 등)
반영방법 : 논술고사 성적에 의한 비교 학생부종합평가 성적을 산출함

2) 수능 최저학력 기준

· **없음**

단, **한양인터칼리지학부** : 국어, 수학, 영어, 탐구(1과목) 중 **3개 영역 등급 합 7**이내 [수능필수 응시영역:국어, 수학, 영어, 탐구 (2과목))

3) 논술전형 경쟁률

논술전형			경쟁률			
계열	대학	모집단위명	2024	2023	2022	2021
인문	인문과학대학	국어국문학과	197.3	180.8	152.3	138.4
		사학과	197,3	180.0	154.5	137.0
		철학과	205.3	173.7	143.0	134.0
	사회과학대학	정치외교학과	274.5	273.5	217.5	142.8
		사회학과	237.5	252.5	188.3	142.8
		미디어 커뮤니케이션학과	283.0	281.2	239.4	148.7
		관광학부	207.0	224.0	169.5	134.5
	사범대학	국어교육과	174.7	158.7	138.7	97.0
	예술·체육대학	연극영화학과 (영화전공)	206.0	185.8	149.5	155.8
상경	공과대학	정보시스템학과 (상경)	69.5	73.8	70.8	49.9
	정책과학대학	정책학과	70.5	61.5	51.7	59.5
		행정학과	68.8	65.8	51.8	56.4
	경제금융대학	경제금융학부	66.9	69.8	59.3	49.4
	경영대학	경영학부	83.8	77.2	76.8	58.0
		파이낸스경영학과	76.0	73.4	63.8	62.2

4) 논술 전형 합격자 논술성적 평균

논술전형			최종등록자 논술 평균점수 (100점 만점)			
계열	대학	모집단위명	2024	2023	2022	2021
인문	인문과학대학	국어국문학과	89.88	89.38	93.25	94.40
		사학과	91.38	92.75	90.75	96.50
		철학과	93.33	93.00	88.83	97.00
	사회과학대학	정치외교학과	91.75	89.50	90.50	91.88
		사회학과	95.13	97.50	90.50	92.17
		미디어커뮤니케이션학과	91.00	94.10	93.10	93.39
		관광학부	94.25	94.63	90.17	94.13
	사범대학	국어교육과	91.67	90.83	94.83	91.50
	예술·체육대학	연극영화학과(영화전공)	90.63	88.75	93.00	95.00
상경	공과대학	정보시스템학과(상경)	91.38	74.69	78.75	76.92
	정책과학대학	정책학과	91.38	69.31	75.42	72.88
		행정학과	91.88	69.56	68.75	78.10
	경제금융대학	경제금융학부	93.09	81.38	77.89	76.27
	경영대학	경영학부	92.60	74.01	81.35	76.26
		파이낸스경영학과	90.75	73.75	78.40	80.15

5) 논술 전형 충원률

<table>
<tr><th colspan="3">논술전형</th><th colspan="4">충원인원</th></tr>
<tr><th>계열</th><th>대학</th><th>모집단위명</th><th>2024</th><th>2023</th><th>2022</th><th>2021</th></tr>
<tr><td rowspan="9">인문</td><td rowspan="3">인문과학
대학</td><td>국어국문학과</td><td>0</td><td>1</td><td>0</td><td>0</td></tr>
<tr><td>사학과</td><td>0</td><td>0</td><td>0</td><td>0</td></tr>
<tr><td>철학과</td><td>0</td><td>0</td><td>0</td><td>0</td></tr>
<tr><td rowspan="4">사회과학
대학</td><td>정치외교학과</td><td>0</td><td>0</td><td>0</td><td>0</td></tr>
<tr><td>사회학과</td><td>0</td><td>0</td><td>0</td><td>1</td></tr>
<tr><td>미디어
커뮤니케이션학과</td><td>0</td><td>0</td><td>0</td><td>0</td></tr>
<tr><td>관광학부</td><td>0</td><td>0</td><td>0</td><td>0</td></tr>
<tr><td>사범대학</td><td>국어교육과</td><td>0</td><td>0</td><td>0</td><td>0</td></tr>
<tr><td>예술·체육
대학</td><td>연극영화학과
(영화전공)</td><td>0</td><td>0</td><td>0</td><td>1</td></tr>
<tr><td rowspan="6">상경</td><td>공과대학</td><td>정보시스템학과
(상경)</td><td>0</td><td>0</td><td>0</td><td>0</td></tr>
<tr><td rowspan="2">정책과학
대학</td><td>정책학과</td><td>1</td><td>0</td><td>0</td><td>0</td></tr>
<tr><td>행정학과</td><td>0</td><td>0</td><td>0</td><td>0</td></tr>
<tr><td>경제금융
대학</td><td>경제금융학부</td><td>0</td><td>0</td><td>3</td><td>1</td></tr>
<tr><td rowspan="2">경영대학</td><td>경영학부</td><td>0</td><td>0</td><td>1</td><td>1</td></tr>
<tr><td>파이낸스경영학과</td><td>0</td><td>0</td><td>1</td><td>1</td></tr>
</table>

2. 논술 분석

1) 출제 구분 : 계열 구분

2) 출제 유형 :

계 열	평가유형	문항 수	출제범위	시간
인문	인문논술	1문항 (1,200자)	· 수능 출제범위와 동일 · 수능 국어영역 및 사회탐구영역과 동일	90분
상경	인문논술	1문항 (600자)		
	수리논술	1문항 (소문항 2~3문항)	· 수능 출제범위와 동일 · 수학Ⅰ, 수학Ⅱ, 확률과 통계	

3) 출제 방향 :

제시문에 나타난 주장과 근거를 활용하여 자신만의 종합적 의견과 정합적인 방식으로 결론을 도출하는 과정을 통해 지원자의 창의적 적용 능력과 분석적 사고 능력을 평가하는 통합논술. 다양한 주제들을 활용하여 인문·사회과학적 사고력을 종합적으로 평가함

4) 논술 평가 :

한양대학교에서는 수험생의 논술 답안의 평가를 크게 문항에 대한 종합 평가와 형식 평가로 구분한다.

(1) 종합 평가

(가) 문항에 대한 평가 요소를 선정

매해 출제되는 논술 문제에 평가 내용을 선정한다.

2023년 수시 기출문제 사례

(1) 제시문 (나)에 설명된 압도의 원리를 정확하게 이해하고 제시문 (가)의 '갑'의 선택 문제에 그것을 잘 적용하였는가?

(2) 제시문 (나)에 설명된 '최소극대화 원리'와 '최대극대화 원리'를 정확하게 이해하고, 그 중 하나를 제시문 (가)의 선택 문제에 잘 적용하였는가?

(3) 제시문 (다)에 소개된 관점을 제시문 (나)의 '최소극대화 원리', '최대극대화 원리'와 적절하게 연결시키고 있는가?

(4) '갑'의 입장에서 자신이 한 정책 선택이 왜 합리적인지 설득력 있게 논증하고 있는가?

(5) 문장이 정확하고, 서술이 자연스러우며, 구성이 안정되고 균형 잡혀 있는가?

(나) 분석적 평가의 영역,세부 항목 및 배점

영역을 총 3가지 영역으로 평가한다. **구성과 전개, 이해.분석.적용, 문장과 표현**이다. 각각 **10%, 80%(25%+25+30%), 10%의 배점**으로 구성되어 있다. 배점은 각 문제에서 물어보는 논제에 대한 적정하게 답안을 구성하고 표현하였는지 평가하는 것이다. 각 10% 구성과 전개, 문장과 표현은 구성에 대한 부분으로 형식적인 요건이라 배점이 낮다.

<2023학년도 수시 예시>

영 역	항목과 핵심 내용		배 점
구성과 전개	서술의 흐름이 유기적이고 내용 및 구성이 균형 잡혀 있는지를 평가한다.		10%
이해, 분석, 적용	(가)에 '압도의 원리' 적용	(가)에 제시된 사례에서 '갑'에게 관련된 선택지, 상황, 결과가 무엇인지 정확히 이해하고, 압도의 원리를 이 사례에 적용했을 때, '정책III'이 비합리적인 것으로 배제된다는 점을 분명히 밝혀야 한다.	25%
	(나)의 '최소극대화 원리'와 '최대극대화 원리'에 대한 이해	(나)에 제시된 '최소극대화 원리'와 '최대극대화 원리'의 공통점과 차이점을 분명히 이해하고, '최소극대화 원리'에 의거하여 '갑'의 입장에서 하나의 정책을 선택한다면 '정책I'이 선택된다는 점을 그 이유와 함께 분명히 밝혀야 하고, '최대극 대화 원리'에 의거한다면 '정책II'가 선택된다는 점을 그 이유와 함께 분명히 밝혀야 한다.	25%
	(다)의 관점을 활용한 설득력 있는 논증 제시	(다)에 제시된 관점을 활용하여 (가)의 '갑'을 대신하여 자신이 한 선택이 왜 합리적인지 설득력 있게 논증해야 한다. 이를 위해 (다)에 소개된 대비되는 두 관점이 '갑'에게 어떻게 적용되는지 서술해야 하며, 이를 기초로 '최소극대화 원리'와 '최대극대화 원리' 중 어떤 것이 '갑'의 선택의 문제에 적용되어야 하는지에 대한 좋은 이유가 제시되어야 한다.	30%
문장과 표현	단어와 문장 및 표현이 자연스러우며 정확하고 일관성 있게 사용되어 있는지 평가한다.		10%

(2) 종합 평가 배점

구분	세부 구분	평가 내용	해당 점수
A	상	① 단어 및 문장의 표현이 정확하고, 서술의 흐름이 유기적이며, 내용 및 구성에 균형이 잡혀 있다. ② 제시문 (가)의 내용을 분석하고 그 선택의 이유와 근거를 제시하고 이유를 밝히고 있다. (상황의 선택, 결과의 분석, 사례의 적용 등) ③ 제시문 (나)의 내용을 분석하고 주장을 선택한 그 이유를 분명히 설명한다. (공통점, 차이점, 입장, 정책 등) ④ 제시문 (다)에 제시된 내용을 잘 이해하고 자신의 주장을 합리적으로 설득력 있게 논증한다.	100
	중		95
	하		90
B	상	① ~ ④ 의 내용 중 한 가지의 서술이 다소 미흡한 경우	89
	중		85
	하		80
C	상	① ~ ④ 의 내용 중 두 가지의 서술이 다소 미흡한 경우.	79
	중		75
	하		70
F		① ~ ④ 의 내용 중 한 가지만 충족하거나 논제와 상관없는 내용의 피상적 나열에 그친 경우	10-0

(3) 형식상의 감점 내용

(가) 분량이 어문 규범

길이	1,150자 이상 1,250자 이내	1,250자 초과	1,100자 이상 1,150자 미만	1,050자 이상 1,100자 미만	1,000자 이상 1,050자 미만	950자 이상 1,000자 미만	900자 이상 950자 미만	850자 이상 900자 미만
	감점 없음	-1점	-1점	-2점	-4점	-6점	-8점	-10

원고지 사용법·어문규정	상(0-2개 틀림)	중(3-5개 틀림)	하(6개 이상 틀림)
	감점 없음	-1 ~ -2	-3 ~ -5점

(다) 내용 조직

- 문장과 문장의 연결이 적절하지 못한 경우: -2
- 단락의 구분이 적절하지 못한 경우: -2
- 단락 내의 형식적, 내용적 통일성을 갖추지 못한 경우: -2

3. 출제 문항 수

● 인문 인문논술 1문항 (1,200자)

● 상경 인문논술 1문항 (600자) + 수리논술 1문항 (소문항 3~4문항)

4. 시험 시간

· 90분

5. 논술 유의사항

① 제시문 (가), (나), (다)의 단순 요약으로 분량을 채우면 감점 요인으로 작용함.

② 원고지 사용법과 어문 규정을 적용하되, 감정 처리는 두드러지게 틀린 경우에 반영함.

③ '서론, 본론, 결론'의 형식을 갖추었는지 여부는 평가에 반영하지 않음.

④ 주어진 글에 나타난 구절을 그대로 반복해서 사용하고 나열하는 것은 감점 요인이다.

6. 답안 작성시 유의사항

1. 90분 안에 답안을 작성하시오.
2. 답안지는 검정색 펜(샤프, 볼펜, 연필)으로 작성하시오.
3. 답안지와 문제지, 연습지를 함께 제출하시오.
4. 다음 경우는 0점 처리됩니다.
    1) 답안지를 검정색 펜(샤프, 볼펜, 연필)으로 작성하지 않은 경우
    2) 자신의 신원을 드러내는 표기나 표현을 한 경우
    3) 답안을 해당 답란에 작성하지 않은 경우

II. 기출문제 분석

1. 출제 경향

기출 연도	교과목	질문 및 주제
2024학년도 수시 논술 [인문 오후1]	화법과 작문, 독서, 문학, 언어와 매체, 사회·문화, 생활과 윤리, 윤리와 사상	사실적 읽기, 비판적 읽기, 노자, 일탈 행위, 사회적 약자
2024학년도 수시 논술 [인문 오후2]	화법과 작문, 독서, 언어와 매체, 윤리와 사상	사실적 읽기, 비판적 읽기, 도덕적 의무, 사회계약론, 공리주의
2024학년도 수시 논술 [상경계열]	언어와 매체, 사회문화, 정치와 법, 생활과 윤리	사실적 독해, 추론적 읽기, 비판적 이해, 정서적 양극화, 결속형.교량형 사회, 누리 소통망(SNS)
	수학Ⅱ, 확률과 통계	곡선으로 둘러싸인 도형의 넓이와 정적분, 미분계수, 이산확률변수의 확률분포, 이산확률변수의 기댓값과 분산
2024학년도 모의 논술 [인문계열]	생활과 윤리, 독서,	연대, 소통, 사회분업론, 바람직한 공동체, 공존의 원리
2024학년도 모의 논술 [상경계열]	국어, 윤리와 사상, 생활과 윤리, 사회문화	문자의 역할, ChatGPT 등의 정보 생성형 AI의 존재
	수학 Ⅰ, 수학 Ⅱ, 확률과 통계	근의 공식, 곡선과 직선으로 둘러싸인 도형의 넓이, 정적분, 등비수열, 귀납적 정의, 지수법칙, 경우의 수, 여사건, 확률의 덧셈정리, 사건의 독립과 종속
2023학년도 수시 논술 [인문 오후1]	화법과 작문, 독서, 언어와 매체, 문학, 경제, 사회·문화, 생활과 윤리	사실적 읽기, 비판적 읽기, 정보의 비대칭성, 사회적 소수자
2023학년도 수시 논술 [인문 오후2]	화법과 작문, 독서, 언어와 매체, 통합사회, 경제, 생활과 윤리	사실적 읽기, 비판적 읽기, 합리적 선택, 공정한 분배

기출 연도	교과목	질문 및 주제
2023학년도 수시 논술 [상경계열]	화법과 작문, 독서, 경제, 언어와 매체, 윤리와 사상	사실적 독해, 추론적 읽기, 비판적 이해, 합리적 선택, 비용과 편익
	수학Ⅰ,수학Ⅱ, 확률과 통계	표본평균,표본분산,독립시행의 확률, 이산 확률변수의 확률 및 기댓값(평균), 코사인법칙, 함수의 극한
2023학년도 모의 논술 [인문계열]	생활과 윤리, 과학과 윤리, 독서,	타자에 대한 책임의 윤리, 자기 진실성,
2023학년도 모의 논술 [상경계열]	경제, 국어, 문학	비대칭 개념, 소비자나 공급자로서 취할 자세, 정보 우위와 정보 열위 개념
	수학 Ⅰ, 확률과 통계	수학적 귀납법, 경우의 수, 여사건의 확률, 조건부 확률, 연속확률변수의 확률분포
2022학년도 수시 논술 [인문 오후1]	화법과 작문, 언어와 매체, 세계지리, 정치와 법, 사회·문화, 독서	사실적 읽기, 비판적 읽기, 매체 자료의 수용
2022학년도 수시 논술 [인문 오후2]	독서, 경제 화법과 작문, 언어와 매체, 생활과 윤리	공공재, 윤리적 소비
2022학년도 수시 논술 [상경계열]	독서, 경제 화법과 작문	사실적 읽기, 추론적 읽기, 외부 효과
	수학Ⅰ,수학Ⅱ, 확률과 통계	이산확률변수의 기댓값, 확률의 덧셈정리, 확률의 곱셈정리, 이항정리, 이항분포와 정규분포의 관계, 모평균과 표본평균
2022학년도 모의 논술 [인문계열]	사회문화, 독서	디지털기기에 의존한 읽기의 문제, 정보사회, 사회변동, 상징적 의미 파악
2022학년도 모의 논술 [상경계열]	화법과 작문, 독서, 문학, 언어와 매체	중앙집권적 국가의 긍정적 부정적 측면, 레드 퀸 효과
	수학Ⅰ 확률과 통계	로그, 독립시행, 확률변수, 확률분포, 이산확률변수의 기댓값, 이항분포

기출 연도	교과목	질문 및 주제
2021학년도 수시 논술 [인문 오전]	독서, 화법과 작문, 언어와 매체, 세계지리, 동아시아사	지도 제작자의 관점과 의도
2021학년도 수시 논술 [인문 오후]	화법과 작문, 독서, 문학, 언어와 매체, 생활과 윤리 윤리와 사상, 사회・문화	폭력, 구조적 폭력
2021학년도 수시 논술 [상경계열]	독서, 화법과 작문, 언어와 매체, 사회・문화, 생활과 윤리	창의성, 다양성, 환경의 중요성
	수학I, 수학II, 확률과 통계	이산확률변수의 기댓값, 등차수열과 등비수열, 수열의 귀납적 정의, 수열의 합, 다항함수의 적분
2021학년도 모의 논술 [인문계열]	생활과 윤리, 독서,	소통, 소통의 중요성, 바람직한 소통의 태도, 덕목,
2021학년도 모의 논술 [상경계열]	사회・문화, 독서,	결핵의 전파와 발병에 영향을 주는 요인 추론 및 인과관계 설명, 자료분석 및 추론
	수학I, 수학II,	다항함수, 삼각함수, 수열, 함수의 극한
2020학년도 수시 논술 [인문계열]	국어Ⅰ,국어Ⅱ, 화법과 작문, 독서와 문법, 윤리와 사상, 한국사, 동아시아사	기억, 재구성, 자전적 기억, 집단기억
2020학년도 수시 논술 [상경계열]	국어Ⅰ,국어Ⅱ, 화법과 작문, 사회, 한국지리, 세계지리, 경제	고령화, 실업, 자료 분석, 정년연장, 청년실업
	수학Ⅱ, 확률과 통계	집합의 연산, 사건의 독립, 이항분포, 정규분포, 표준화

2. 출제 의도

기출 연도	출제 의도
2024학년도 수시 논술 [인문 오후1]	● 노자의 사상이 담긴 구절에 대한 해설 [제시문 (가)], 생명체에 대한 태도를 보여주는 이규보의 글[제시문 (나)], 런던 캠든 지역에서 캠든 벤치를 설치하게 된 내력과 이에 대한 평가[제시문 (다)]를 제시하였다. 이를 통해 텍스트를 꼼꼼히 이해하는 능력, 이질적인 텍스트를 유기적으로 연결하여 의미를 파악하는 능력, 기존의 관점을 새로운 사태에 적용하여 평가하는 능력 등을 다층적으로 측정하고자 하였다. 특히 사회적 약자 혹은 사회적 소수자에 대한 관점에 따라 답안 내용을 서로 다른 방향으로 생성하고 조직하게 함으로써 수험생들의 발산적 사고를 유도했다는 특징이 있다.
2024학년도 수시 논술 [인문 오후2]	● 사회계약론과 공리주의의 핵심 주장을 제시문을 통해 이해하고, 그것을 바탕으로 하여 미래 세대에 대한 도덕적 의무와 관련된 문제에 대해 종합적으로 논증하도록 요구하는 내용으로 구성되었다. 제시문을 정확하게 이해하고 그것을 토대로 미래 세대에 대한 도덕적 의무의 문제를 적절하게 분석하는 것을 요구하는 것과 함께, 사회계약론과 공리주의 각각이 미래 세대에 대한 도덕적 의무의 문제에 적용될 때 중요하게 고려되어야 하는 것이 무엇인지 설득력 있게 논리적으로 제시할 것을 요구함으로써 분석적 사고 능력과 창의적 적용 능력을 평가하고자 하였다.
2024학년도 수시 논술 [상경계열]	● 제시문에 대한 이해를 바탕으로, 누리 소통망(SNS)이 '소속 정당에 따른 정서적인 차원의 양극화'에 미칠 영향에 대해서 사회 집단과 관련된 개념들을 활용하여 논술하는 문항으로, 학생들의 텍스트 이해 능력과 분석적 사고 및 적용 능력을 평가하는 것을 주된 목적으로 한다.
	● 미분계수, 곡선으로 둘러싸인 도형의 넓이와 정적분, 이산확률변수의 확률분포, 이산확률변수의 기댓값과 분산 등의 개념을 이용하여 중요한 성질들을 분석하고, 정확한 논증을 통해 원하는 결과를 도출할 수 있는지를 묻고 있다.
2024학년도 모의 논술 [인문계열]	● 공동체를 구성하는 '연대'와 '소통'의 의제를 다루었다. 공동체 구성원들이 어떠한 자세를 가지고 연대하고 소통해야 하는지를 성찰하는 방향으로 설계되었다. 지문 (가)의 맥락에서 새로운 연대의 맥락을 이해하고, (나)에서 강조된 진정한 소통 개념을 (다)의 시에 포함된 함축적 의미와 연결하도록 하였다. 모든 제시문을 활용하여 답안을 작성하도록 하였다. 이러한 과정에서 경험에 근거한 합리적 이유를 추론하는 능력, 주어진 맥락에 비추어 함축

기출 연도	출제 의도
	성 높은 시어의 의미를 해석하는 능력, 자료를 활용하여 자신의 의견을 논증하는 능력을 두루 평가하고자 하였다. 지문 (가)는 에밀 뒤르켐의
2024학년도 모의 논술 [상경계열]	● 고전 중에서도 손꼽히는 <<플라톤의 대화>> 편에 있는 <파이드로스>에서 테우트 신과 타모스 왕의 대화가 주는 시사점을 취하여 최근에 급속도로 발전하고 있는 정보 생성형 AI에 대해 어떻게 대응할 수 있는지, 어떤 대응이 바람직한지에 대해 주체적으로 자신의 의견을 서술할 수 있는 능력이 있는지를 측정하고자 하였다.
	● 문항1. 이차방정식의 근의 공식을 이해하고 곡선과 직선으로 둘러싸인 도형의 넓이를 정적분을 이용하여 구할 수 있는지를 묻는다. 또한 극한에 대한 지식을 적절히 활용해서 원하는 결과를 이끌어낼 수 있는지를 묻는다. ● 문항2. 수열의 귀납적 정의를 이해하여 수열을 차례대로 계산하고 등비수열의 합과 지수법칙을 이용하여 값을 정확히 계산할 수 있는지를 묻는다. ● 문항3. 경우의 수, 여사건의 확률, 확률의 덧셈정리, 사건의 독립과 종속 등의 개념을 포괄적으로 이해하고 있는지를 묻는다. 해당 개념을 잘 숙지하여 구체적인 예시에 적용할 수 있는지를 확인한다.
2023학년도 수시 논술 [인문 오후1]	● 문제는 근래 사회적 문제로 대두하고 있는 확증 편향의 개념을 제시하고, 이를 적용하여 역사적으로 많은 관심을 모았던 드레퓌스 사건을 재해석하도록 한 후, 우화에 함축된 의미를 바탕으로 확증 편향을 완화할 수 있는 방안을 제시하도록 요구하는 방식으로 구성되었다. 확증 편향의 개념을 이해할 때에는 추론적 독서 능력이 요구되고, 이를 적용하여 드레퓌스 사건을 해석하는 단계에서는 꼼꼼한 분석 능력과 평가 능력을 필요로 한다. 그리고 우화의 함축적 의미를 읽어내고 그 의미를 바탕으로 확증 편향의 문제를 완화할 수 있는 방안을 작성할 때에는 창의적 사고 능력이 필요하다.
	● 1) 제시문 (가)의 내용을 적절히 활용하여 (나)의 드레퓌스사건에 등장하는 주요 주체(수사관, 법관, 언론, 군부)의 확증 편향을 충분히 설명하고, 그로 인한 개인적•사회적 피해를 밝혔는지 여부 ● 2) 제시문 (가)의 '확증 편향에 빠진 사람', (나)의 '피카르 중령', (다)의 '길에서 울고 있는 자'를 비교하여 그 차이를 충분히 설득력 있게 드러냈는지 여부

기출 연도	출제 의도
	● 3) 2)의 내용을 바탕으로 제시문 (나)의 '피카르 중령'을 모범으로, 그리고 (다)의 '길에서 울고 있는 자'를 반대 모범으로 삼아 현대 사회에서 언론이나 SNS 활동을 중심으로 확증 편향을 완화할 수 있는 방안을 충실하게 제시하였는지 여부
2023학년도 수시 논술 [인문 오후2]	● 무지 하에서의 합리적 선택과 관련된 주요 개념들과 원리들을 시문을 통해 이해하고, 그것을 바탕으로 하여 제시문의 구체적 선택의 문제를 적절하게 분석하며, 더 나아가 제시문에 소개된 관점을 활용하여 그 선택의 문제에서 특정 선택이 왜 합리적인지를 종합적으로 논증하도록 요구하는 내용으로 구성되었다. 제시문을 정확하게 이해하고 그것을 토대로 무지 하에서의 선택의 문제를 적절히 분석하는 것을 요구하는 것과 함께, 무지 하에서의 합리적 선택과 관련해 중요하게 고려되어야 하는 것이 무엇인지 설득력 있게 논리적으로 제시할 것을 구함으로써 분석적 사고 능력과 창의적 적용 능력을 평가하고자 하였다.
	● 제시문 (나)에 소개된 합리적 선택을 위한 3가지 원리인 '압도의 원리', '최소극대화 원리', '최대극대화 원리'를 잘 파악할 수 있는지가 중요하다. 이러한 원리들의 공통점과 차이점을 정확하게 파악할 수 있어야 한다. 이러한 맥락에서 (가)에 제시된 선택의 문제에서 '갑'에게 관련된 선택지, 상황, 결과가 무엇인지 이해하고, 압도의 원리를 이 사례에 적용했을 때, '정책 III'이 '정책 I'에 의해 압도되므로 비합리적인 것으로 배제된다는 점을 분명히 밝혀야 한다. 그리고 '정책 I'과 '정책 II' 중 어떤 것도 다른 것에 압도되지 않으므로, '압도의 원리'만으로는 '갑'이 이 중 어떤 것을 선택해야 할지 알 수 없다는 점도 밝혀야 한다. 또한 (나)에 제시된 '최소극대화 원리'와 '최대극대화 원리' 중 '최소 극대화 원리'에 의거하여 '갑'의 입장에서 하나의 보수 정책을 선택한다면 '정책 I'이 선택되어야 한다는 점을 그 이유를 제시하며 분명히 밝혀야 하고, '최대극대화 원리'에 의거한다면 '정책 II'가 선택된다는 점을 그 이유를 제시하며 분명히 밝혀야 한다. 마지막으로 (다)에 제시된 관점을 활용하여 '갑'을 대신하여 자신이 한 선택이 왜 합리적인지 설득력 있게 논증해야 한다.
2023학년도 수시 논술 [상경계열]	● 제시문에 주어진 부정행위와 관련된 다양한 실험 결과들을 이해하고, 이에 전통적 경제학적 관점을 적용하여 설명이 가능한 부분과 한계점을 파악한 후, 도덕성 추구와 부정행위의 양립 가능성을 보여주는 강연의 내용을 추가적으로 활용해 실험결과를 종합적으로 해석하는 문항으로, 학생들의 텍스트 이해 능력과 분석

기출 연도	출제 의도
	적 사고 및 적용 능력을 평가하는 것을 주된 목적으로 한다.
	● 상경계열 (문제2)는 표본평균의 분포, 평균, 분산의 성질, 독립시행의 확률, 이산 확률변수의 확률 및 기댓값(평균), 코사인법칙, 함수의 극한 등의 개념을 이용하여 중요한 성질들을 분석하고, 정확한 논증을 통해 원하는 결과를 도출할 수 있는 지를 묻고 있다.
2023학년도 모의 논술 [인문계열]	● 타자에 대한 책임의 윤리를 강조하는 제시문들을 통해 그러한 의제가 어떤 가치와 지향을 지니는지를 성찰하는 방향으로 설계되었다. 지문 (가)의 맥락에서 새로운 윤리의 맥락을 이해하고, (나)에서 강조된 자기 진실성 개념을 (다)의 시에 포함된 함축적 의미와 연결하도록 하였다. 모든 제시문을 활용해서 답안을 작성하도록 하였다. 이러한 과정에서 경험에 근거한 합리적 이유를 추론하는 능력, 주어진 맥락에 비추어 함축성 높은 시어의 의미를 해석하는 능력, 자료를 활용하여 자신의 의견을 논증하는 능력을 두루 평가하고자 하였다.
2023학년도 모의 논술 [상경계열]	● 주로 경제학에서 쓰이는 정보 비대칭 개념을 활용하여 구체적인 상황을 분석할 수 있는 능력이 있는지, 그리고 경제 활동에서 일어나는 소비자나 공급자로서 취해야 할 자세를 유추하여 서술할 수 있는 능력이 있는지를 측정하고자 하였다. 지문 (가)는 정보 비대칭 개념에 대한 사전식 설명이다. 거래의 두 주체 사이에 형성되는 정보의 비대칭 관계는 항존적인 요소인데, 이것이 악용될 경우에 발생할 수 있는 문제점까지 제시하였다.
	● 수학 I 범위에 속하는 수학적 귀납법, 확률과 통계 범위에 속하는 경우의 수, 여사건의 확률, 조건부 확률, 연속확률변수의 확률분포 등의 개념을 포괄적으로 이해하고 있는지를 물었다.
2022학년도 수시 논술 [인문 오후1]	● 문제는 급변하는 현대 사회의 시민 역량인 ‘리터러시’의 개념을 공동체적 관점에서 이해하고 이와 관련된 정치·경제적, 사회·문화적 문제들을 다양한 자료를 활용하여 분석하고 설명하는 통합교과적 역량을 평가하고자 하였다. 이를 위하여, 리터러시가 갖는 공동체적 의미와 리터러시 격차 문제를 공공의 영역에서 바라보는 확장된 관점을 제공하는 (가)와 허위 정보를 판단하지 못하는 시민의 결핍된 리터러시가 중요한 정치적 의사 결정에 영향을 미칠 수 있음을 보여주는 사례인 (나), 가상의 두 국가가 처한 리터러시 문제를 추론할 수 있는 통계적 그래프 자료들인 (다)로 제시문을 구성하였다. 첫 번째 질문은 (가)의 맥락에서 ‘리터러시’가 질문과 사유를 통해서 다양한 형식과 내용의 정보와 자료들을 합리적·비판적으로 다루는 공동체적 실천 역량이라는 점을 이해하

기출 연도	출제 의도
	고, 이러한 이해를 (나)에 제시된 영국의 브렉시트 국민투표 상황에 적용하여 리터러시를 갖춘 시민이 왜곡된 정보('빨간 버스의 구호')를 비판적이고 공동체적으로 읽고 판단하기 위해 어떤 질문들을 던질 수 있을지 구체적으로 창안하고 설명할 수 있는 능력을 평가하고자 하였다. 두 번째 질문은 (다)에 제시된 복수의 통계 그래프 자료들에서 국가 A, B에서 관찰되는 '리터러시 격차' 양상을 각각 분석하고 (가)에서 제시한 것처럼 리터러시 격차 문제가 공공의 의제라는 점을 고려하여 이에 대한 해결책을 각 국가의 상황에 맞게 종합적으로 제안할 수 있는 능력을 묻고자 하였다.
2022학년도 수시 논술 [인문 오후2]	● 경제 용어의 개념에 대한 올바른 이해와 적절한 적용, 그리고 서로 다른 글들 사이의 연관성을 창의적으로 찾아서 논리적으로 표현하는 능력을 종합적으로 평가하고자 하였다. 경제에 관한 두 편의 사회과 제시문과 시민 운동에 관한 한 편의 국어과 제시문으로 구성하여, 경제의 용어와 개념을 정확하게 이해한 후 주제 통합적 읽기를 통해 제시문 사이의 연관성을 찾아 문제점의 원인을 분석하고 그 해결책을 제시할 것을 요구하였다. 첫 번째 질문은 공공재, 그와 관련한 경합성, 배제성 및 공공성의 개념을 이해하여 실제 사례인 철도 산업에서 그 특성을 정확하게 찾아낼 수 있는 능력을 검증하고자 하였다. 그 다음 질문은 첫 번째 질문에서 정리한 내용을 토대로 두 번째 제시문에 담겨있는 아르헨티나 철도 산업의 민영화에 따른 문제점과 원인을 찾아내고 분석할 수 있는 능력을 검증하고자 하였다. 마지막 질문은 세 번째 제시문에서 언급한 시민의 조직적인 윤리적 소비 운동 내용을 활용하여 두 번째 질문에서 찾은 문제점과 원인에 대한 해결책을 제시하는 능력을 검증하고자 하였다.
2022학년도 수시 논술 [상경계열]	● 제시문에 주어진 '네트워크 효과'의 개념에 대한 이해를 바탕으로 이와 관련된 '잠김 현상'을 초래할 수 있는 요인을 파악하고 네트워크 효과를 가지는 사례로 제시된 한 포털 사이트의 성공과 쇠락 요인을 분석하는 문항으로, 학생들의 이해 능력과 분석적 사고 및 적용 능력을 평가하는 것을 목적으로 한다. 지문 (가)는 네트워크 효과의 개념과 사례를 제시하고, 네트워크 효과가 있는 경우 하나의 제품으로 사용자가 쏠리는 현상이 나타나는 경향이 있으며 이것이 잠김 현상에 의해 강화될 수 있다는 내용을 담고 있다. 지문 (나)는 비효율적인 쿼티 자판이 지금까지 널리 통용되고 있는 사례를 이용해 잠김 현상을 가져올 수 있는 요인을 설명

기출 연도	출제 의도
	하고 있다. 지문 (다)는 우리나라에서 실제 있었던 사례를 소개한 글로, 한 포털 사이트가 시장을 석권했다가 단기간에 쇠락하는 과정을 서술하고 있다.
	● 문항1은 주어진 상황을 잘 파악하여 사건의 경우와 확률을 찾고 기댓값을 구할 수 있는지 묻고 있다. 또한 문항2는 확률의 덧셈 정리, 사건의 독립 등 확률의 기본 성질을 이용하여 주어진 확률을 표현하고, 이항정리를 이용하여 이를 계산할 수 있는지 묻고 있다. 문항3에서는 정규분포의 성질을 통해 주어진 확률분포의 평균을 찾을 수 있는지, 모집단이 정규분포를 따를 경우 표본평균의 분포를 이해하고 문제의 확률을 구할 수 있는지 묻고 있다.
2022학년도 모의 논술 [인문계열]	● 디지털 기기에 의존한 읽기 행위가 지닌 문제가 무엇인가에 대한 성찰을 바탕으로 이에 대한 대응 방안을 모색하도록 하는 방향으로 설계되었다. 지문 (가)의 맥락에서 (나)의 시에 포함된 함축적 의미를 해석하도록 하였고, (다)의 두 가지 자료를 모두 활용해서 답안을 작성하도록 하였다. 이러한 과정에서 경험에 근거한 합리적 이유를 추론하는 능력, 주어진 맥락에 비추어 함축성 높은 시어의 의미를 해석하는 능력, 자료를 활용하여 자신의 의견을 논증하는 능력을 두루 평가하고자 하였다.
2022학년도 모의 논술 [상경계열]	● 중앙집권적 국가 권력은 국가 구성원을 무질서와 폭력으로부터 보호해 주는 순기능을 갖지만, 동시에 권력이 견제를 받지 않고 비대해질 경우 폭압적이고 독재적인 통치로 흐를 수 있다는 문제점을 갖는다. 이번 상경계 모의 논술은 제시된 자료로부터가 권력의 이러한 상반된 두 측면을 파악하고 그 해결 방안을 모색하는 문제이다.
	● 수학 I 범위에 속하는 로그, 확률과 통계 범위에 속하는 독립시행, 확률변수, 확률분포, 이산확률변수의 기댓값, 이항분포 등의 개념을 포괄적으로 이해하고 있는지를 물었다. 해당 개념을 잘 숙지하여 구체적인 예시에 적용할 수 있는지를 확인하였다.
2021학년도 수시 논술 [인문 오전]	● 지도 제작의 객관성에 영향을 미치는 요인을 제시문으로 부터 알아내고, 이를 실제 사례에 적용하여 지도를 분석한 지문을 참조하여, 현대의 지도에 나타난 제작자의 관점과 의도를 추론해 내는 것을 요구하는 방식으로 구성되었다. 예년의 논술문제와 달리 사례 분석의 추론 방식을 실제 지도에 적용하는 내용이 요구되기 때문에 제시문의 내용을 그대로 가져와 답안을 작성하기 어렵게 제작되었다. 문제의 전반부에서는 제시문에서 지도 제작의 객관성 확보를 어렵게 하는 요인들을 영화와 저널리즘에 비유해 설명한 최근 연구서의 내용을 제시하여, 수험생으로 하여금 '지도란

기출 연도	출제 의도
	무엇인가?'라는 보다 일반적 수준의 질문에 답하게 함으로써 변별력을 확보할 수 있도록 하였다. 문제의 후반부에서는 17세기 영국의 법학자였던 셀던이 기증한, 남중국해를 중심으로 하는 지도를 사례로 지도 제작자의 관점을 추론한 연구 결과를 제시한 후, 남북을 뒤집은 세계 지도와 북극을 중심으로 원형으로 투사한 지도를 분석 대상으로 삼아 이 지도에 나타난 제작자의 관점을 설명하도록 구성함으로써 추론 능력과 추론된 원리를 사례에 적용하는 종합적인 사고 능력을 평가하고자 하였다.
2021학년도 수시 논술 [인문 오후]	● 폭력에 관한 사회과학 제시문과 두 편의 문학 제시문으로 구성하여, 사회과학의 개념으로 문학작품의 숨은 의미를 해석할 것을 요구하였다. 첫 번째 질문은 폭력 개념의 변화와 새로 설정된 유형, 구조적 폭력의 개념을 정확하게 이해하고 분명하게 간추리는 능력 검증에 목적이 있다. 다음에는 첫 번째 제시문에서 정리한 구조적 폭력의 개념으로 두 편 문학작품의 숨은 의미를 찾아내고 설명할 것을 요구하였다.
2021학년도 수시 논술 [상경계열]	● 집단의 다양성 및 환경이 인간의 창의성 및 행동에 미치는 영향을 인식하고, 최근 대두되는 AI 면접이 다양한 인재를 뽑고 환경에 맞는 적절한 인재를 뽑을 수 있는 능력을 지녔는지를 평가하라는 질문으로, 학생들의 추론 능력 및 비판적 사고 능력을 평가하는 문제이다. 먼저 (가)지문은 케이트 윌헬름의 소설 <노래하던 새들도 지금은 사라지고>의 내용을 간추린 것으로, 지적능력이 뛰어난 몇몇의 사람들과 똑같은 클론을 많이 만들면, 창의성을 발휘하여 인간 세계에 닥쳐오는 위기상황을 극복하고 인간세계를 영원히 존속하게 할 수 있을 것 같았지만, 결국 이들은 생각의 다양성 부족으로, 새로운 세상을 만들지 못하고 결국 멸망하고 만다는 내용이다. 학생들은 이 지문을 통하여 집단 구성원의 다양성이 집단의 창의성에 중요한 요소라는 것을 추론할 수 있을 것이다. (나) 지문은 "귤화위지"라는 고사성어의 내용을 해설한 것으로, 학생들은 이 지문을 통해 문화와 환경이 인간의 생각과 행동에 큰 영향을 준다는 것을 인식할 수 있을 것이다. (다) 지문은 가상의 시나리오로 국내 50대 기업에 속하는 A기업이 도입한 AI 면접 시스템에 대한 내용이다. 이 지문에 따르면, AI 면접 시스템은 여러 가지 장치로 사람의 지적 능력, 태도, 성격, 가치관 등을 정확하게 파악하는 능력을 지녔다. 또한 AI 면접 시스템은 빅데이터 기술로 국내 10대 기업에 입사한 직원들의 특성(지적 능력, 태도, 성격, 가치관 등)과 실제 성과에 대한 데이터를 가지

기출 연도	출제 의도
	고, 직군별로 높은 성과를 나타내는 이들의 특성 프로파일을 만든 후, 이에 근접한 사람들에게 높은 업무잠재성 점수를 부여하여 채용에 활용한다. 여기서 유추할 수 있는 바는 AI 면접 시스템이 직군별로 비슷한 특성의 사람들을 뽑을 것이라는 점이다. AI 면접 시스템이 직군별 베스트 프로파일과 비슷한 지원자들에게 높은 점수를 부여하기 때문이다. 이는 직군별로 높은 업무잠재성을 가진 사람들을 뽑는 장점이 있으나, (가)에 따르면, 개개인이 아무리 뛰어나도, 그 집단의 다양성이 떨어지면 결국 그 집단은 창의적 성과를 내지 못하게 된다. 따라서 변화와 혁신을 통한 성장이라고 하는 A기업의 목표 실현에 도움이 되지 않을 것이다. (다)에서 유추할 수 있는 다른 하나는 AI면접 시스템이 10대 기업의 데이터를 활용한다는 점이다. (나)에 따르면, 사람은 환경에 따라 행동이 달라진다. 10대 기업에서 성과가 뛰어났던 사람은 그 기업의 환경이 좋았기 때문에 성과가 좋았을 수도 있는 것이다. 따라서 10대 기업에서 성과가 좋은 사람들과 비슷한 사람들을 뽑는다고 하여도, A기업의 환경이 10대 기업과 다르다면, 그들의 성과가 똑같이 좋을 수는 없을 것이다. 따라서 A기업 환경에 대한 고려 없이 이러한 채용 방식을 사용한 다면, 변화와 혁신을 통한 성장이라는 A기업의 목표 달성에 큰 도움이 되지 않을 수 있다. 본 문제는 이렇게 (가)와 (나)를 기반으로 (다)에 대한 시사점 및 평가를 서술하게 함으로써, 학생들의 유추 능력, 논리성, 그리고 비판적 사고능력을 평가하도록 하였다.
	● 1번 문제에서는 주어진 상황을 잘 파악하여 주사위의 눈의 개수 및 반복 시행에 따른 확률, 코사인법칙을 활용한 두 점 사이의 거리, 기댓값을 구할 수 있는지 묻는다. 확률과 통계, 수I 에서 등장하는 기본적인 개념에 대한 이해도를 묻는 문제이다. 2번 문제에서는 주어진 식으로부터 등차수열과 등비수열의 일반항을 잘 유도해낼 수 있는지, 그리고 수열의 합을 계산할 수 있는지 묻는다. 주어진 조건을 만족하는 수열이 가지는 성질을 파악하고 적용하는 능력에 관한 문제이다. 3번 문제에서는 평면도형에 대한 기본적인 이해를 바탕으로 삼각함수와 미적분의 기술을 적절히 활용해서 원하는 결과를 이끌어낼 수 있는지를 묻는다.
2021학년도 모의 논술 [인문계열]	● 문제는 소통이란 무엇인가에 대해서 고민하고, 이를 바탕으로 인간들이 흔히 실수하는 점을 찾아내서 그 문제점을 해결할 덕목이 무엇인지 추론하고, 이를 바탕으로 그 덕목이 가지는 사회적 의의를 제시하라는 내용으로 구성되었다. 예년의 논술 문제와 달리

기출 연도	출제 의도
	지문의 내용을 요약 정리하는 부분을 삭제하여 수험생들이 지문을 그대로 베껴 논술문을 작성하지 못하도록 하였고, 지문 (가)와 (나)의 독해를 통해 두 글의 공통점인 '소통의 중요성' 및 '바람직한 소통의 태도'를 찾아낼 수 있게 하였다. 문제 후반부에서는 사회적 관심사가 되고 있는 '확증 편향'을 박지원의 글인 '공작관문고 자서(孔雀館文稿 自序)'의 예시를 통해서 보여주었고, 그 글을 통해서 '어린아이'와 '시골 사람'의 문제점을 찾게 하였다. 나만 알고 남은 모르는 귀울음은 남을 전혀 이해하지 못하고 자신만 아는 사람을 비유한 것이고, 나는 모르는데 남은 아는 코골이는 그것을 지적하는 남의 말이 무엇인지 이해하지 못하는 사람을 비유한 것이다. 이 두 사람의 문제점은 모두 자신의 잘못인데도 그것을 지적해 주면 도리어 화를 낸다는 것이다. 남의 지적을 받아들이지 못하면 소통할 수 없다는 점이 중요하다. 이러한 문제점을 해결할 덕목을 추론하여, 그것이 지니는 사회적 의의를 제시하게 함으로써는 분석적 추론 능력과 창의적 적용 능력을 평가하고자 하였다.
2021학년도 모의 논술 [상경계열]	● 문제는 인류에게 수천 년간 고통을 안겨 준 결핵의 전파와 발병에 영향을 주는 요인을 추론하고 그 인과 관계를 설명하기를 요구하는 내용으로 출제되었다. 문제는 결핵의 일반적 특징을 설명하는 지문과 결핵과 관련된 역사적 자료를 그래프와 표로 제시한 4가지 자료로 구성되어 있다. [자료1]은 20세기 중 상하이 지역의 결핵으로 인한 사망률 그래프로 응시생들은 제1차 세계대전과 제2차 세계대전에 해당되는 시기에 결핵 사망률이 급격하게 상승했다는 사실에 주목하여 전쟁 중의 생활 조건 악화와 영양실조 등이 사망률 증가와 관련이 있을 것이라는 점을 추론할 수 있다. [자료2]와 [자료3]을 비교하면 밀접접촉이 이루어지는 환경(목욕탕)이 결핵 감염에 중요한 요인임을 추론할 수 있고 지문에 제시된 결핵에 영향을 끼치는 요인이 여러 직업에 따라 다양한 양상을 보인다는 점을 추론할 수 있다. 마지막으로 [자료4]로부터는 뉴욕이라는 동일 거주 지역 내에서도 민족 집단 사이에 결핵 사망자 비율에서 차이가 나는 것은 거주방식, 위생 관념, 식문화 등의 원인이 있을 것이라는 설득력 있는 추론이 가능하다.
2020학년도 수시 논술 [인문계열]	● 문제는 여러 수준의 기억이 구성되는 과정에 영향을 미치는 요인을 제시문으로부터 추론하여 이를 바탕으로 서로 충돌하는 집단 기억 사이에서 객관적인 평가 기준을 제시할 것을 요구하는 방식으로 구성되었다. 예년의 논술 문제와 달리 수험생이 제시문의

기출 연도	출제 의도
	내용을 그대로 가져와 답안을 작성할 수 없도록, 제시문에서는 기억의 여러 특징에 대한 최근 과학적 연구 결과와 일본에서 2차 대전 후에 집단기억이 형성되는 과정을 자세하게 설명한 내용을 제시하고 수험생으로 하여금 '기억이란 무엇인가?'라는 보다 일반적 수준의 질문에 답하게 함으로써 변별력을 높였다. 문제의 전반부에서는 각각 자전적 기억과 집단기억의 특징을 읽어낼 수 있는 두 제시문 (가)와 (나)의 내용을 '종합하여 '기억이란 무엇인가?'에 대한 통찰력 있는 글을 작성할 수 있는지 여부를 평가한다. 문제의 후반부에서는 제시문 (나)에서 부분적으로 소개된 서로 충돌하는 집단기억의 차이를 합리적이고 타당한 방식으로 평가할 수 있는 기준을 제시할 것을 요구함으로서 창의적 문제해결 능력과 종합적 사고 능력을 평가한다.
2020학년도 수시 논술 [상경계열]	● 문제는 학생들이 사회적 문제에 관한 다양한 자료를 분석하고 합리적이고 타당한 논거를 도출하여 이를 토대로 자신의 주장을 설득력 있게 펼칠 수 있는 능력을 평가하는 데에 초점을 두고 있다. 특히 주어진 지문의 주요 내용을 발췌하여 답안을 작성하는 대신에, 상경계열에서 요구되는 그래프 해석 능력을 활용하여 자신의 입장을 논리적으로 추론하고 설득할 수 있는 역량을 발휘할 수 있는 기회를 마련하고자 하였다. 급속한 고령화로 우리 사회는 생산가능인구 감소에 따른 경제성장 저하와 노인부양 부담의 증가라는 문제에 직면하게 되었다. 현재의 추세를 그대로 유지하면 미래에 다른 국가들에 비하여 노인 부양 부담이 더 커질 수 있다는 전망도 나오게 되었다. 이에 따라 정부는 단계적으로 정년을 연장하여 생산가능인구를 늘리는 정책 방안을 고려하고 있다. 그러나 정년연장은 중고령층의 일자리를 늘리게 되지만, 청년층의 일자리를 줄일 수 있다는 우려가 제기되었다. 또한 기업에 종사하는 중고령층 근로자들은 대개 임금 수준에 비하여 생산성이 낮은데, 정년을 연장하면 기업의 생산성과 경쟁력은 저하될 것이라는 주장이 힘을 얻게 되었다. 정년연장과 관련한 논쟁이 치열해지면서 일자리를 놓고 세대 간에 갈등 양상이 나타나게 되었다. 이러한 상황에서 정년연장 정책을 뒷받침할 수 있는 객관적인 과거 분석 자료를 활용하여, 중고령층과 청년층 일자리는 대체관계가 아니라 보완관계라는 결론을 도출할 수 있도록 하였다. 또한 향후에 기업에서 대다수를 차지하게 될 중고령층 근로자들은 생산성보다 임금 수준이 높기 때문에 기업 경쟁력을 약화시킬 수 있는 주장을 토대로 정년연장 정책에 반대하거나 이러한

기출 연도	출제 의도
	문제를 해결할 수 있는 보완책이 마련되어야 한다는 주장을 펼칠 수 있도록 하였다.
	● 2번 문제는 '수학II'에서 다루는 집합의 연산과 '확률과 통계'에서 다뤄지는 확률의 개념, 확률분포의 기댓값과 분산의 성질, 이항분포와 정규분포의 개념을 활용하여 해결할 수 있는 능력을 측정하고자 하였다. [2-1]에서는 독립사건의 개념, 집합의 연산과 간단한 확률의 계산을 통하여 쉽게 구할 수 있는 문제이다. [2-2]에서는 이항분포가 주어져있을 때 기댓값과 분산을 구할 수 있고, 기댓값과 분산의 성질을 이용하여 풀 수 있는 문제이다. [2-3]은 시행횟수가 충분히 클 때 이항분포가 정규분포에 근사한다는 것을 이용하고, 표준정규분포로 변환과 확률밀도함수의 성질을 이용하여 해결할 수 있는 문제이다.

III. 논술이란?

1. 논술이란?

1) 논술이란?

어떤 문제에 대해 자기 나름의 주장이나 견해를 내세운 다음, 여러 가지 근거를 제시하여 그 주장이나 견해가 옳음을 증명하는 글쓰기 활동을 말한다. 따라서 논술의 가장 기본적인 요소는 주장과 근거이다. 다시 말해 어떤 주제에 관해서 자신의 견해를 밝히고 자기 의견을 내세우는 글이 바로 논술이다. 때문에 논술은 특별히 논리적이어야 한다는 요구를 받게 된다. 왜냐하면 여러 가지 의견이 있을 수 있는 문제에 대해 자신의 의견을 세워 다른 사람을 설득하려면, 그 주장이 충분한 근거 위에서 논리적으로 개진될 때만 가능하기 때문이다.

2) 대한민국 논술고사는?

한국에서의 대학 입시 논술고사는 실제 교과 과정과 교과서가 기본이 되어 응용된 사고와 풀이 능력과 지식을 바탕으로 한다. 논술고사는 일반적을 비판적으로 글을 읽는 능력과 창의적으로 문제를 설정하고 해결하는 능력 그리고 논리적으로 서술하는 능력을 종합적으로 평가하는 시험이다. 비판적으로 글을 읽는다는 것은 능동적으로 자신의 관점에서 글을 읽는 것을 말하며, 창의적으로 문제를 설정하고 해결하는 능력이란 심층적이고 다각적으로 논제에 접근함으로써 독창적인 사고와 풀이를 이끌어낼 수 있는 능력을 말한다. 그리고 논리적 서술 능력은 글 구성 능력, 근거 설정 능력, 표현 능력 등을 포괄한다.

3) 인문계 논술? 그리고 그 변화

모든 글은 일반적으로 3가지 종류로 나뉘어진다. 시, 소설 등 문학 작품과 같은 글쓰기인 창작적 글쓰기(creative writing)와 설명문이나 해설문의 글쓰기는 해명적 글쓰기(expository writing), 그리고 논설문의 글쓰기인 비판적 글쓰기(critical writing)가 있다. 이 글쓰기 중 대한민국의 대학입시에서 시행되고 있는 인문계 논술은 창작적 글쓰기는 포함되지 않는다. 새로운 문학 작품을 쓰는게 아니라 제시문을 읽고 내용을 구체화시켜 잘 설명하는 설명문의 형태가 있고, 주어진 문제에 대해 생각하고 깊이있는 주장을 피력하는 비판적 글쓰기도 있다.

2. 논술의 기본 용어

1) 논제 : 논술의 문제를 의미한다.

반드시 해결하고 접근하여야 할 논술 시험의 대상이다.

(2) 중심 논제 : 채점할 때 가장 배점이 높으며, 핵심적으로 해결해야 할 논술의 문제

(3) 세부 논제 : 큰 논제 속에 포함된 작은 문제, 각 단계별 채점의 기준이 되며 세부 채점 항목으로 필수 해결 항목이다.

2) 논거 : 논술에서 설명하고 주장하는 논리적인 근거 혹은 이유

3) 주장 : 수험생이 생각하고 채점자에게 알리고 싶은 생각
4) 제시문 : 보기 지문을 말한다.
(4) 출제자가 논제 해결을 위해 보여주는 다양한 글
(5) 각종 그래프, 도표, 그림 등
자료가 정해져 있지는 않다. 하지만 고등학교 교과서를 가장 많이 인용하고, 고등학교 교과 과정으로 분석하고 판단할 수 있는 내용을 제시한다.
5) 개요 : 논제에 맞게 더 구체적으로는 세부 논제에 맞게 글의 진행 방향을 간략하게 정리하는 과정이다.

3. 논술의 명령어

논술고사 후 대학의 발표 자료를 보면 논술은 출제자의 의도에 부합하게 글을 써야 한다고 강조한다. 그런데 출제자의 의도를 파악하는 것은 자칫 상당히 모호하고 주관적인 것으로 판단하기 쉽다.

하지만 인문계 논술에서는 명령어가 한정되어 있다. 그 명령어들을 잘 익히고 의미를 파악한다면 훨씬 논술의 이해가 높아질 것이다. 또한 대학의 채점 기준에는 명령어의 요구조건을 충족하는지를 평가한다. 그러므로 인문계 논술의 명령어는 수험생에게는 아주 기초적이지만 필수적이며 절대 잊지 말아야 할 중요한 핵심이다.

1) ~ 에 대해 논술하시오.

; 주장을 밝히고 근거를 제시한다.

2) ~ 에 대해 설명하시오.

: 사실, 주장 등을 쉽게 풀어서 밝힌다.

- **~ 제시문 간의 관련성을 설명하시오.**
- **~ 제시문의 논리적 타당성과 문제점을 설명하시오.**
- **~ 제시문을 참고하여 주어진 자료의 특징을 설명하시오.**
- **~ 제시문의 관점에서 왜 그런 현상이 생기는지 그 이유를 설명하시오.**

3) ~ 의 비교하시오. 혹은 대조하시오.

: 공통점과 차이점을 중심으로 설명한다.

- **~ 공통점과 차이점을 설명하시오.**

4) ~ 을 분석하시오.

: 주제를 구성요소로 나누고 각 부분의 의미와 상호관계를 밝힌다.

5) ~ 제시문과 주어진 자료를 참고하여 현상을 예측해 보시오.

: 주어진 자료를 해석하고 자료로부터 얻을 수 있는 시간에 따른 변화나 자료의 발생 이유를 살핀다.

6) ~ 제시문의 문제점을 지적하고 그 문제점을 해결할 방법을 제시하시오.

: 보통은 수학이나 과학의 역사에서 발생했던 여러 오류나 실험과정에서 나타난 문

제점을 가지고 있다. 또한 이론이나 실험, 학생의 실험보고서 등과 같이 확실한 오류가 있는 제시문을 주기도 한다. 분명히 문제점을 파악하여 답안에 서술하고 문제점이나 해결할 수 있는 방법 등을 명확히 하여야 한다.

● ~ 제시문의 관점에서 왜 그런 현상이 생기는지 그 원리를 설명하고 그런 현상을 예방할 수 있는 방안을 제시하시오.
● ~ 문제점을 지적하고 합리적 대안을 제안해 보시오.
● ~ 주어진 관점을 검증할 수 있는 방법을 논하시오.
● ~ 주어진 문제점을 해결할 수 있는 실험을 설계해 보시오.

7) 제시문의 관점에서 주장을 비판하시오.

: 어떤 주장의 타당성이나 가치 등을 평가한다.

4. 인문계 논술 글쓰기 유의사항

① 논제의 해결이 핵심이다. 출제자가 원하는 답을 써야 한다.

② 논제에 부합하는 글을 일관성 있게 써야 한다.

③ 한편의 글을 완성하여야 한다. 나열하거나 사례를 보여주는 것은 의미가 없다.

④ 제시문을 활용, 인용하는 것과 제시문을 그대로 옮겨 쓰는 것은 다르다. 적절하게 제시문의 내용을 사용하여 논제를 해결하여야 한다. 절대 제시문의 문장을 그대로 쓰면 안 된다. 금기사항이고 감점요인이다.

⑤ 부적절한 문장 즉, 비문을 만들지 말아야 한다. 주어와 서술어가 적절하게 있어 문장의 의미를 명확히 전달하여야 한다. 주어를 생략하거나 지시어를 과도하게 사용하면 문장의 의미가 모호해 진다.

⑥ 문장은 짧고 간결하게 써야 한다. 자신의 의견을 명확히 간결하고 효과적으로 밝혀야 한다.

5. 논술 확인 사항

① 시간의 제한이 시험이다. 논술 시험은 자유롭게 글을 쓴다고 생각하고 주어진 시간을 체크하지 않는 경우가 정말 많다. 대학별로 요구하는 시간에 알맞게 답안을 구성해야 한다.

② 문단의 구성, 맞춤법, 띄어쓰기 등을 무시하면 절대 안 된다. 글쓰기의 기본은 의미의 전달 과정임으로 효율적인 연습과 준비가 되어 있어야 한다.

③ 습관적으로 물어보는 의문문, 같이 할 것을 제안하는 청유형은 사용하지 않는 것이 좋다. 문법의 오류가 아니라 격을 떨어뜨리고 글을 단조롭고 어색한 글 전개가 될 가능성이 높다.

④ 500자 미만이면 서론에 해당하는 도입과정은 과감히 생략하고 바로 논점으로 들어간다.

⑤ 한국어에는 수동태가 없다. 그러나 워낙 영어 번역하며 많이 사용하다 보니 논술

답안에도 수험생들이 자주 사용한다. 문법에 맞는 효과적인 표현이 필요하다. 학생이 수험생이 대학의 논술 고사에 응시하고 답안지에 논술 답안을 쓰는 것이다. 대학의 논술 답안지가 수험생으로부터 답안으로 쓰여지는 것이 아니다.

⑥ 많은 수험생들은 착각을 한다. 논술을 멋진 글쓰기라고 생각해 감상적이거나 비유적인 표현도 많이 사용한다. 그런데 오히려 이러한 표현은 채점자가 수험생의 사고능력 파악이 힘들어지고, 오히려 논제 해결을 했는지 판단하는데 혼동을 준다. 또한 일상에서 사용하는 구어체도 사용하면 안 된다. 논술은 글쓰기에서 쓰는 조금 딱딱한 문어체를 사용하는 것이다.

⑦ 아무리 강조해도 글씨의 중요성은 지나치지 않을 것이다. 채점하는 교수님들의 한결같은 큰 애로점은 이해할 수 없는 학생의 글씨라고 한다. 글씨체를 갑자기 바꿀 수 없지만 타인이 알 수 있게 규칙적으로 줄을 맞춰 쓰고, 분량에 맞는 큰 글씨로, 흘려 쓰지 않는 정자체로 답안을 작성하여야 한다.

Ⅳ. 인문계 논술 실전

1. 각 대학별 논술 유의사항을 파악하라!

많은 대학에서 글자수 제한을 확인하여야 한다. 그래서 원고지 형이 많지만, 문항별 칸을 만들거나 밑줄 답안 형식도 있다. 논술 시험 시간은 각 대학별로 다양하다. 60분 즉, 한 시간을 시작으로 많게는 2시간까지 (120분)까지 다양하게 있다. 대학별로 준비해야 하는 중요한 이유이다. 답안을 작성하는 필기구도 다양하다. 연필(샤프펜)의 사용이 꾸준히 증가하지만 아직까지 검정색 볼펜이나 청색 볼펜으로 사용하는 학교도 많다. 주의할 것은 수정법이다. 수정은 학교에 따라 수정액, 수정테이프의 사용을 제한하는 경우도 있고 틀리면 두줄을 긋고 써야 하는 곳도 있다. 그러므로 각 대학별 특징을 파악하고, 미리 답안 작성 연습은 물론이고 작성할 때도 대학별로 금지하는 내용을 숙지하고 시험장에 가야 한다.

각 대학별 유의사항 사례

사례 1)

가. 답안은 한글로 작성하되, 글자수 제한은 없다.

나. 제목은 쓰지 말고 특별한 표시를 하지 말아야 한다.

다. 제시문 속의 문장을 그대로 쓰지 말아야 한다.

라. 반드시 본 대학교에서 지급한 필기구를 사용하여야 한다.

마. 수정할 부분이 있는 경우 수정도구를 사용하지 말고 원고지 교정법에 의하여 교정하여야 한다.

바. 본 대학교에서 지급한 필기구를 사용하지 않거나, 수정도구를 사용한 경우, 답안지에 특별한 표시를 한 경우, 또는 원고지의 일정분량 이상을 작성하지 않은 경우에는 감점 또는 0점 처리한다.

사례 2)

Ⅰ. 필요한 경우 한 개 또는 여러 개의 제시문을 선택하여 논의를 전개하고, 사용한 제시문은 꼭 참고문헌 형태로 표시하시오.

예) …[제시문 1-4].

예) …되며[제시문 2-4], …의 경우는 ~을 보여준다[제시문 2-1].

Ⅱ. [문제 1]부터 [문제 4]까지 문제 번호를 쓰고 순서대로 답하시오.

Ⅲ. 연필을 사용하지 말고, 흑색이나 청색 필기구를 사용하시오.

Ⅳ. 인적사항과 관련된 표현을 일절 쓰지 마시오.

Ⅴ. 문제당 배점은 동일함.

사례 3)

◇ 각 문제의 답안은 배부된 OMR 답안지에 표시된 문제지 번호에 맞춰 작성하시오.

◇ 각 문제마다 정해진 글자수(분량)는 띄어쓰기를 포함한 것이며, 정해진 분량에 미달하

거나 초과하면 감점 요인이 됩니다.
◇ 답안지의 수험번호는 반드시 컴퓨터용 수성 사인펜으로 표기하시오.
◇ 답안은 검정색 필기구로 작성하시오. (연필 사용 가능)
◇ 답안 수정시 원고지 교정법을 활용하시오. (수정 테이프 또는 연필지우개 사용 가능)
◇ 답안 내용 및 답안지 여백에는 성명, 수험번호 등 개인 신상과 관련된 어떤 내용, 불필요한 기표하면 감점 처리됩니다.

사례 4)
◆ 답안 작성 시 유의사항 ◆
□ 논술고사 시간은 90분이며, 답안의 자수 제한은 없습니다.
□ 1번 문항의 답은 답안지 1면에 작성해야 하고, 2번 문항의 답은 답안지 2면에 작성해야 합니다. 1, 2번을 바꾸어 작성하는 경우 모두 '0점 처리'됩니다.
□ 연습지는 별도로 제공하지 않습니다. 필요한 경우 문제지의 여백을 이용하시기 바랍니다.
□ 답안은 검정색 또는 파란색 펜으로만 작성하며 연필, 샤프는 사용할 수 없습니다.
□ 답안 수정은 수정할 부분에 두 줄로 긋거나 수정테이프(수정액은 사용 불가)를 사용해서 수정합니다.
□ 답안지에는 답 이외에 아무 표시도 해서는 안 됩니다.
□ 답안지 교체는 고사 시작 후 70분까지 가능하며, 그 이후는 교체가 불가합니다.

2. 제시문에 먼저 눈을 두지 말고 문제를 파악하라!!!

대학별 고사인 논술의 어려운 점은 시간의 제한이 있는 글쓰기 시험이라는 것이다. 자유롭게 잘 쓸 수 있는 내용일지라도 시간의 제한이 있으면 얘기가 달라진다. 특히 지금과 같이 각 대학별로 다양하게 등장하는 시험에 익숙하지 않은 수험생에게는 더 큰 부담으로 작용을 한다.

대학에서는 다양하게 제시문과 문제를 분포시킨다. 문제를 등장시키고 제시문이 등장하는 경우, 그림과 도표, 그래프 등과 같이 자료를 제시하고 제시문과 문제를 함께 등장시키는 경우, 제시문을 많이 등장시키고 마지막에 문제를 제시하는 경우 등... 이렇듯 다양한 문제에 시간의 적절한 활용은 대학별 고사의 실전에서는 당락을 결정하는 중요 요소이다.

이러한 실전적 논술에서 핵심은 바로 목적을 가지고 제시문의 읽기가 선행되어야 한다. 글 읽기의 핵심은 문제을 통해 논제를 구체적으로 파악하고 그 논제에 부합하게 제시문을 분석하는 것이다.

① 문제를 먼저 확인하라!! - 제시문을 읽고 문제를 보면 다시 긴 제시문을 또 읽어 시간을 낭비한다.
② 세부 논제 확인하라!! - 한 문제라도 그 문제 속에 다루는 논제는 여러 개가 될 수 있

다. 그 질문 내용을 파악하라. 그리고 요구한 논제에 맞게 글을 구성한다.
③ 전제적 요건 파악하라!! - 각 문제의 전제적 요건 및 글로 표현된 부연 설명 등이 중요한 키워드가 될 수 있다.

V. 한양대학교 기출

1. 2024학년도 한양대 수시 논술 [인문계열 오후1]

[문제] (가)의 '노자'의 입장에 의거하여 (나)에 나타난 '나'의 관점을 옹호하거나 반박하고, (나)의 '나'에 대한 자신의 평가를 바탕으로 (다)의 '캠든 벤치'가 우리에게 시사하는 바를 서술하시오. (1,200자, 100점)

(가)

노자의 ≪도덕경≫에는 "천지는 어질지 않아서[천지불인(天地不仁)] 만물을 짚으로 만든 개처럼 여긴다."라는 구절이 나온다. '짚으로 만든 개'는 짚으로 개의 형상을 만들어 제사에 쓰고 버리는 풍습에서 비롯된 말이다. 이 구절의 의미는 다음과 같이 이해될 수 있다. 가령 태풍이 발생해서 수많은 사상자가 나오고 커다란 재산 손실이 있었다고 해보자. 그렇다면 태풍을 천지가 악의를 품고 인간에게 내린 벌로 볼 수 있겠는가? 그런가 하면 거대한 태풍은 바다를 휘저으며 물속에 공기를 공급하여 플랑크톤이 생기게 해서 어족들의 먹이를 풍부하게 만들며, 대기 중의 이물질을 정화시켜 쾌적한 환경을 만들어주는 등의 기능도 한다. 그렇다면 이를 천지가 지구상의 생명체에게 베푼 은혜라 할 수 있겠는가? 그렇지 않다는 것이 노자의 생각이다. 천지는 태풍으로써 인간을 비롯한 생명체의 삶을 방해하거나 돕긴 했지만, 그것은 의도의 발현이 아니라 저절로 생긴 일[무위(無爲)]이고 스스로 그렇게 나타난 현상[자연(自然)]일 뿐이다. 이런 맥락에서 보면 이 구절은 천지가 친애함과 멀리함 같은 인간적 의미의 덕목을 가지지 않으므로 이 세상에 살고 있는 개개의 존재들에 대해 지극히 무심하고 그래서 공평하다는 뜻으로 풀이된다. 만물은 물과 공기, 햇빛, 땅과 같은 천지자연의 기운으로 살아가고 있지만 정작 천지자연은 무심하다는 것이 노자의 생각이다.

또한 노자는 앞의 구절과 대구를 맞추어 "성인은 어질지 않아서[성인불인(聖人不仁)] 백성을 짚으로 만든 개처럼 여긴다."는 말을 덧붙였다. 여기에서 '성인'은 이상적인 인간상을 가리키는데, 성인 또한 천지가 만물을 대하는 것과 같은 태도로 백성을 대한다고 강조한다. 이 말에는 '어짊', 곧 인(仁)을 천지 만물의 근본적 원리인 도(道)가 무너진 자리를 채우는 인위적인 덕목에 불과한 것으로 보는 노자의 관점이 깔려 있다.

(나)

한 손님이 나에게 말했다.

"며칠 전 저녁에 어떤 사람이 큰 몽둥이로 돌아다니는 개를 때려죽이는 장면을 보고 개가 불쌍하여 마음이 아팠습니다. 이제부턴 개나 돼지의 고기를 먹지 않기로 맹세했습니다."

내가 대답했다.

"며칠 전 한 사람이 불이 활활 타는 화로를 끼고 이를 잡아 태워 죽이는 것을 보고 내가 마음이 너무 아파서 다시는 이를 잡아 죽이지 않기로 결심했습니다."

손님이 실망하며 말했다.

"이는 미물(微物)입니다. 나는 큰 짐승이 죽는 것을 보고 불쌍한 까닭에 말한 것인데, 당신이 이같이 대꾸하니 나를 업신여긴 것 아닙니까?"

내가 말했다.

"무릇 피와 기운이 있는 것은 사람으로부터 소, 말, 돼지, 양, 벌레, 개미에 이르기까지 살기를 원하고 죽기를 싫어하는 마음이 있습니다. 그 마음이 모두 한가지이니, 어찌 큰 놈만 죽기를 싫어하고 작은 놈은 그렇지 않겠습니까? 그러니 개와 이의 죽음은 한가지인 것입니다. 그런 까닭에 예를 들어 적절한 대조를 삼은 것이지, 어찌 당신을 업신여겨서 한 말이겠습니까? 당신이 못 믿겠거든 당신의 열 손가락을 깨물어 보십시오. 엄지손가락만 아프고 나머지는 아프지 않습니까? 한 몸 가운데 있는 크고 작은 마디에 골고루 피와 살이 있으므로 그 아픔이 같은 것입니다. 하물며 각기 기운과 숨을 받은 것으로서 어찌 저것은 죽음을 싫어하고 이것은 좋아할 리가 있겠습니까? 당신은 물러가 마음을 잠잠히 하고 고요히 생각해 보십시오. 그리하여 달팽이의 뿔을 쇠뿔과 같이 보고, 메추리를 대붕과 같이 보십시오. 그런 뒤에 나는 당신과 더불어 도(道)를 이야기하겠습니다."

- 이규보, <슬견설>

(다)

런던의 캠든 자치구 보도에는 '캠든 벤치'라는 이름의 콘크리트 벤치가 설치되어 있다. 앉는 바닥은 하나의 커다란 평면이 아니고 기울기와 크기가 다른 여러 개의 면으로 분할되어 있어 잠깐 앉을 데를 찾고 있다면 여러 비스듬한 면 가운데 하나를 골

라 걸터앉으면 된다. 하지만 모서리가 있어 눕기에는 불편하다. 그냥 앉아 있어도 10분 정도 지나면 불편해진다. 그런데 이런 불편함은 우연이 아니다. 바로 그것이 이 공공 시설물을 만들고 설치한 도시 설계자들의 온전한 목적이기 때문이다. 캠든 자치구 의회는 기존의 벤치들이 노숙자들의 수면, 청소년들의 스케이트보드 연습, 방황하는 청년 무리들의 회합 등과 같이 일부 사람들이 저지르는 일탈 행위에 오용·악용되고 있다고 간주하였다. 그리하여 그 여지를 줄일 수 있는 벤치 디자인을 전문가에게 의뢰하였고, 그 결과 캠든 벤치를 설치하기에 이른 것이었다. 이 벤치는 설치된 목적대로 벤치 주변에서 일어나는 일탈 행위와 범죄를 줄이는 데 기여한 것으로 평가를 받고 있는 한편, '바람직하지 못한 사람'으로 간주되는 이들을 배제하는 방향으로 설계된 '적대적 건축물' 중의 하나라는 평가도 동시에 받고 있다.

한양대학교

지원학부(과)

성 명

수 험 번 호

주민등록번호 앞6자리(예: 040512)

문제 답안

50
100
150
200
250
300
350
400
450
500
550
600
650

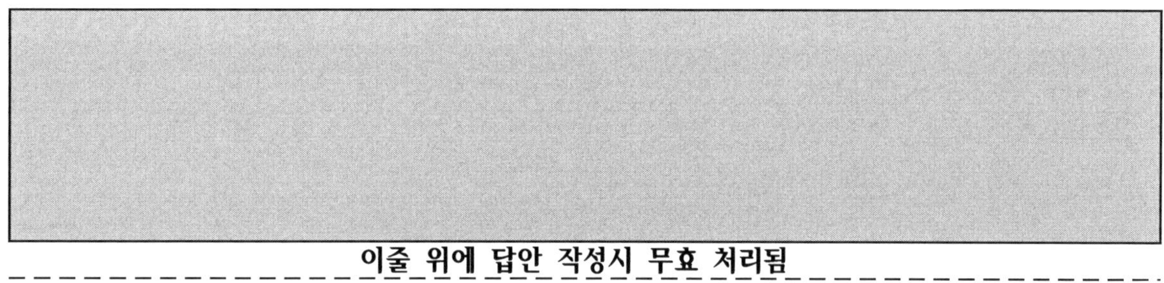

이줄 위에 답안 작성시 무효 처리됨

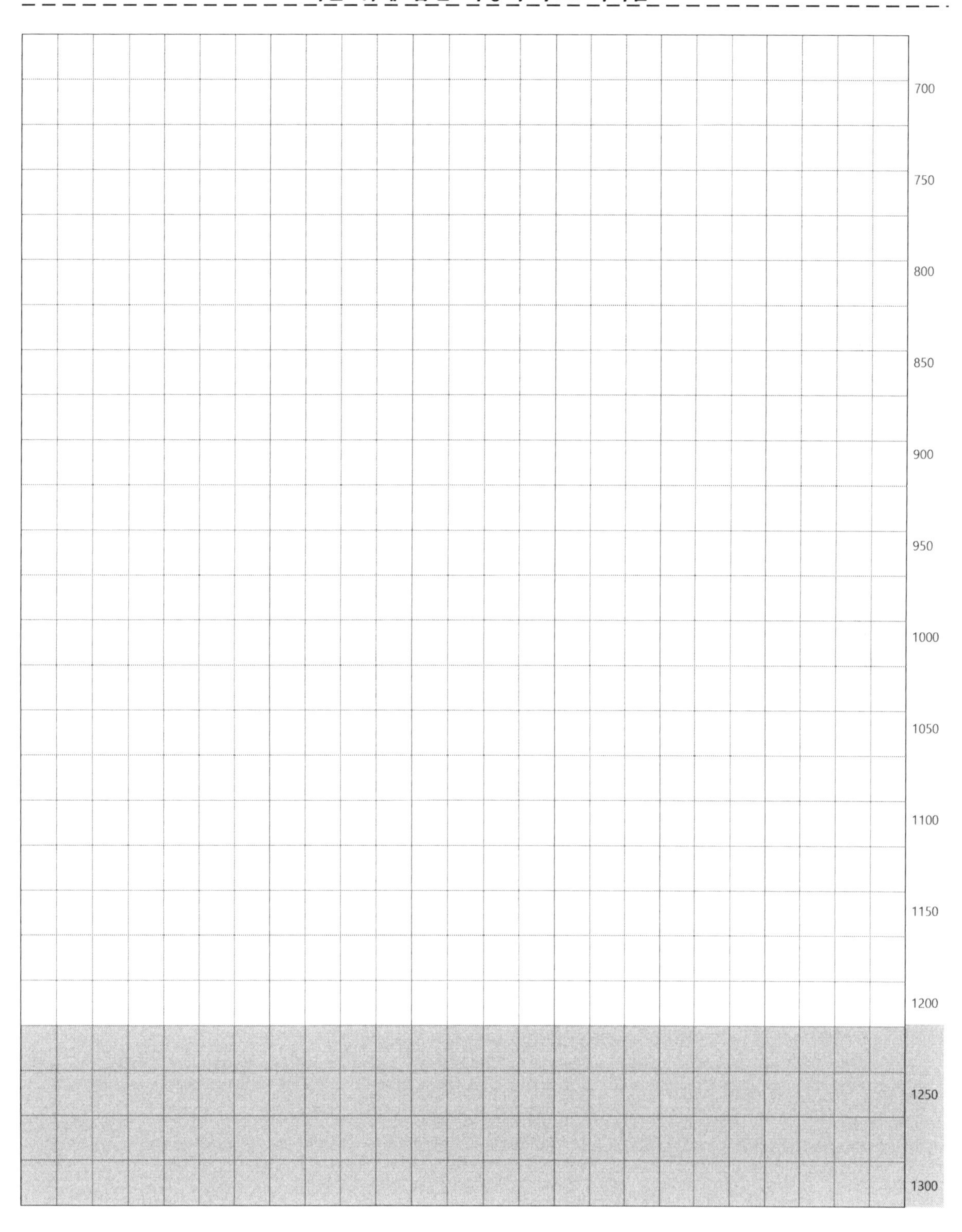

2. 2024학년도 한양대 수시 논술 [인문계열 오후2]

[문제] (가)의 ㉠에 대하여 (나)의 '사회계약론'이 어떻게 답할지 '두 가지 조건'을 고려하여 논하고, (가)의 ㉡을 (다)의 '공리주의'에 의거하여 정당화한 후 그 정당화에 대한 자신의 견해를 서술하시오. (1,200자, 100점)

(가)

㉠우리에게는 아직 존재하지 않는 미래 세대에 대한 도덕적 의무가 있는가? 여기서 주목할 점은 우리의 선택은 미래 세대의 복지 수준에 영향을 줄 수 있을 뿐만 아니라 근본적으로 어떤 사람이 미래에 존재할지에도 영향을 주게 된다는 것이다. 이 점을 이해하기 위해 다음 X국의 사례를 생각해 보자.

현재 X국에서 천연자원을 보존할지 써버릴지를 놓고 정책을 결정하려고 한다. 천연자원을 보존한다면 산업 구조를 재편해야 하고 일상의 생활 방식을 변경해야 하기 때문에 현재 세대의 복지 수준은 자원을 써버릴 때보다 낮아지지만 미래 세대의 복지 수준은 높아질 것이다. 게다가 기술의 발전을 고려할 때 현재 세대가 겪는 불편에 비해 미래 세대가 누리게 될 복지 수준은 훨씬 높을 것이다. 반면 천연자원을 대부분 써버리면 현재 세대는 편리하겠지만 미래 세대의 복지 수준은 낮아질 것인데, 이 경우 현재 세대가 누리는 복지에 비해 미래 세대가 자원 부족 때문에 겪게 될 불편은 훨씬 클 것이다. 단, 두 경우 모두 현재 세대나 미래 세대의 삶이 살 만한 가치가 없을 만큼 나쁘지는 않을 것이라고 가정하자.

여기서 주의할 점은 현재 세대가 자원을 보존했을 때 생겨날 미래 세대 사람들(미래 세대 A)과 대부분 써버렸을 때 생겨날 미래 세대 사람들(미래 세대 B)이 동일한 사람들이 아니라는 것이다. 현재 세대의 자원 정책 선택은 다양한 형태로 많은 사람들의 생활양식에 영향을 줄 것이다. 가령 현재 세대가 어떤 자원 정책을 채택하느냐에 따라 사회 직업군 비율에 차이가 있을 것이고 이는 누가 누구와 만나 자녀를 낳을지에 큰 영향을 줄 것이다. 이러한 영향은 시간이 흐를수록 커질 것이다. 결국 자원 정책의 차이가 야기한 생활양식의 변화는 미래 세대의 구성원을 크게 바꿀 것이다.

많은 사람들은 X국에서 현재 세대가 대부분의 천연자원을 써버리는 정책을 선택하는 것이 옳지 않으며 그 이유는 자원을 대부분 써버렸을 때 존재할 미래 세대 B에게 피해를 주기 때문이라고 생각할 것이다. 그런데 천연자원 부족으로 피해를 볼 미래 세대 B의 입장에서 보면 현재 세대의 그러한 자원 정책이 자신들에게 피해를 주었다고 보기는 어렵다. 왜 그럴까? 만약 현재 세대가 자원을 보존했다면, 앞서 언급한 이유로 미래 세대 B는 존재하지 않고 미래 세대 A가 존재했을 것이다. 그리고 앞서 언급한 가정에 의해 자원 부족으로 고생하는 미래 세대 B의 삶은 그들이 애당초 존재하지 않는 것보다는 좋은 것이기 때문이다. ㉡그럼에도 불구하고 X국에서 현재 세대의 복지 수준을 높이기 위해 미래 세대의 복지 수준을 낮추는 정책을 선택하는 것은 여전히 옳지 않다.

(나)

사회계약론에 따르면, 사람들이 끔찍한 상태에서 벗어나려면, 그들은 서로의 관계를 규정하는 규칙의 제정에 동의해야 하고, 이러한 규칙을 강제하는 데 필요한 힘을 지닌 국가의 창설에도 동의해야 한다. 사회계약론은 국가의 목적을 설명하는 것과 더불어 도덕적 의무에 대해서도 설명한다. 도덕은 사람들이 서로를 어떻게 대할지 규정하는 일련의 규칙으로, 다른 사람도 따를 것이라는 조건하에 사람들이 상호 이익을 위해 받아들이기로 동의한 규칙들로 구성된다. 그런데 사회계약론에서 말하는 도덕적 의무가 성립하려면 최소한 다음 **두 가지 조건**이 만족되어야 한다.

[조건 1] 사람들이 상호 이익을 위해 협력하기로 서로 암묵적으로 약속하는 것이 가능해야 한다. 이 점을 이해하기 위해 다음 상황을 생각해 보자. 다른 사람들과 축구 게임을 하던 갑이 갑자기 축구 규칙 가운데 몇 가지를 어기기 시작한다. 다른 사람들은 갑이 계속 게임에 참여하려면 축구 규칙을 따라야 한다고 말한다. 비록 갑이 규칙을 따르기로 명시적으로 약속한 적이 없었다고 하더라도, 게임에 참여한 사람 누구든 축구 규칙을 준수하기로 암묵적으로 합의한 것이라 할 수 있다. 도덕도 이와 유사하다. 여기서 게임은 사회생활이다. 우리는 사회생활을 함으로써 생산 수단, 과학적 지식, 기술, 문화 등과 같은 사회적 이익을 누리며, 이런 이익을 포기하고 싶지 않다. 마치 축구 게임을 하면서 재미를 얻으려면 규칙을 준수해야 하는 것처럼, 사회생활을 하면서 이러한 이익을 얻으려면 규칙을 따라야만 한다.

[조건 2] 사회계약을 맺은 사람이 약속을 준수했을 때 서로 이익을 주고받는 것이 가능하고, 약속을 어긴 사람에 대해서는 불이익을 주는 것이 가능해야 한다. 다시 말해 사회적 규칙을 따르는 사람들은 모두 앞서 언급한 사회적 이익을 누릴 수 있어야 하며, 규칙을 어긴 사람에 대해서는 그에 대한 사회적 처벌을 통해 불이익을 줄 수 있어야 한다.

(다)

어떤 사람들은 앞으로 생겨날 미래 세대가 특정한 누구인가는 중요한 문제가 아니고, 우리의 선택에 따라 앞으로 생겨나게 될 서로 다른 미래 세대의 복지 수준을 비교하여 그 중에 더 높은 복지 수준을 누리는 미래 세대가 생겨나게 하는 정책을 선택하는 것이 더 좋은 것이라고 본다. **공리주의**는 이러한 관점을 취하는 이론 중 하나이다. 공리주의에 따르면 최선의 결과를 만들어내는 정책을 선택하는 것이 옳다. 여기서 최선의 결과는 사람들이 누리는 쾌락을 최대화하고 고통을 최소화하는 것을 말한다. 즉 최선의 결과는 사람들이 누리는 쾌락의 총량에서 고통의 총량을 뺀 순수 쾌락의 총량이 가장 큰 것을 말한다.

이러한 공리주의는 사람들이 누리는 쾌락과 고통의 총량만을 중시하기 때문에 쾌락이나 고통과는 독립적으로 가치 있는 것들을 고려하지 않는다는 한계를 지닌다. 가령 인간이라면 누구에게나 동등한 존중을 받을 권리가 있다. 그러나 만일 어떤 정책이 몇몇 사람의 그러한 권리를 침해하지만 순수 쾌락의 총량을 최대화하는 것이라면, 공리주의는 이러한 정책이 옳다는 점을 함축한다.

한양대학교

지원학부(과)

수험번호				

주민등록번호 앞6자리(예: 040612)					

성명

1번 답안

50
100
150
200
250
300
350
400
450
500
550
600
650

이줄 위에 답안 작성시 무효 처리됨

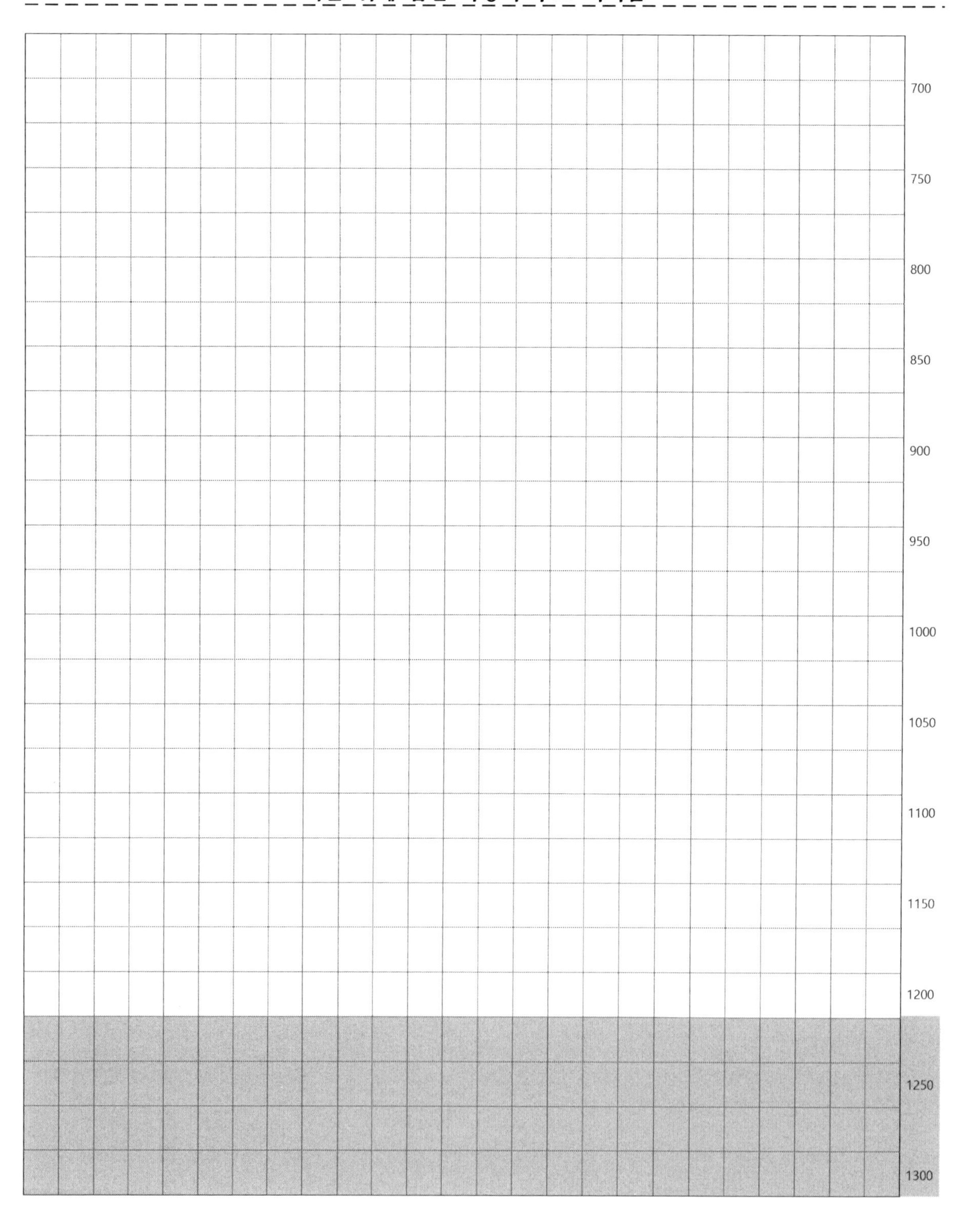

3. 2024학년도 한양대 수시 논술 [상경계열]

[문제 1] (가)에 대한 이해를 바탕으로 (나)에서 논의한 '누리 소통망(SNS)'의 특징이 (가)의 ㉠에 어떤 영향을 미칠 것인지에 대해 (다)에 제시된 주요 개념들을 활용하여 논술하시오. (600자, 50점)

(가)

최근 많은 민주주의 국가에서 심화되고 있는 정치적 갈등 문제에 대한 우려가 높아지고 있다. 일련의 여론 조사 및 전문가 보고서는 이러한 문제가 오늘날 한국 사회에서도 핵심적인 문제가 되었음을 잘 보여준다. 2019년 한국보건사회연구원에서 실시한 조사에 따르면, 우리나라의 전반적인 갈등 수준이 '심각하다'고 평가한 의견은 응답자 중 80%에 달했는데, 가장 심각하다고 생각하는 갈등 유형은 진보와 보수 간의 이념 갈등(87%)이었다. 이러한 문제는 다른 나라의 상황과 비교할 때 더욱 극명해지는 듯하다. 2018년 BBC가 전 세계 27개국을 대상으로 실시한 조사 결과에 따르면, 우리나라의 경우 사회를 분열시키는 가장 큰 갈등 요인이 '정치적 견해를 달리하는 사람 간의 갈등'이라고 생각하는 의견이 응답자 중 61%로, 미국(53%), 영국(40%), 독일(33%), 캐나다(29%), 스웨덴(26%), 이탈리아(26%), 프랑스(23%) 등과 주목할 만한 차이를 보였다. 한편 정치적 견해를 달리하는 사람에 대해 불신한다는 응답은 35%로, 27개국 가운데 가장 높았다.

이러한 한국 사회의 정치 갈등의 성격과 원인을 이해하는 데 해외의 연구는 시사하는 바가 크다. 1990년대부터 미국의 많은 학자들은 점차 확대되는 민주당과 공화당 간의 이념적 격차에 주목하고, 그 원인과 결과에 대해 논의하기 시작했다. 그들이 특히 주목한 것은, 의회 내에서 중도 성향의 의원이 줄어들고 각 정당의 이념적 성향이 강화되었던 것과는 달리, 유권자의 상당수를 차지하는 이념적 중도층 혹은 무당파층이 감소하지 않았다는 사실이다. 한편 유권자 전체의 이념적 성향이나 정치적 선호가 특별히 변화하지 않았음에도 불구하고, 특정 정당을 지지하는 유권자들이 정치적 반대편에 대해 보이는 반감, 더 나아가 증오와 혐오가 증가하는 현상은 다양한 연구에 의해 재확인되었다. 그리고 한국의 정치 엘리트와 유권자의 이념과 정치적 태도에 대한 최근의 연구들은 우리의 상황이 미국과 매우 유사하다는 것을 보여주는 상당한 증거들을 일관적으로 제시하고 있다.

이러한 연구들은 사람들이 특정 정당에 대해 형성하는 심리적이고 정서적인 애착심 및 정체성에 주목한다. 사람들은 자연스럽게, 그리고 때로는 특정 목적을 위해 다양한 형태의 사회 집단에 소속되어 다른 사람 또는 집단과 다양한 관계를 맺으며 살아간다. 그런데 이러한 다양한 영역과 수준에 걸쳐 존재하는 차이점들이 한 가지 차원으로 정렬되어, 사람들이 내적으로는 '우리'라는 이름 아래 동질적인 정체성을 갖고, 외적으로는 '그들'이라는 이름으로 상대를 배타적으로 인식하게 될 때, 집단 간 갈등과 대립은 심화된다는 것이다. 즉, 특정 정당에 소속감을 지니는 사람들이, 예컨대, 성별, 세대, 지역 등에 있어서 각각 이질적인 구성원들을 포괄하지 못하게 되면, 그 결과 그들은 보다 동질적인 정체성을 갖게 되는 한편 다른 정당에 소속감을 지니는 사람들과 공유하는 정체성은 약화된다. 그리고 그 결과 실질적인 정책의 차이나 이념적 양극화와는 무관하게 ㉠소속 정당에 따른 정서적인 차원의 양극화가 심화될 수 있다.

(나)

매체란 정보와 지식, 사상과 정서를 전달하고 공유하는 수단이나 방법을 말한다. 매체는 단순히 의미를 전달하는 도구에 머물지 않는다. 어떤 매체를 선택하느냐는 의미를 어떻게 구성할지를 결정하는 중요한 과정이다. 따라서 매체의 발달과 분화는 다양한 사회 현상과 문화에 중요한 영향을 미칠 수밖에 없다. 최근에는 인터넷의 발달과 함께 이를 기반으로 한 다양한 디지털 형식의 매체, 즉 '뉴 미디어(new media)'의 역할과 영향력이 확대되고 있다. 특히 '소셜 미디어(social media)'라고도 일컬어지는 '누리 소통망(SNS)'의 발달은 매체의 다양화를 가져왔고, 정보의 공급자와 소비자 간의 경계를 허물었다. 여기에서 주목되는 것은 사람들이 참여자의 수나 시간, 장소 등의 물리적 한계를 넘어 다양한 영역에 걸쳐 자신의 관심사를 공유하면서 친밀감과 유대감을 쌓을 수 있게 되었다는 점이다. 사람들이 누리 소통망을 통해 다른 개인이나 집단과 교류하고 관계를 맺는 방식은 개인의 사회 관계와 정체성 형성에 중요한 영향을 미칠 수 있다.

(다)

결속형 사회 집단과 교량형 사회 집단의 차이에 대한 논의는 꽤 오랫동안 이루어져 왔다. 먼저 뒤르케임은 '분절화된 사회'와 '기능적으로 분화된 사회'를 구분하고, 전자는 유사한 개인들 간의 고정적이고 집합적인 응집인 '기계적 연대'를, 후자는 이질적인 개인들 간의 유연하고 개별적인 형태의 응집인 '유기적 연대'를 특징으로 한다고 했다. 그리고 그는 집단을 중심으로 구성원들이 동일한 가치와 규범을 공유하는 관계의 형태는, 분업과 전문화를 수반하는 근대화 과정을 통해 구성원들이 개별성을 유지하면서도 상호의존적으로 결합하는 형태로 전환될 것이라고 주장했다. 이러한 구분은 집단에 초점을 두는 위계적인 가톨릭 사회와 개인을 중시하는 수평적인 프로테스탄트 사회 간의 핵심적인 차이를 강조하는 베버의 주장과도 같은 맥락에서 이해할 수 있다. 한편 퇴니에스는 '공동체'와 '결사체'를 구분하는데, 전자는 개인의 선택과 무관하게 자연적으로 형성되어 친밀하고 전인격적인 관계가 중심이 되는 반면, 후자는 공통의 이해관계에 기반하여 개인이 선택적으로 형성하고, 그에 따라 느슨하고 개별적인 관계가 중심이 되는 집단이라고 할 수 있다. 그리고 일반적으로 공동체가 외집단에는 상대적으로 폐쇄적이고 내적으로는 강한 내집단 결속을 보이는 것과 달리, 결사체는 다양하고 이질적인 개인들을 연결하는 보다 느슨하고 개방적인 형태의 포괄적 속성을 갖는다.

이러한 구분은 오늘날 사회와 문화를 분석하는 데 유용한 개념과 이론의 틀을 제공할 뿐만 아니라 다양한 문제들을 이해하고 그 해결책을 모색하는 데도 널리 활용되고 있다. 특히 최근의 실증적인 연구들은 결속형의 사회 집단 및 네트워크가 외집단에 배타적인 내집단 정체성을 강화하고 폐쇄적인 상호 호혜성을 증진하는 반면, 교량형의 사회 집단 및 네트워크는 포괄적인 정체성을 형성하는 데 기여하고 보다 보편적인 상호 신뢰와 상호 호혜성을 강화하여 사회의 협력과 갈등 조정 기능을 향상시킬 수 있다는 이론적 주장과 경험적 증거들을 제시하고 있다.

[문제 2] 다음 물음에 답하시오. (50점)

1. 세 자연수 a, b, $c(c \geq 3)$에 대하여 함수 $f(x)$를

$$f(x) = \begin{cases} -ax^2 + bx & (x \leq 2) \\ \dfrac{4a-2b}{c-2}(x-c) & (x > 2) \end{cases}$$

라 하자. $f'(c) < 0$이고 곡선 $y = f(x)$와 x축으로 둘러싸인 부분의 넓이가 $\dfrac{22}{3}$가 되도록 하는 5이하의 두 자연수 a, b와 3이상의 자연수 c의 순서쌍 (a, b, c)를 모두 구하시오.

2. 이산확률변수 X가 가질 수 있는 값이 1, 2, 3, …, 22이고, 상수 k에 대하여

$$\mathrm{P}(X = x) = \begin{cases} \dfrac{k}{x(x+1)} & (x = 1, 2, 3, \cdots, 21) \\ \dfrac{4}{11} & (x = 22) \end{cases}$$

이다. 확률 $\mathrm{P}(k+1 < X < k+8)$을 구하시오.

3. 참가자와 진행자가 주사위를 던져서 나오는 결과에 따라 참가자가 점수를 얻는 게임이 있다. 참가자가 한 개의 주사위를 세 번 던져서 나오는 눈의 수를 차례로 a, b, c라 하고 진행자가 한 개의 주사위를 한 번 던져서 나오는 눈의 수를 d라 할 때, 어떤 실수 x에 대하여 다음 규칙에 따라 참가자가 점수를 얻는다.

<가> a, b, c 중 d와 같은 것이 없으면 점수를 얻지 못한다.
<나> a, b, c 중 d와 같은 것이 1개이고 나머지 2개가 서로 다르면 $2+x$점을 얻는다.
<다> a, b, c 중 d와 같은 것이 1개이고 나머지 2개가 서로 같으면 $3+x$점을 얻는다.
<라> a, b, c 중 d와 같은 것이 $k(k=2,\ 3)$개이면 $2k+x$점을 얻는다.

이 게임을 한 번 하여 참가자가 얻은 점수를 확률변수 X라 하자. X의 기댓값 $\mathrm{E}(X)$를 x에 대한 식으로 나타내고, $x=-1$일 때 X의 분산 $\mathrm{V}(X)$를 구하시오.

한양대학교

지원학부(과)

수 험 번 호				

주민등록번호 앞6자리(예:040512)					

성 명

1번 답안

50

100

150

200

250

300

350

400

450

500

550

600

650

이줄 위에 답안 작성시 무효 처리됨

2번 답안

4. 2024학년도 한양대 모의 논술 [인문계열]

[문제] (가), (나)에서 말한 '새로운 연대 개념'과 '진정한 소통'의 의미를 살려 바람직한 공동체에 대한 의견을 밝히고, (다)를 활용하여 ㉡의 입장에서 ㉠에 대해 서술하시오. (1200자, 100점)

(가) 사람들은 사회 응집을 유지하기 위해 모두가 똑같은 사람이 되기를 요구하기도 한다. 그때 각자의 개성은 은폐되거나 사라지고, 우리는 겨우 목숨을 부지하는 단순한 집합적 생명체가 된다. 그렇게 뭉친 사회적 구성원들은 마치 무기체의 분자들처럼 개성을 유보할 때만 공동의 행동을 취할 수 있다. 이러한 형태의 연대를 ㉠기계적 연대라고 부른다. 이와 반대로 분업의 진전과 함께 나타나는 연대가 있다. 기계적 연대는 개인들이 서로 유사할 것을 전제로 하지만, 분업에 의한 유기적 연대는 개인들이 서로 다르면서도 호혜적으로 공존하는 것을 전제로 한다. 기계적 연대는 개인이 집단에 일방적으로 흡수될 때에만 가능하지만, 유기적 연대는 각 개인이 고유한 행동 영역을 가지고 있을 때만 가능하다. 사회의 영역이 확장되고 그 구조가 고도화될수록 호혜적 공존을 바탕으로 한 연대가 절실해진다. 이러한 새로운 연대를 통해 생산적이고 지속 가능한 사회적 응집이 가능해지기 때문이다.

(나) 기원전 877년에 즉위한 중국 주나라의 여왕(厲王)은 이권에 강한 집착과 탐욕을 보였다. 주위 충고에도 아랑곳하지 않는 성향을 보였다. 백성들은 왕을 비방하기 시작했고, 이에 왕은 사람들을 시켜 자신을 비방하는 백성들을 감시하게 하였다. 심지어 누군가 왕을 비방했다 하여 감시자들이 그를 지목하면 잡아다 죽이기도 했다. 백성의 비방은 당연히 줄어들 수밖에 없었다. 그러자 여왕은 더 강력하게 언론을 통제했는데, 백성들은 이제 감히 말도 꺼내지도 못하고 길에서 만나면 눈짓으로 마음을 나눌 수밖에 없었다. 백성들의 비방을 잠재운 여왕은 기분이 좋아 충직한 신하인 소공에게 자신이 백성의 거친 입을 막았노라고 자랑스럽게 말하였다. 이에 소공은 다음과 같은 말을 간곡하게 건네면서 진정한 소통에 대해 의견을 개진하였다. "전하께서 사용하신 방법은 말을 못 하게 억지로 막은 것에 불과합니다. 백성의 입을 막기란 물을 막는 것보다 훨씬 어렵습니다. 물이 막혔다가 터지면 상상도 할 수 없을 만큼 피해가 큰 것처럼 백성 또한 마찬가지입니다. 따라서 물을 다스리는 자는 물길을 터서 흐르게 하고, 백성을 다스리는 자는 그들을 이끌어 말하도록 해야 합니다." 이는 ㉡자연의 원리에 빗대 백성들과 소통하는 자세를 강조한 것이다.

(다)

저 가볍게 나는 하루살이에게도
삶의 무게는 있어
마른 쑥풀 향기 속으로
툭 튀어오르는 메뚜기에게도

삶의 속도는 있어
코스모스 한 송이가 허리를 휘이청 하며
온몸으로 그 무게와 속도를 받아낸다.
어느 해 가을인들 온통
들리는 것 천지 아니었으랴
바람에 불려가는 저 잎새 끝에도 온기는 남아 있어
생명의 물기 한 점 흐르고 있어
나는 낡은 담벼락이 되어 그 눈물을 받아내고 있다.

- 나희덕, <흔들리는 것들>

한양대학교

지원학부(과)

수험번호				

주민등록번호 앞6자리					

성명

이줄 위에 답안 작성시 무효 처리됨

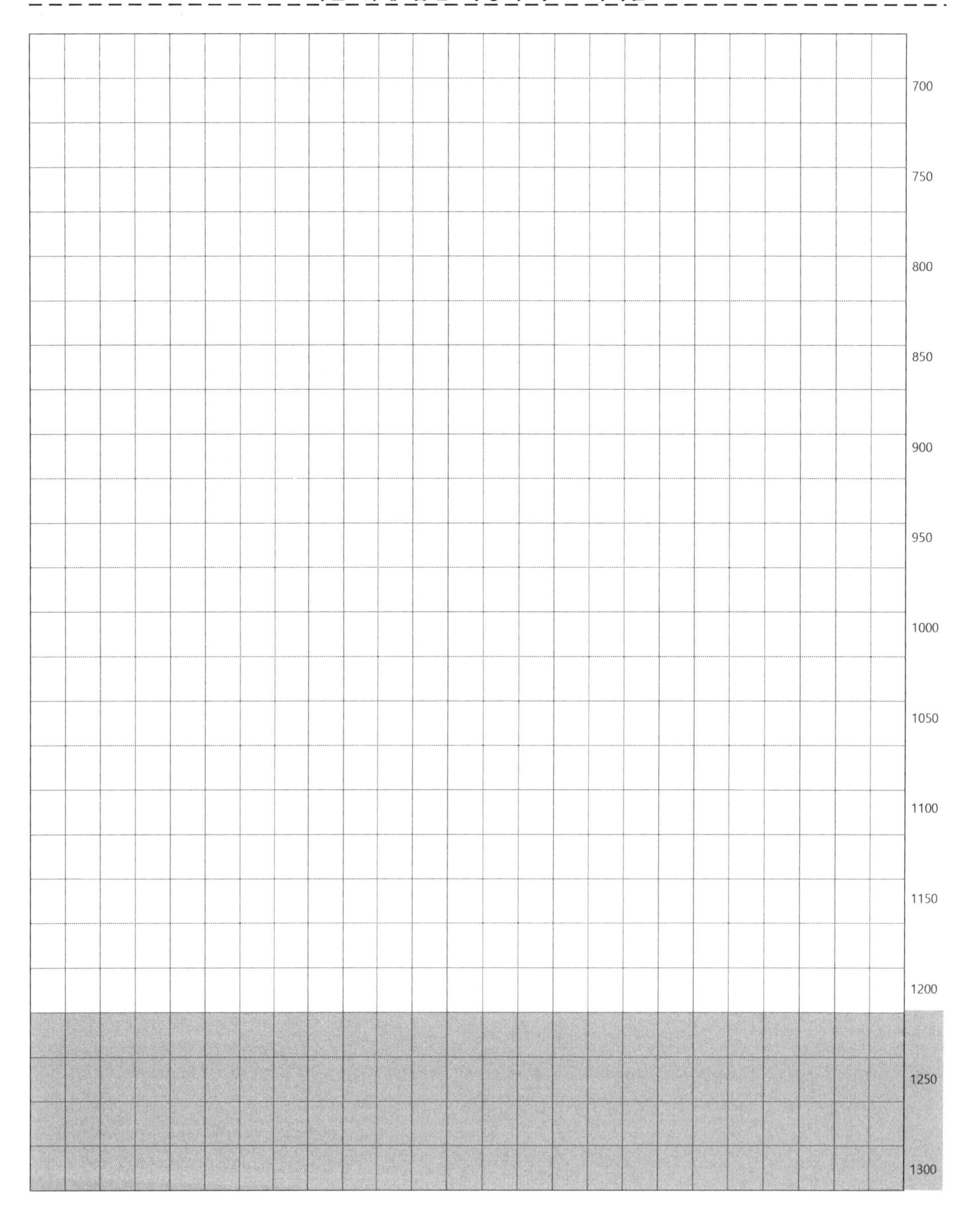

5. 2024학년도 한양대 모의 논술 [상경계열]

[문제] (가)에 나타난 '테우트'와 '타모스 왕'이 (나)의 문제 상황을 맞이했다고 가정할 때, 그들이 각각 이 상황에 대해 어떤 판단을 내릴지를 유추하여 서술한 후, 여기에서 근거를 찾아 자신의 입장에서라면 ㉠과 ㉡ 각각의 상황에 대해 어떤 판단을 내릴지를 서술하시오. (600자, 50점)

(가)

이집트의 나우크라티스라는 도시에 테우트라는 신이 살고 있었다. 이 신은 인간에게 유용한 여러 가지를 발명했다. 그중에서도 테우트가 가장 위대한 발명품으로 내세운 것은 문자였다. 테우트는 으레 하던 대로 당시 이집트의 통치자 타모스 왕에게 가서, 문자가 널리 쓰이게 해 달라고 요청하면서 말했다.

"오, 위대한 왕이여, 이 발명품은 이집트인들이 더 지혜로워지게, 또 더 잘 기억할 수 있게 해 줄 것 입니다. 이것은 기억과 지혜의 묘약입니다."

그러자 타모스 왕이 말했다.

"재주 많은 테우트 신이여, 우리 중의 한쪽은 유용한 발명을 했고 또 한쪽은 그 발명이 인간에게 이 익이 될까 손해가 될까를 판단해야 하는 형편에 있습니다. 당신은 문자의 아버지로서 그것을 편애한 나머지 문자 사용이 가져올 결과와는 반대되는 효과를 앞세워 나를 설득하려 하고 있습니다. 당신은 문자가 기억에 도움이 된다고 말하지만, 내가 보기에는 그것을 배우는 사람의 망각을 부추길 뿐입니다. 문자를 배우면, 그것에만 의존하여 기억을 소홀히 하게 되고, 자신의 내적 능력으로 기억을 하려고 하는 것이 아니라 외적인 부호를 통해서만 기억을 하려고 할 것입니다. 그러므로 당신이 발명한 것은 기억의 약이 아니라 회상의 약입니다. 또 당신은 그 발명품이 지혜에 도움이 된다고 말하지만, 그것을 배우는 사람은 지혜의 실재가 아닌 외양을 가지게 될 뿐입니다. 그 발명품 때문에 사람들은 배움이 없이도 여러 가지를 주워듣게 되고, 실제로는 아무것도 모르면서 많이 아는 것처럼 보이게 됩니다. 참으로 지혜있는 사람이 아니라 오직 스스로 지혜 있다고 생각하는 사람이 되어서, 그들은 가장 곤란한 상대가 될 것입니다."

- ≪플라톤의 대화≫ 편 <파이드로스> 중에서

(나)

AI 기술이 급속도로 발전하면서 최근에는 정보 생성 능력을 갖춘 AI도 등장하였다. 정보 생성형 AI는 의사 시험이나 변호사 시험에도 통과하였고, 언론 기사 작성, 법원의 판결문 작성, 시 창작 등의 능력을 보여주면서 그야말로 '지능'을 확실하게 입증하고 있다. 이러한 상황에서 ㉠학생의 지적 성장을 도모하는 교육 기관의 교수•학습 상황에서나 ㉡시장 상황에 대한 정보를 분석하고 종합하여 상품이나 서비스의 공급 시기와 규모를 결정해야 하는 기업에서는 적극적인 활용에서 적극적인 배제에 이르는 스펙트럼의 어떤 지점에 정보 생성형 AI의 위상을 설정할 것인지를 두고 깊은 고민에 빠져 있다. 근원적으로 최소 10% 정도의 거짓 정보가 포함되어 있을 수밖에 없다는 정보 생성형 AI의 한계는 그러한 고민을 더욱 깊게 만들고 있다.

[문제 2번] 다음 제시문을 읽고 물음에 답하시오. (50점)

1. x에 대한 이차방정식 $x^2+2bx+c=0$이 중근을 갖도록 하는 두 실수 b, c가 나타내는 점 (b, c)는 곡선 C를 이룬다. 꼭짓점이 (r, r), $(-r, r)$, $(-r, -r)$, $(r, -r)$인 정사각형을 K라 하자. 단, r는 1보다 큰 양의 실수이다.

(1) 정사각형 K의 넓이를 $k(r)$, 곡선 C와 정사각형 K의 윗변으로 둘러싸인 도형의 넓이를 $a(r)$이라고 할 때, $\dfrac{a(r)}{k(r)}$을 구하시오.

(2) 극한값 $\lim\limits_{r \to \infty}\dfrac{k(r)-a(r)}{k(r)}$을 구하시오.

2. 수열 $\{a_n\}$에서 첫째항 a_1은 양의 실수이고, 1보다 큰 자연수 n에 대하여 a_n은 한 변의 길이가 a_{n-1}인 정육면체의 부피에 4를 곱하여 얻어진 수이다. 이때 첫째항부터 제5항까지의 곱 $a_1a_2a_3a_4a_5$의 값이 2^{358}일 때, a_6의 값을 구하시오.

3. 어떤 농구대회에 1, 2, 3, 4번 네 팀이 참가해 각 팀은 자기 팀을 제외한 다른 팀들과 모두 한 번씩 경기를 치르고 난 후, 순위를 정하기로 하였다. 두 팀 사이의 경기에서 한 팀이 이길 확률과 순위는 다음과 같이 정해진다.

- 모든 경기에서 무승부는 없다.
- 두 팀 사이의 모든 경기에서 한 팀이 이길 확률은 각각 $\dfrac{1}{2}$이고, 경기의 승패가 다른 경기의 승패에 영향을 미치지 않는다.
- 승리가 많을수록 더 높은 순위를 가지며, 승패가 같은 팀이 2팀 이상인 경우, 팀의 번호가 클수록 더 높은 순위를 갖는다.

모든 경기를 치른 후, 1번 팀이 4위가 될 확률을 구하시오.

한양대학교

지원학부(과)

수험번호				

주민등록번호 앞6자리(예:040512)					

성명

1번 답안

50
100
150
200
250
300
350
400
450
500
550
600
650

이줄 위에 답안 작성시 무효 처리됨

2번 답안

6. 2023학년도 한양대 수시 논술 [인문계열 오후]

[문 제] (가)의 관점에서 (나)에 나타난 상황을 해석하고, (가)의 ㉠과 (나)의 ㉡, (다)의 ㉢이 정보를 대하는 태도에 대한 비교를 바탕으로 ⓐ의 질문에 답하는 글을 쓰시오. (1,200자, 100점)

(가)

확증 편향은 기존에 형성된 사고나 가치, 신념에 일치하는 정보들만을 선택적으로 받아들이려고 하는 경향을 뜻하는 말로서, 정보의 선택과 배제만이 아니라 정보의 해석에 대한 편향적 태도를 아울러 지칭한다. 확증 편향은 외부에서 입력되는 다양한 정보들을 최대한 빨리 판단하고 처리하기 위한 인지적인 노력의 일환으로 볼 수 있다. 기존의 신념에 부합하는 정보는 취하고 그렇지 않은 정보들은 걸러냄으로써, 개인은 신속한 의사결정을 내릴 수 있다는 것이다. 또한 자신의 생각이나 이를 지지하는 정보가 신뢰할 수 있는 것이며 자신이 타당한 견해를 가지고 있다고 믿음으로써, 지적 유능감이나 자존감을 유지하고자 하는 심리의 산물로 설명되기도 한다. 그러나 ㉠확증 편향에 빠진 사람은 정확성과 객관성이 결여된 의사 결정을 내림으로써 여러 가지 문제를 일으킬 수 있다. 확증 편향은 인간의 본성에 가까우므로, 정도의 차이는 있지만 누구에게나 있게 마련이다. 이런 관점에서 보면 인간은 '합리적 존재'가 아니라 '합리화하는 존재'이다. 정책 담당자나 치안 담당자, 학자, 법관 등 전문가들이라고 해서 예외는 아니다. 이들 전문가들의 확증 편향은 사회 구성원 개인의 부당한 피해와 희생을 부를 뿐만 아니라 사회 전체적으로도 커다란 비용을 치르는 결과를 낳게 된다.

확증 편향은 인간 개개인을 넘어 사회 차원에서도 발견된다. 특히 미디어의 발달과 이에 따른 영향력의 확산, SNS의 활성화 경향이 뚜렷해지는 오늘날에는 확증 편향이 사회적 현상으로 대두하면서 심각한 사회적 문제를 초래하기도 한다. 그렇다면 확증 편향이 인간의 본성에 가깝다고 해도 그대로 인정하고 말 수는 없다. ⓐ우리가 겪고 있는 개인적·사회적 차원의 확증 편향을 완화하기 위해서 과연 무엇을 어떻게 해야 할 것인가?

(나)

1894년 유대인 출신의 프랑스군 대위 알프레드 드레퓌스는 독일에 군사 기밀이 담긴 문서를 유출시킨 간첩 혐의로 체포됐다. 당시는 보불 전쟁에서 패한 직후인지라 프랑스에서는 민족주의, 반유대주의, 반독일 감정이 기승을 부리던 때였다. 보수적 종교를 등에 업은 언론들의 가세로 반유대주의적 목소리가 드높아 가는 가운데, 군사 법정은 소문과 필적을 근거로 하여 드레퓌스에게 유죄 판결을 내렸다. 법정은 그가 독일 황제를 찬양했다는 등의 소문을 증거로 채택했고, 문제가 된 문서의 필적과 드레퓌스의 필적이 비슷했다는 점을 결정적인 단서로 판단했다. 수사관들은 필적 감정을 의뢰한 두 명의 전문가 중 일치 판정을 내린 한 명의 의견만 채택하고, 불확실 판정을 내린 다른 한 명의 의견은 그가 유대인의 영향력이 큰 은행에서 일한다는 이유로 배제했는데, 법정에서 이 수사 결과를 그대로 받아들인 것이다. 당시 군중들은 유배지로 이송되는 드레퓌스를 보며 "유대인을 죽이자."라고 고함쳤다.

그런데 후일 다른 장교가 범인으로 밝혀졌다. 1896년 드레퓌스라는 이름이 사람들의 기억에서 사라질 무렵에 ㉡조르주피카르 중령은 우연한 기회에 문제가 된 문서의 필적이 다른 한 장교의 것과 더 확실히 일치한다는 점을 확인했다. 피카르 중령은 고위급 장교들에게 증거와 함께 이 사실을 보고하면서 재판에 잘못이 있음을 주장하였으나 그들은 이를 묵살했을 뿐만 아니라 자신들의 실수를 덮으려고 사실을 은폐했다. 군부의 권위 추락 등이 주요 이유였다. 좌천성 인사를 당한 피카르 중령은 평소 알고 지내던 변호사에게 이러한 진실을 알리기도 하였으나, 오히려 군사 기밀 누설 혐의로 체포되기에 이르렀다. 이 과정에서 국론은 분열되고 사회는 격심한 혼란에 빠졌다. 에밀 졸라를 비롯한 여러 지식인들과 일부 언론들, 그리고 많은 국민들의 옹호를 받는 가운데 드레퓌스는 1899년에 프랑스로 돌아왔지만 재심에서도 징역형을 선고받았다. 최고법원에서 최종적으로 무죄를 선고받은 것은 1906년에 이르러서였다. 이런 결과에 이르기까지 가장 결정적인 역할을 했던 피카르 중령 자신이 정작 반유대주의적 성향의 소유자였다는 사실은 매우 흥미롭다.

(다)

서화담 선생이 외출을 나갔다가 ㉢길에서 울고 있는 자를 만났다. 사연을 물으니, 그의 대답은 이러했다. 어려서 눈이 멀어 스무 해를 살았는데 오늘 길을 가다가 갑자기 눈이 밝아지고 만물이 뚜렷이 보이기 시작했다. 기뻐서 집으로 돌아가려고 했더니, 골목은 갈림길이 많고 대문은 비슷비슷해서 자신의 집을 찾을 수 없더라는 것이다. 이에 화담 선생이 "그렇다면 도로 눈을 감아라. 그러면 네 집을 찾을 수 있을 게다."라고 말했고, 그 사람은 눈을 감고 지팡이를 두드려 바로 집을 찾아갔다고 한다.

조선 후기에 연암 박지원이 쓴 글에 소개되어 있는 이야기이다. 이 이야기 끝에 연암은 빛깔과 형상이 뒤집어지고 기쁨과 슬픔이 작용하여 망상을 일으킨 것이라면서, 지팡이를 두드려 발걸음을 믿는 것이 제 집으로 돌아가는 보증이 된다는 말을 덧붙인다. 여기에서 눈을 감아야 집을 찾아 갈 수 있다는 발언은 매우 역설적이다.

한양대학교

지원학부(과)

수 험 번 호				

주민등록번호 앞6자리(예:040812)					

성 명

1번 답안

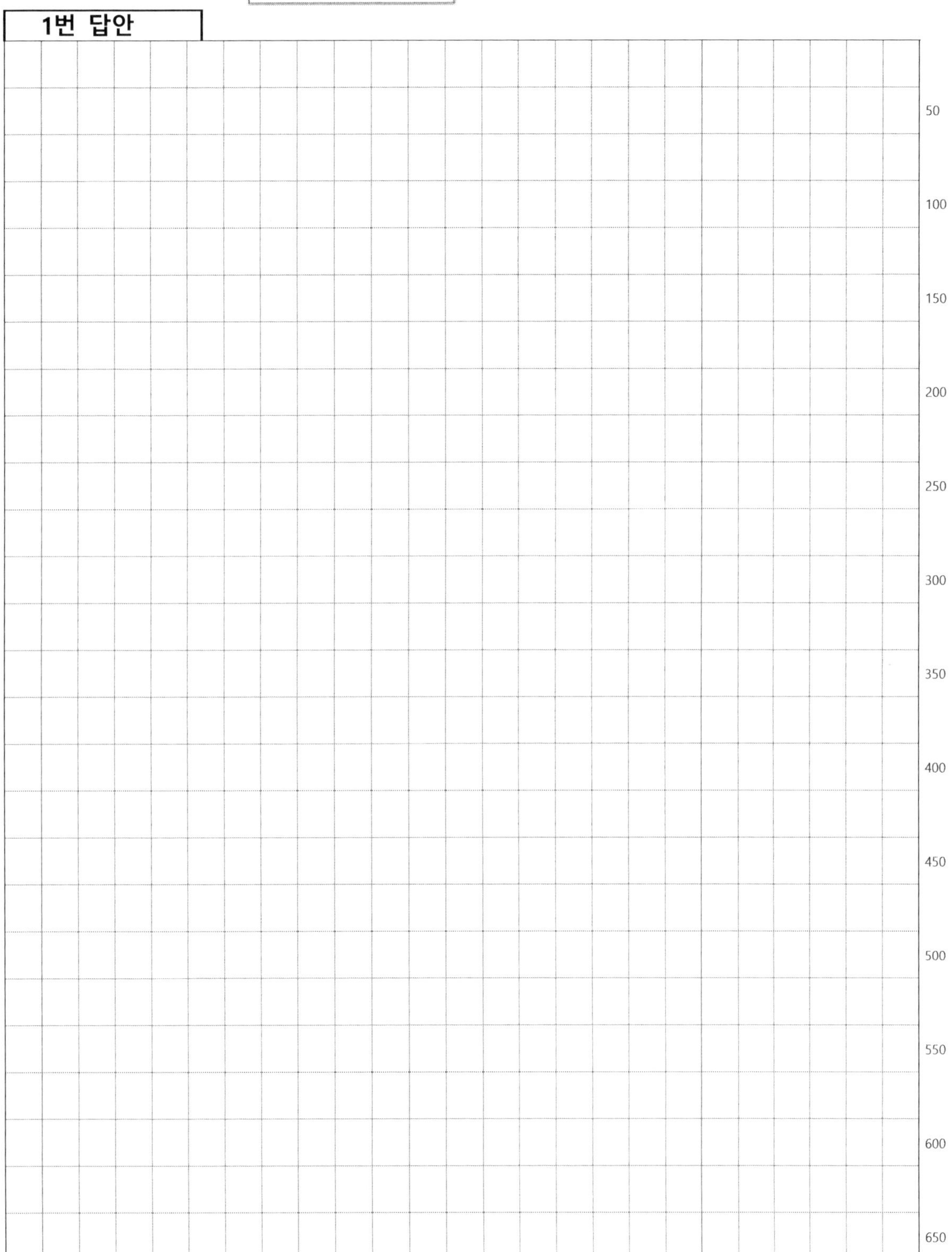

이줄 위에 답안 작성시 무효 처리됨

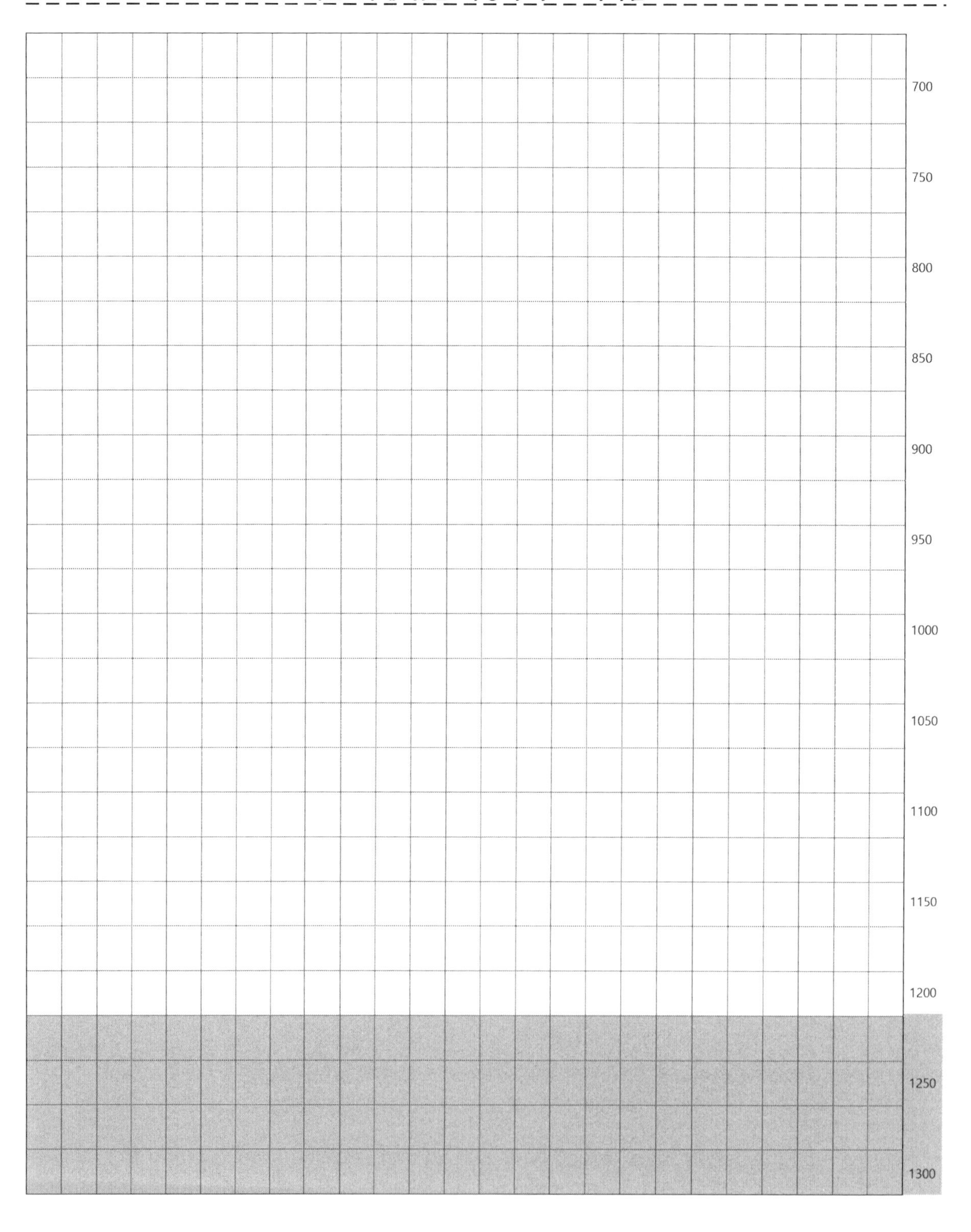

7. 2023학년도 한양대 수시 논술 [인문계열 오후2]

[문 제] (가)에 기술된 선택의 문제를 (나)의 '압도의 원리'를 바탕으로 분석하고, (나)의 '최소극대화 원리'와 '최대극대화 원리' 중 하나에 의거하여 (가)의 '갑'의 입장에서 하나의 정책을 선택한 후, (다)를 활용하여 그 선택을 정당화하시오. (1,200자, 100점)

(가)

갑은 어려운 임무를 맡아 외계 행성으로 출발하는 파견대의 일원이다. 파견대원들은 각자 행성의 식민지를 관리하는 역할(A), 식민지 주변을 개척하여 식민지를 확장하는 역할(B), 개척된 식민지에서 농사를 짓는 역할(C), 개척지 외부 미지의 영역을 탐사하는 역할(D) 중 하나를 맡게 될 예정이지만, 대원들은 자신이 어떤 역할을 맡게 될지 전혀 모른다. 한편 보상과 관련하여, 역할 D를 맡은 사람이 가장 많은 보상을 받아야 한다는 점에서는 모두의 의견이 일치한다. 그러나 역할 A~C를 맡은 사람이 각각 얼마나 많은 보상을 받아야 하는지, 그리고 역할 D를 맡은 사람이 얼마나 더 많은 보상을 받아야 하는지에 대해서는 의견이 일치하지 않는다. 이들의 의견은 3가지 정책으로 나뉜다. 갑은 이 3가지 정책 중 하나를 선택하고 그에 대한 합리적 근거를 제시해야 한다. 3가지 정책은 다음과 같다.

- ○ 정책 Ⅰ : A, B, C, D의 역할을 맡은 대원은 1인당 각각 110, 130, 130, 140을 얻는다.
- ○ 정책 Ⅱ : A, B, C, D의 역할을 맡은 대원은 1인당 각각 100, 100, 70, 190을 얻는다.
- ○ 정책 Ⅲ : A, B, C, D의 역할을 맡은 대원은 1인당 각각 100, 100, 100, 110을 얻는다.

※ 더 큰 수일수록 각 대원에게 더 좋은 결과를 의미한다.

(나)

합리적 선택을 위해서는 그것과 관련된 선택지, 상황, 결과를 고려해야 한다. 그런데 우리는 가끔 관련된 상황이 발생할 확률을 전혀 모른 채로 선택을 하게 된다. 가령 졸업 후 직업 선택을 고민하는 을에게 다음과 같은 3개의 선택지 X, Y, Z가 있다고 해보자.

선택지 \ 상황	경기가 현재보다 더 좋아진다면	경기가 현재와 같다면	경기가 현재보다 더 나빠진다면
X	100	50	0
Y	50	50	40
Z	50	20	20

※ 더 큰 수일수록 을에게 더 좋은 결과를 의미한다.

그런데 을은 자신의 선택이 각 상황에서 어떤 결과를 가져올지 알고 있으나, 각 상황이 발생할 확률은 전혀 모른다고 하자. 그렇다면 을은 어떤 직업을 선택해야 할까? 압도의 원리는 이러한 경우 을이 어떤 선택을 하지 말아야 하는지 말해준다. 압도의 원리에 따르면 압도되는 선택지를 선택하는 것은 비합리적이다. 적어도 하나의 상황에서 한 선택지가 다른 선택지보다 더 좋은 결과를 가져오고, 나머지 모든 상황에서도 전자가 후자보다 더 좋거나 같은 정도로 좋은 결과를 가져올 경우, 후자는 전자에 압도되는 선택지이다. 압도의 원리는 을에게 Z를 선택하지 말 것을 요구한다. Z는 Y에 압도된다. 그런데 압도의 원리는 을이 어떠한 선택을 해야 하는지에 대해서는 말해주지 않는다. 왜냐하면 선택지 X와 Y 중 어느 것도 다른 것에 의해 압도되지 않기 때문이다.

최소극대화 원리와 최대극대화 원리도 관련된 확률에 무지한 경우에 적용되는 원리로서 을이 어떠한 선택을 해야 하는지 말해준다. 최소극대화 원리는 각 선택지가 가져올 최악의 결과에 초점을 맞춘다. 이에 따르면, 우리는 이 최악의 결과들 중 최선의 결과를 갖는 선택지를 택해야 한다. 최소극대화 원리에 따를 때 을은 각 선택지가 가져올 최악의 결과인 0, 40, 20 중 최선인 40을 가져올 Y를 선택해야 한다. 반면 최대극대화 원리는 각 선택지가 가져올 최선의 결과를 비교하여 그중 최선의 결과를 가져올 선택지를 택하라는 원리이다. 최대극대화 원리에 따를 때 을은 각 선택지가 가져올 최선의 결과인 100, 50, 50 중 최선인 100을 가져올 X를 선택해야 한다.

(다)

이익을 성취에 대한 보상으로 분배하는 경우에는 성취의 정도에 따라 분배하는 것이 공정해 보이고, 각자가 맡은 직무나 역할에 대한 보상으로 분배하는 경우에는 역할의 수행에 소요되는 시간과 노력에 따라 분배하는 것이 공정해 보인다. 그러나 사회적 협동 체계에서 운에 기인하는 불평등은 피할 수 없는 것 같다. 만약 이러한 불평등을 최소화하는 것이 정의롭다고 생각한다면, 어찌할 수 없는 불운 때문에 불리한 처지에 놓인 사람들을 배려하는 방식으로 협동의 결과물을 분배하는 것이 공정해 보일 것이다. 그러나 불리한 처지의 그 불리함을 완화하는 것이 합리적인가 또는 유리한 결과에 대한 기대를 확보하는 것이 합리 적인가 하는 판단과 관련해 다음과 같은 3가지 점을 고려해 볼 필요가 있다.

첫째, 어떤 선택지가 견디기 어려운 결과를 낳을 수 있을 때 그러한 결과를 피하기 위해서는 각 선택지들의 최악의 결과를 비교하는 것이 합리적이다. 반면 각 선택지들의 최악의 결과가 모두 견딜 만한 것으로 보인다면 각 선택지들의 최선의 결과에 주목하는 것이 의미 있는 일일 수 있다. 둘째, 어떤 계획을 실현하기 위해 큰돈이 필요한 사람의 경우에는 각 선택지에서 큰돈을 얻을 기회를 찾지 각 선택지들의 최악의 결과를 비교하려고 하지 않을 것이다. 그러나 선택지들 중 어떤 것이 보장하는 최소한의 몫이 충분하다고 여기고 그 이상의 것을 얻기 위한 노력이 별 가치가 없다고 여기는 사람이라면 각 선택지들의 최선의 결과에 관심을 두지 않을 것이다. 셋째, 비슷한 정도의 영향력을 갖는 선택의 기회들이 여러 차례 남아 있다면 어떤 선택에서 최악의 결과를 만나더라도 이후의 선택에서 더 좋은 결과로 보상받을 기회가 있을 수 있다. 그러나 선택의 기회가 단 한 차례뿐이라면 각 선택지들이 가져올 최악의 결과에 더 큰 관심을 가질 것이다.

한양대학교

지원학부(과)

수 험 번 호				

주민등록번호 앞6자리(예:040312)					

성 명

1번 답안

50

100

150

200

250

300

350

400

450

500

550

600

650

이줄 위에 답안 작성시 무효 처리됨

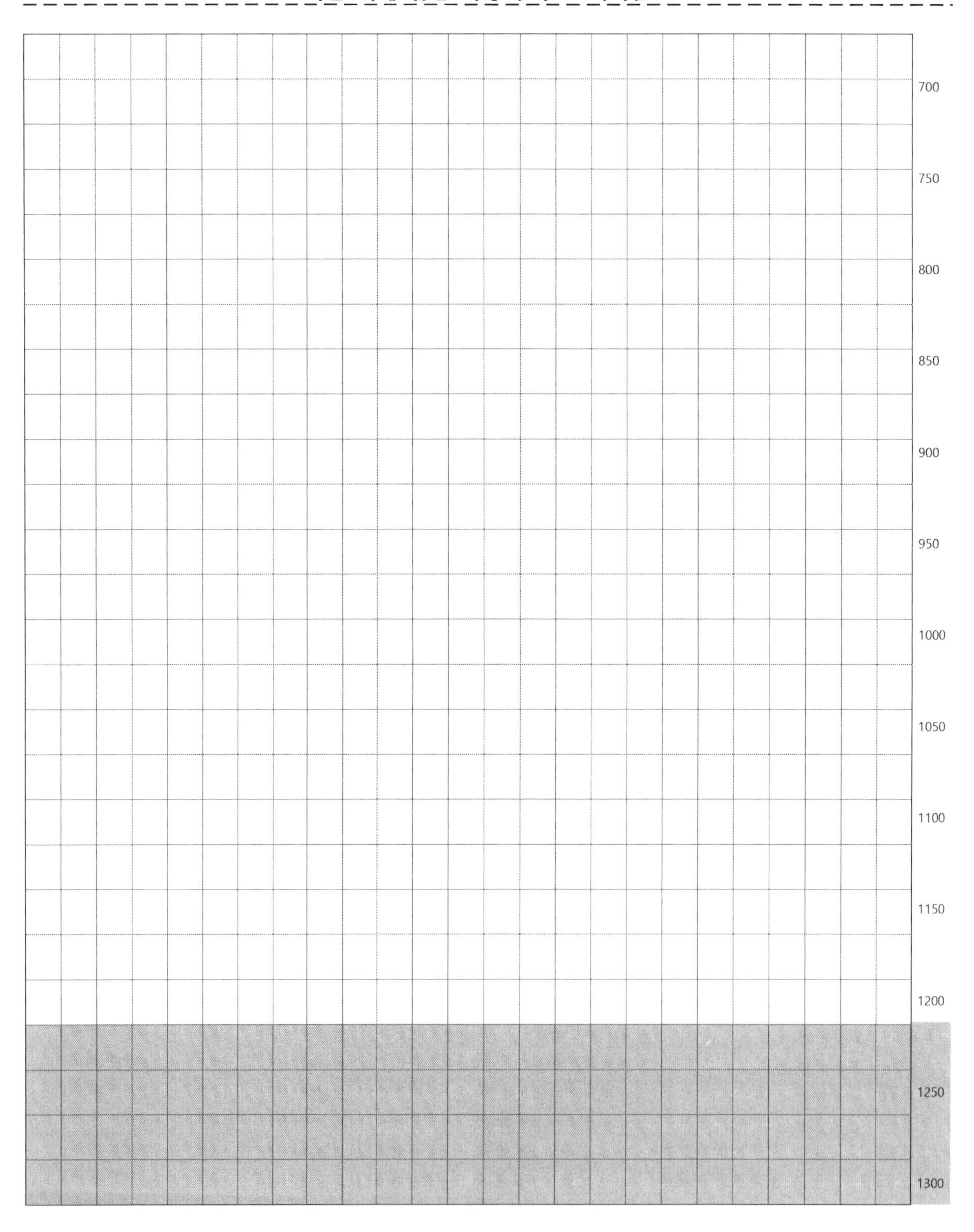

8. 2023학년도 한양대 수시 논술 [상경계열]

[문제 1] (가)에 제시된 실험 결과 중 (나)의 '갑의 주장'에 의해 잘 설명되는 부분과 그렇지 않은 부분을 각각 밝히고, (다)의 '을의 강연'을 추가적으로 활용하여 (가)의 실험 결과를 종합적으로 해석하시오. (600자, 50점)

(가)

사람들이 다른 사람을 어떤 식으로 속이는지 살펴보기 위해 한 연구팀이 실험 참가자를 모집한 후 몇 가지 실험을 시행하였다. 어렵지는 않지만 푸는 데 상당한 시간이 소요되는 계산 문제를 주어진 시간 동안 풀게 하고 그 결과에 따라 상금을 주는 것이 실험의 주된 내용이었으며, 참가자에게는 정답 개수에 비례하여 상금을 받는다는 사실을 알려주었다.

참가자들을 무작위로 몇 집단으로 나눈 후, 우선 부정행위가 일어날 수 없는 상황에서의 정답률을 파악하기 위해 한 집단을 선택해 시험을 실시하였다. 시험 결과 참가자들은 평균 4문제를 맞히는 것으로 나타났는데, 애초에 집단을 무작위로 나누고 골랐기 때문에 이를 전체 실험 참가자의 실제 능력에 따른 평균 정답 개수로 볼 수 있다. 따라서 이후의 실험에서 이보다 큰 값이 보고 되면 부정행위가 발생했다고 결론지을 수 있다. 이후 실험에서는 나머지 집단들을 대상으로 동일한 시험을 실시하되, 상금과 관련한 설정을 조금씩 달리하였다.

<실험 1>에서는 시험 종료 후 참가자들이 답안지를 직접 채점한 후 문서 파쇄기에 넣어 파기하고 정답 개수를 보고하게 하였다. 개수를 보고하면 어떠한 확인 절차나 질문 없이 그에 따라 상금을 준다는 사실을 미리 알렸다. 참가자들은 평균 6문제를 맞혔다고 보고했는데, 구체적인 양태를 보면 소수의 참가자가 정답 개수를 크게 과장한 것이 아니라 다수의 참가자들이 조금씩 부풀리는 모습을 보였다. 한편 추가 실험에서는 위 설정에서 상금 규모를 다양하게 변화시켰는데, 실험 결과 상금이 커져도 보고된 정답 개수에는 큰 변화가 없었고 상금 규모를 매우 크게 하자 오히려 부정행위가 감소하는 것으로 나타났다.

<실험 2>에서는 참가자들을 무작위로 둘로 나누어 각 집단에 대해 <실험 1>을 변형한 실험을 시행하였다. 첫 번째 집단에 속한 참가자들에게는 <실험 1>과 달리 답안지의 절반만 파쇄하고 나머지 답안지는 제출하게 하였으며, 다른 모든 측면은 <실험 1>과 동일하게 설정하였다. 한편 두 번째 집단에 속한 참가자들에게는 <실험 1>에서처럼 답안지를 모두 파쇄하도록 하였을 뿐 아니라, 정답 개수를 보고할 필요도 없이 돈이 든 상자에서 직접 상금을 가져가도록 하였다. 상자는 실험 장소 뒤쪽에 있어 참가자들이 얼마를 가져가는지 실험자가 볼 수 없게 하였다. 실험 결과 첫 번째 집단은 평균 6문제를 맞혔다고 보고하였고, 두 번째 집단은 평균 6문제에 해당하는 돈을 가져갔다.

(나)

갑의 주장 : 인간은 합리적이며 경제적 유인에 반응하는 존재이다. 사람들은 어떤

선택을 할 때 항상 그에 수반하는 이득과 비용을 저울질하여 결정을 내리며, 이는 사람들이 부정행위와 관련된 결정을 내릴 때에도 적용된다. 즉 부정행위를 저질러서 얻을 수 있는 편익과 그 행위가 적발되었을 때 발생할 것으로 예측되는 비용을 비교하여 부정행위를 저지를지 말지, 부정행위를 저지른다면 얼마나 저지를지 결정하는 것이다. 예를 들어 한 운전자가 주차비를 아끼기 위해 주차금지 구역에 불법주차를 했다면, 이는 불법주차를 함으로써 아낄 수 있는 주차비와 불법주차를 했다가 적발될 확률 및 그때 내야 하는 벌금을 종합적으로 고려한 결정이다. 자신의 행동이 선한지 악한지, 남들이 자신을 어떻게 볼 것인지 등에 대한 고려는 경제적 편익과 비용을 비교하는 합리적 계산에 끼어들 여지가 없다.

(다)

을의 강연 : 여러분은 혼자 있을 때 어떻게 행동하시나요? 남들이 지켜보는 가운데 착한 일을 행하는 것도 쉽지 않은데, 하물며 남들이 지켜보지 않는 곳에서 바르게 행동하기란 더욱 어렵습니다. 스스로 경계하고 수양을 쌓아야만 그런 경지에 이를 수 있지요. 신독(愼獨)이라는 말을 들어보셨을 텐데요, "숨겨져 있는 것보다 잘 보이는 것이 없고 미미한 것보다 잘 드러나는 것이 없으므로, 군자는 홀로 있을 때 더욱 삼가야 한다."라는 가르침은 바로 그러한 수양의 중요성을 강조하고 있습니다. 하지만 우리 모두는 도덕적으로 나약한 존재여서 현실에서는 욕망이나 환경에 따라 악행을 저지를 유혹에 빠지기 쉽습니다. 바르게 살고 싶지만 욕망과 환경에 굴복하여 옳지 않은 행동을 하게 되는 경우, 사람들은 이러한 부조화를 자신의 마음속에서 어떻게 받아들이고 해결할까요? 최근의 연구 결과에 따르면 사람들은 놀라운 인지적 유연성을 발휘하여, 남을 속이는 동시에 스스로를 정직한 사람으로 보이도록 한다고 합니다. 즉 스스로의 자아 이미지를 훼손하지 않는 범위 안에서 부정행위로 이득을 볼 수 있는 기준선을 파악하려고 끊임없이 노력한다는 것이지요. 이는 "도덕은 예술과 마찬가지로 어딘가에 어떤 선 하나를 긋는 것을 의미한다."라는 작가 오스카 와일드의 말과 일맥상통하는 측면이 있어 흥미롭습니다.

[문제 2] 다음 물음에 답하시오. (50점)

1. 주머니 A에는 숫자 1, 1, 2, 3, 4, 5, 5 가 하나씩 적혀 있는 7개의 공이 들어 있고, 주머니 B에는 숫자 -1, -1, 0, 1, 2, 3, 3이 하나씩 적혀 있는 7개의 공이 들어 있다. 주머니 A에서 임의로 공을 한 개씩 꺼내어 공에 적힌 수를 확인하고 다시 주머니 A에 넣는 시행을 4번 반복하고, 주머니 B에서 임의로 공을 한 개씩 꺼내어 공에 적힌 수를 확인하고 다시 주머니 B에 넣는 시행을 4번 반복할 때, 주머니 A와 B에서 꺼낸 공 8개에 적혀 있는 수의 평균을 W라 하자. 확률변수 W의 평균 $E(W)$와 분산 $V(W)$의 값을 구하고, $E\left(\frac{5}{2}W-1\right)<n<\frac{2521}{V(-28W+10)}$을 만족시키는 짝수인 자연수 n의 개수를 구하시오.

2. 한 바둑기사가 인공지능 바둑 프로그램과 연속으로 5차례 대국을 한다. 바둑기사가 k번째 대국에서 이길 확률은 $\frac{1}{k}$이고, 연속되는 두 대국에서 연달아 이길 때마다 상금으로 720만원을 받는다.
예를 들어 바둑기사가 1, 2, 3번째 대국에서만 이겼다면 총 상금은 1440만원이다.
바둑기사가 받을 수 있는 총 상금의 기댓값을 구하시오.
(단, 각각의 대국에서 바둑기사가 이기는 사건은 서로 독립이다.)

3. $n \geq 3$인 자연수 n에 대하여, 세 변의 길이가 각각 $n-1$, n, $n+1$인 삼각형의 외접원의 넓이를 S_n이라 할 때, S_n을 n에 대한 식으로 나타내고 이를 이용하여 극한값 $\lim_{n \to \infty} \frac{S_n}{n^2}$을 구하시오.

한양대학교

지원학부(과)	수 험 번 호	주민등록번호 앞6자리(예: 040512)

성 명

1번 답안

50

100

150

200

250

300

350

400

450

500

550

600

650

이줄 위에 답안 작성시 무효 처리됨

2번 답안

9. 2023학년도 한양대 모의 논술 [인문계열]

[문 제] (가)와 (나)에서 긍정적으로 강조하는 '윤리'와 '정체성'의 의미를 각각 설명하고, (다)의 사례를 활용하여 ㉡의 입장에서 ㉠을 비판적으로 서술하시오.(1200자, 100점)

(가)

행위자는 자신의 행위에 책임을 져야 한다. 비록 원인이 악행이 아니었다 할지라도, 그리고 결과가 예견된 것도 아니고 의도된 것도 아니라고 할지라도 자신이 저지른 피해를 보상해야만 한다. 내 자신이 능동적 원인이었다는 사실만으로 충분하다. 그러나 이는 책임 소재가 분명하고, 결과가 예측할 수 없는 영역으로 사라지지 않을 정도로 행위와 밀접한 인과적 관계가 있을 때에만 그렇다. 그런데 행해진 것에 대한 사후적 책임 부과와 관련되지 않고 행위되어야 할 것의 결정과 관련된 전혀 다른 책임의 개념이 있다. 이에 따르면 나는 나의 행동 결과에 관해 책임이 있다고 느끼는 것이 아니라 나의 행위로 인해 앞으로 발생할 사태에 관해 책임이 있다고 느낀다. 책임의 대상은 나의 밖에 놓여 있기는 하지만 나의 권력에 의존하고 또 나의 권력 작용 영역 안에 있게 된다. 권력은 이미 나의 것이고 이 사태에 대한 원인적 관계를 가지고 있는 까닭에 책임도 나의 것이 된다. 오늘날 필요한 책임의 윤리에 관해 말한다면, 우리는 이러한 종류의 책임을 말하는 것이지, 이미 지나간 자신의 행위에 대한 ㉠낡은 의미의 책임을 말하는 것이 아니다.

(나)

삶의 의미를 추구하며 자신의 정체성을 유의미하게 만들고자 하는 사람은 자신의 존재를 중요한 문제들의 지평 앞으로 이끌어내야 한다. 사회 혹은 자연의 요구들에 정면 대립하면서, 역사나 연대적 고리를 차단해가면서, 오직 자기실현에만 골몰하고 있는 양태들 속에서 이상은 스스로 파괴되게 마련이기 때문이다. 이렇게 자기만을 중심에 놓는 나르시시즘의 형태들은 참으로 천박하고 진부하다. 그런 삶들은 안목이 매우 좁은 것이 아닐 수 없다. 그러나 이렇게 된 것은 이런 삶들이 자기 진실성의 문화에 속해 있지 않고 ㉡자기 진실성의 요구들에 정면으로 배치되고 있기 때문이다. 자신을 넘어서는 영역에서 생겨나는 요구들을 차단한다는 말은 의미 창출의 조건을 억제하는 것이다. 그러나 사람들이 지금 이 자리에서 도덕적 이상을 추구하고 있는 만큼, 이상의 추구를 포기하는 자기 폐쇄는 자신을 윤리적으로 망쳐버릴 수밖에 없다. 왜냐하면 자기 폐쇄는 이상 실현의 조건들을 파괴하기 때문이다. 달리 말하자면, 삶에 의미가 있는 것들을 배경에 두고서 우리는 자기 정체성을 규정할 수 있다. 그러나 좁은 나 자신 속에 들어 있는 것을 제외한 모든 것들을 괄호 속에 묶는다는 것은 내 삶에 의미 있는 모든 가능한 사항들을 배제하는 것을 말한다. 따라서 역사나 현실의 요구, 동료 인간에 대한 책임, 시민의 의무 등이 결정적으로 문젯거리가 되는 세상에 존재할 때에만 나는 진부하지 않은 나의 정체성을 스스로 결정할 수 있다. 자기 진실성은 자신을 넘어서는 영역으로부터 오는 요구들의 적이 아니다. 그것은 오히려 그러한 요구들을 전제하고 있기 때문이다.

(다)

사람이 온다는 건
실은 어마어마한 일이다.
그는
그의 과거와 현재와
그리고
그의 미래와 함께 오기 때문이다.
한 사람의 일생이 오기 때문이다.
부서지기 쉬운
그래서 부서지기도 했을
마음이 오는 것이다.
그 갈피를
아마 바람은 더듬어 볼 수 있을 마음.
내 마음이 그런 바람을 흉내낸다면
필경 환대가 될 것이다. - 정현종, <방문객>

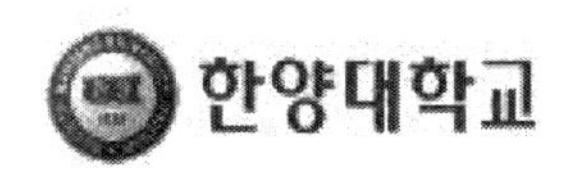

지원학부(과)	수험번호	주민등록번호 앞6자리(예:040512)

성명

1번 답안

50
100
150
200
250
300
350
400
450
500
550
600
650

이줄 위에 답안 작성시 무효 처리됨

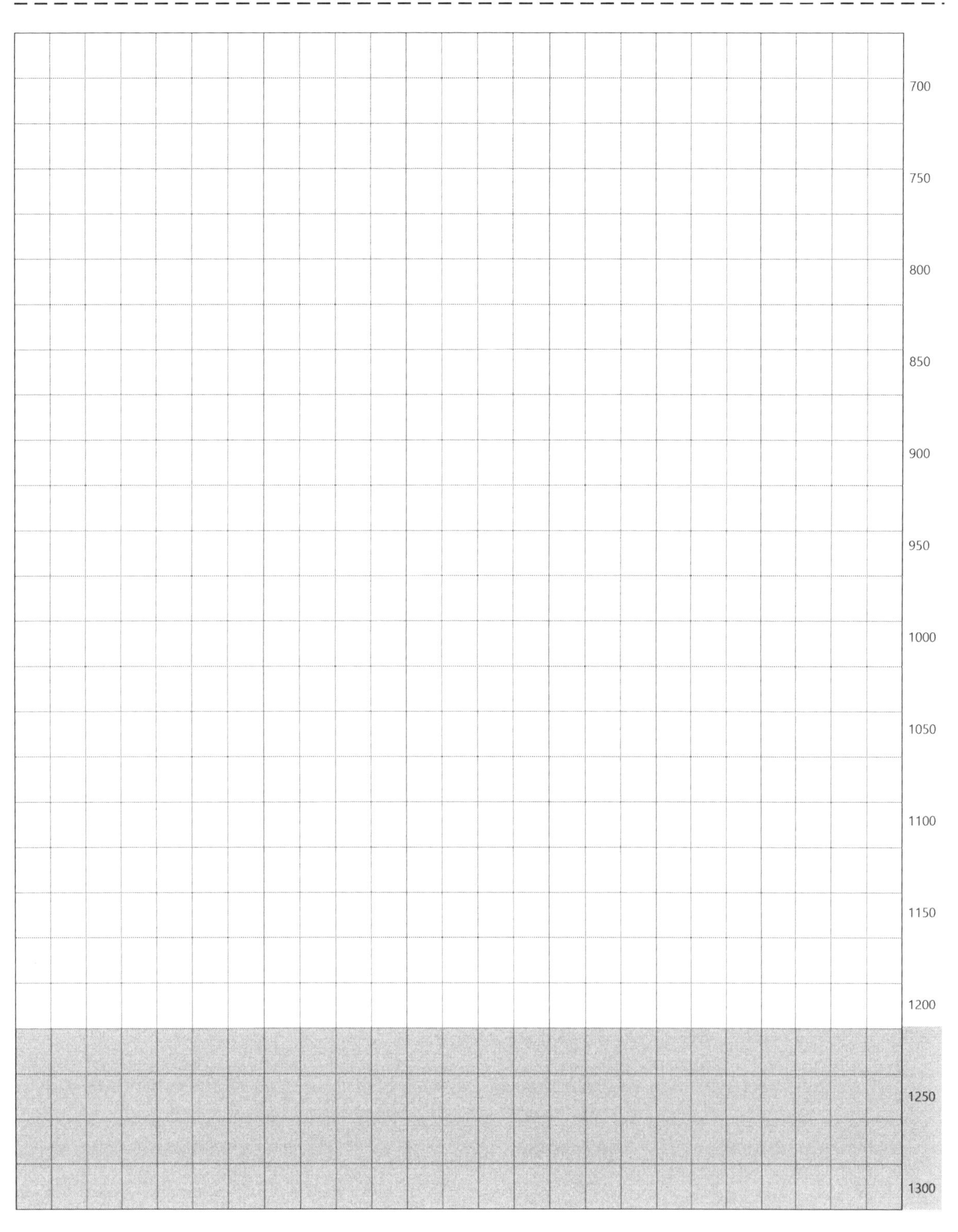

10. 2023학년도 한양대 모의 논술 [상경계열]

[문 제 1] (가)에 제시된 개념에 근거하여 (나)에서 자라와 토끼 간, 토끼와 용왕 간의 두 가지 거래를 분석한 후, 전자의 상황에서 토끼가, 후자의 상황에서 용왕이 취했어야 할 바람직한 대응 전략을 재화나 서비스의 공급과 소비의 상황에 대입하여 각각 서술하시오. (600자, 50점)

(가)

정보 비대칭(information asymmetry)은 경제학에서 시장에서 거래에 참여하는 경제 주체 사이에 정보의 양과 질 면에서 격차가 생기는 현상 또는 그러한 성질을 말한다. 상대적으로 많은 정보를 가지고 있는 쪽을 정보 우위, 그 반대 상황에 있는 쪽을 정보 열위에 있다고 한다. 소비자와 공급자는 모두 재화나 서비스의 성격에 따라 정보 우위에 놓일 수도 있고 정보 열위에 놓일 수도 있다. 정보 비대칭은 역선택이나 도덕적 해이 등 시장을 교란하는 결과를 낳는다.

(나)

수궁에서 용왕이 걸린 병을 치료하기 위해 자라는 토끼의 간을 구하러 육지에 나간다. 육지에서 토끼를 만난 자라는 토끼가 육지에서 당하는 여러 가지 고난을 언급하고, 수궁에 가면 어떠한 고난도 없이 높은 벼슬을 얻고 향락을 즐길 수 있게 해 준다는 약속으로 토끼를 유혹하여 수궁으로 데려간다. 토끼는 수궁에 도착한 후 자신의 간이 용왕의 병을 치료하는 약으로 제공되어야 한다는 사실을 안다. 이에 토끼는 자신이 다른 생명체와 달리 간을 뺐다 넣었다 한다면서 자라가 자신을 데려올 때 하필 간을 빼서 나무에 걸어둔 채 왔다고 둘러댄 후, 자신을 육지로 보내주면 간을 가져오겠다고 용왕에게 약속하고 수궁을 탈출하여 육지로 귀환한다.

[문제 2번] 다음 제시문을 읽고 물음에 답하시오. (50점)

1. 정육면체의 여섯 면에 1부터 6까지의 숫자를 하나씩 적어 주사위를 만들고, 이 주사위를 던져서 나온 숫자와 그 정 반대편 면에 적힌 숫자의 합을 확률변수 X 라 정의한다. 즉, 확률변수 X 의 분포는 주사위 숫자의 배치에 따라 달라질 수 있다. 이때 X 의 분산이 가질 수 있는 최댓값을 구하여라.

2. 연속확률변수 X가 갖는 값의 범위는 $0 \le X \le 6$이고 확률변수 X 의 확률밀도함수 $f(x)$가 다음 조건을 만족시킬 때, $P(1.5 \le X \le 6)$의 값은?

(가) 0이 아닌 상수 a에 대하여 $0 \le x \le 2$일 때, $f(x) = a|x-1| - a$이다.

(나) $2 \le x \le 4$인 모든 실수 x에 대하여 $f(x) = \frac{1}{3}f(4-x)$이다.

(다) $4 \le x \le 6$인 모든 실수 x에 대하여 $f(x) = 2f(6-x)$이다.

3. 3022개의 항아리가 있고 각 항아리에는 r 개의 빨간 공과 b 개의 파란 공이 담겨 있다고 가정하자. 첫 번째 항아리에서 공 한 개가 무작위로 선택되어 두 번째 항아리로 옮겨지고, 그 후 두 번째 항아리에서 공 한 개가 무작위로 선택되어 세 번째 항아리로 옮겨지는 과정이 순차적으로 이루어진다. 최종적으로 2022번째 항아리에서 공 한 개가 무작위로 선택될 때 이 공이 빨간 공일 확률은 무엇인가?

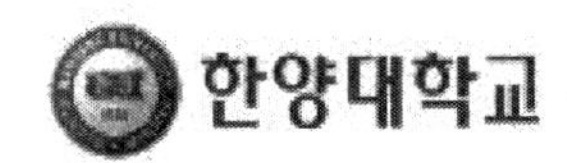

지원학부(과)

수 험 번 호				

주민등록번호 앞6자리(예: 040512)					

성 명

1번 답안

50

100

150

200

250

300

350

400

450

500

550

600

650

이줄 위에 답안 작성시 무효 처리됨

2번 답안

11. 2022학년도 한양대 수시 논술 [인문계열 오후1]

[문제] (가)의 ㉠을 갖춘 유권자라면 (나)의 밑줄 친 '빨간 버스의 구호'를 보고 어떤 질문들을 할지 구체적으로 설명한 후, (다)의 국가 A, B가 처한 ㉡의 문제를 각각 분석하고 해결책을 제안하시오. (1200자, 100점)

(가)

글을 읽고 쓰는 능력을 설명하는 여러 가지 말들이 있다. 교육의 기회가 부족했던 과거에는 문맹(文盲)이라는 말을 주로 썼다. 이 말은 글자를 익히지 못해 자유자재로 글을 읽고 쓰지 못하는 상태를 뜻한다. 그래서 한글 해득을 강조하는 탈문맹 운동이 벌어지기도 했다. 글자 자체를 다루는 일이 그다지 문제가 되지 않는 요즘에는 문해력(文解力)이라는 말을 자주 쓴다. 문해력이란 글자 기호의 해득을 넘어서 그것이 표현하고 있는 정보와 의미를 파악하는 능력이다. 사람들은 이 말을 '글을 풀어내는 힘' 정도의 뜻으로 보고 주로 학교 공부나 성적 등과 관련지어 사용한다.

그런데 문맹이나 문해력이라는 용어는 모두 ㉠리터러시(literacy)라는 말에서 왔다. 리터러시란 다양한 내용과 형식의 글, 정보, 자료들을 '읽고 쓰는 일 또는 그런 능력'이다. 그래서 리터러시를 갖추기 위해서는 기본적으로 글자를 해득해야 하고 글의 내용도 이해할 수 있어야 한다. 하지만 리터러시는 여기에서 그치지 않는다. 리터러시는 글자와 정보의 처리를 넘어서 다양한 텍스트를 읽고 사용하여 복잡한 생활 세계의 의사 결정 및 문제 해결 과정에 합리적이면서도 비판적으로 참여하는 것까지를 포함한다. 브라질의 지성인 파울로 프레이리(Paulo Freire)는 리터러시를 정의하면서 '정신의 관료화'를 경계해야 한다고 했다. 이것은 눈앞에 보이는 정보 그 자체만을 기계적으로 다루는 구태의연한 독자가 되지 말라는 조언이자, 누군가가 정해준 방식으로 읽거나 분석과 판단 없이 피상적으로 읽는 것에 익숙해지지 말라는 충고이다. 관료적 읽기에는 날카로운 문제 의식이 스며들 틈이 없고, 비판적으로 질문하는 유연성이 발휘될 여유도 없다.

우리가 다양한 매체로 읽고 쓰면서 정보와 지식을 습득하고 공부와 일을 한다는 점에서 리터러시는 개인의 성장과 성공을 위해서 꼭 필요한 학습 도구다. 하지만 리터러시의 경험은 단지 개인사로만 남지 않는다. 깨어있는 시민은 함께 읽고 쓰면서 공동체의 문제를 협력적으로 해결하고, 새로운 변화의 의제를 설정하며, 대안적 미래를 토론하는 일에 부지런하다. 따지고 보면, 인류 문명사의 수많은 변화와 진보가 함께 읽고 생각하는 경험을 통해서 실현되었다. 세상을 읽고 쓰는 방식인 리터러시는 우리가 공동체적 질문과 사유를 통해서 공유된 성찰과 비전을 도모하고 모두가 행복한 새로운 시대를 만들어갈 때 반드시 요구되는 사회 변혁의 도구인 것이다.

주어진 짧은 글에서 정보를 취하는 능력만으로는 합리적 시민의 자질을 갖추었다고 보기 어렵다. 다양한 형식과 내용, 다양한 목적과 의도를 가진 수많은 문서, 광고, 선전 문구, 인포그래픽, 각종 미디어 텍스트와 함께 살아가야 하는 시대에 우리는 좀 더 정밀하게 읽고 날카롭게 판단하는 주체가 될 필요가 있다. 변화의 시대는 다양한 가능성과 기회를 제공하지만, 동시에 행간에 진실을 감춘 검증되지 않은 자료, 정체와 출처를 알 수 없는 정보, 진짜보다 더 진짜 같은 가짜 뉴스를 생산하고 유통한다. 시민의 삶에 심대한 영향을 미치는 정치와 여론이 일상적으로 왜곡되고 날로 진화하는 바이러스의 위협과 단번에 지구를 태워 버릴 듯한 기후 재난의 시대에, 우리는 지구 생태계의 일원으로서 철저하게 읽고 생각할 필요가 있다.

문제는 ㉡리터러시에도 격차가 생긴다는 점이다. 학교와 직장, 온라인과 오프라인, 문화와 정치의 장에서 벌어지는 중요한 의사 결정 앞에서 제대로 읽고 판단하지 못하는 사람들이 우리 사회에 점점 늘어나고 있다는 우려가 크다. 이러한 리터러시 격차는 지능과 같은 생득적 요인보다는 후천적으로 경험하는 개인적, 사회적, 문화적, 경제적 환경의 영향과 그로 인한 학습기회의 차이로 인해 발생한다. 이는 개인적 성공의 양극화도 가져오지만, 무엇보다 우리 사회의 구성원 모두가 협력적으로 사유하고 소통하는 과정을 점점 어렵게 만든다. 따라서 리터러시 격차 문제를 해소하기 위해서는 먼저, 리터러시가 단지 개인의 문제가 아니라 공공의 영역에 속한 의제임을 분명히 인지할 필요가 있다. 리터러시의 성패는 한 개인의 재능이나 노력에만 달려 있지 않다. 리터러시를 제대로 교육하는 것은 후속 세대가 합리적이고 비판적인 시민으로서 읽고 판단하고 소통할 수 있기를 바라는 나라의 교육 당국이라면 절대 소홀히 해서는 안 될 책임이자, 지속 가능한 미래를 만드는 일이다.

(나)

브렉시트(Brexit)란 영국이 유럽연합(EU)에서 탈퇴한 사건을 말한다. 2016년에 영국인들은 국민투표를 통해서 브렉시트를 결정했다. 브렉시트의 동기는 'EU에 가입한 동안 지금까지 영국에게 돌아온 혜택이 무엇인가?'라는 정치·경제적 손익계산서에 대한 불신이었다. 브렉시트 국면에서 런던에서는 재미있는 풍경이 펼쳐졌다. 국민투표를 앞두고 빨간색 대형 버스들이 시내 곳곳을 누비고 다녔는데, "떠나자(Vote Leave)!"라고 외치며 EU 탈퇴 캠페인을 벌이던 영국 보수당의 유세 차량이었다. 이 차량에는 다음과 같은 구호가 선명하게 붙어 있었다.

우리는 매주 3억 5천만 파운드를 유럽연합에 송금하고 있습니다. 차라리 이 돈을 국민 보건에 투자합시다!

이 시기에 영국은 EU에 매주 3억 5천만 파운드를 회원국 비용으로 송금하고 있었으나, 실제로 그중 절반 정도를 여러 가지 명목으로 돌려받고 있었다. 하지만 빨간 버스의 구호는 대중들을 현혹했다. 끝내 영국인들이 브렉시트를 결정하게 된 데에는 그들이 처했던 여러 가지 어려움이 있었을 것이나, 전문가들은 당시에 만연하던 '허위정보(disinformation)'가 국민투표의 결과에 미친 영향 또한 무시할 수 없다고 말한다. 더욱이 허위 정보를 퍼뜨린 사람도 문제지만, 2016년 당시 다수의 영국인들이 아무런 의심 없이 눈에 보이는 정보를 있는 그대로 믿었다는 점은 매우 안타깝다.

(다)

[국가 A] 만 15세 학생들의 읽기 성취도 추이(2006-2018년)

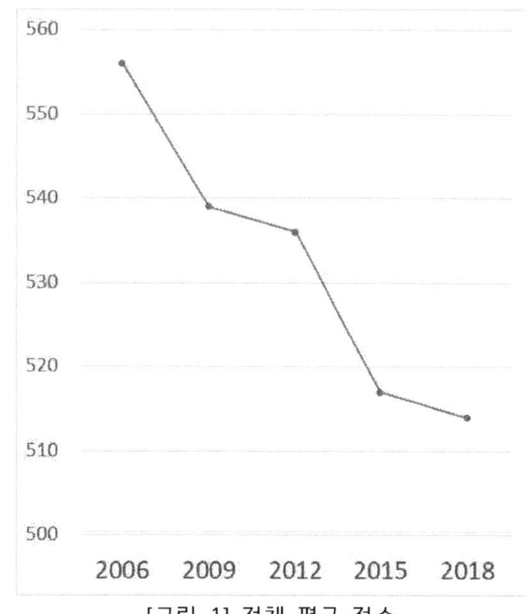

[그림 1] 전체 평균 점수

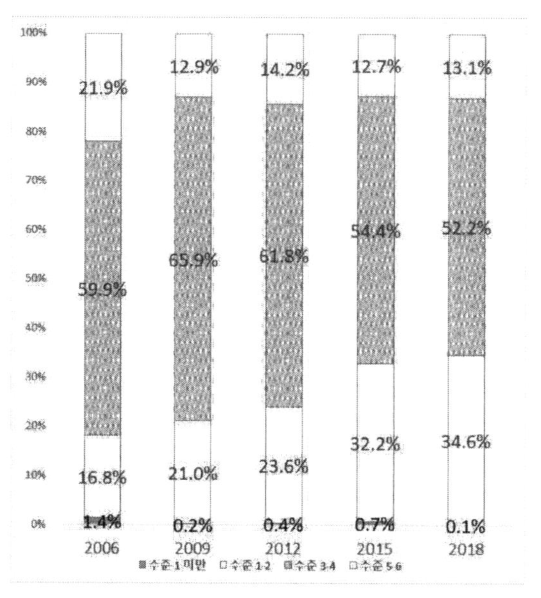

[그림 2] 성취 수준별 분포

*수준 5-6: 수준 3-4에 더하여 다양한 자료들의 가치를 종합적, 비판적으로 평가할 수 있다.

*수준 3-4: 수준 1-2에 더하여 자료에 담긴 내용을 파악하고 심층적 의미를 해석할 수 있다.

*수준 1-2: 자료에 드러난 기본 정보를 이해할 수 있다.

*수준 1 미만: 자료를 읽지 못한다.

[국가 B] 중학교 3학년 학생들의 읽기 성취도 추이(2003-2019년)

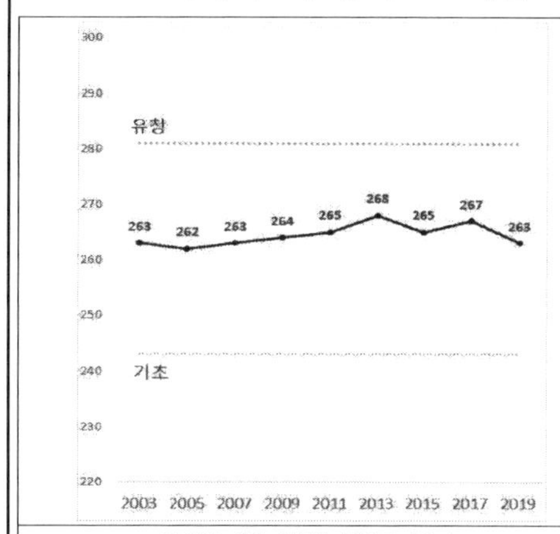

[그림 3] 전체 평균 점수

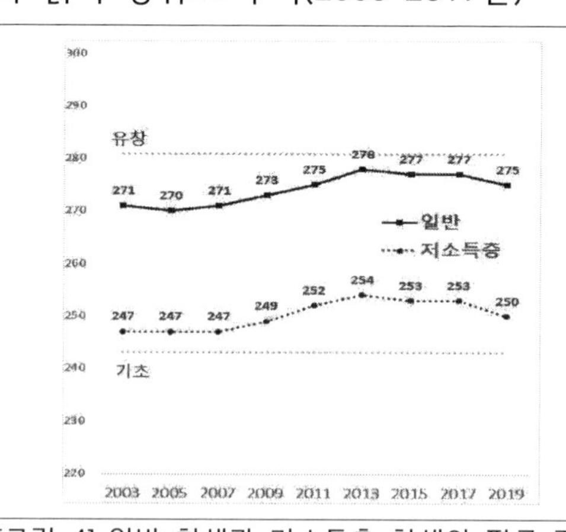

[그림 4] 일반 학생과 저소득층 학생의 평균 점수

*유창: 다양한 자료의 내용을 파악하고 심층적 의미를 분석 및 해석할 수 있다.

*기초: 자료에 드러난 기본 정보를 이해할 수 있다.

한양대학교

지원학부(과)

수 험 번 호				

주민등록번호 앞6자리(예: 040512)					

성 명

1번 답안

이줄 위에 답안 작성시 무효 처리됨

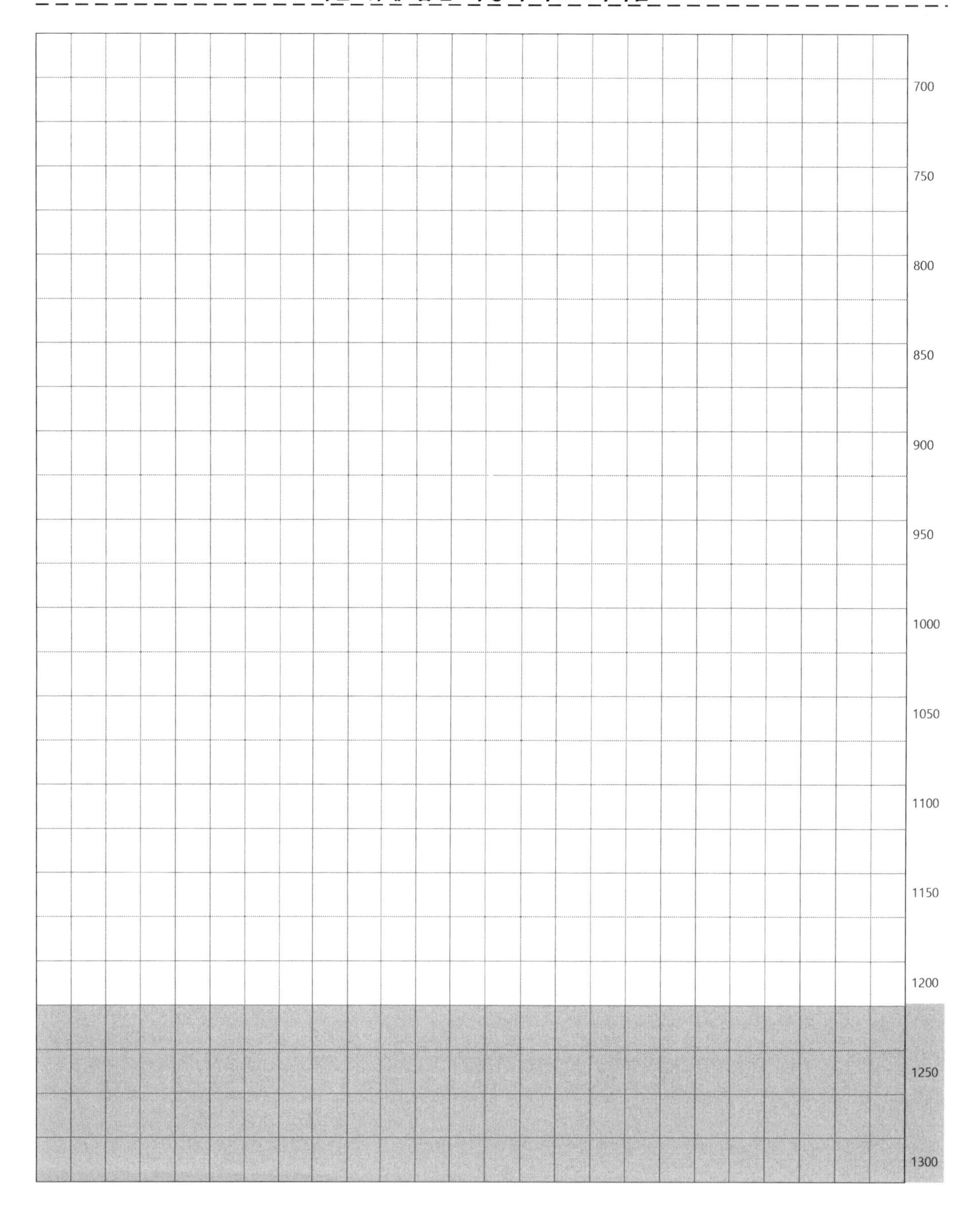

12. 2022학년도 한양대 수시 논술 [인문계열 오후2]

[문제] (가)에서 설명된 개념들을 이용하여 (나)의 밑줄 친 '철도 산업'의 특성을 제시하고, (나)와 같은 일이 벌어진 원인을 분석한 후, (다)를 활용하여 해결책을 제시하시오. (1200자, 100점)

(가)

우리가 값을 치르고 구입하는 재화나 서비스는 일반적으로 어떤 특성이 있을까? 우선 한 사람이 일정량의 상품을 소비하게 되면 다른 사람이 소비하는 몫이 줄어들게 되는데, 이런 특성을 소비의 경합성이라고 한다. 다음으로는 값을 치른 사람만 이 재화나 서비스를 배타적으로 사용할 수 있는데, 이런 특성을 소비의 배제성이라고 한다. 돈을 내지 않은 다른 사람의 소비를 막을 수 있다는 의미이다. 일반적으로 우리가 사용하는 사적 재화는 경합성과 배제성의 특성을 지닌다.

공공재는 이와 정반대로 비경합성과 비배제성의 특성이 있는데, 대표적인 사례로 치안 서비스를 들 수 있다. 치안 서비스는 우리 국민은 물론 외국인들도 우리나라에 들어오는 순간 소비하게 된다. 치안 서비스는 일단 공급되면 돈을 치르지 않는다고 해서 외국인이 소비하는 것을 배제할 수 없다. 또한 외국인이 치안 서비스를 소비하더라도 우리 국민이 소비하는 치안 서비스의 양이 감소하지 않는다. 이런 특성이 있는 재화의 생산을 기업이 담당하기는 어렵다. 사람들이 같은 서비스를 누리기 위해 대가를 지불하지 않아도 되기 때문이다.

공공재와 공공성은 개념이 다르다. 공공재는 많은 사람이 공동으로 소비할 수 있는 재화와 서비스이다. 기업이 생산하여 이윤을 얻을 수 없거나, 투자 규모가 크고 수익이 불확실하여 충분히 공급되기 어려운 특성이 있다. 그런데 공공성은 한 개인이나 단체가 아닌 일반 사회 구성원 전체에 두루 관련되는 성질을 의미하는 것으로, 자유롭고 평등한 국민이 공개적인 의사소통의 절차를 통하여 공공복리를 추구하는 속성 정도로 볼 수 있다. 공공성은 결국 특정의 사람들을 배제하지 않은 채 모든 개인들의 가치와 이해관계에 두루 이바지하는 속성이며 보편적 권리를 가진 개인들이 협력하여 공동체 전체의 이익을 추구하는 도덕적 질서를 만들어 가기 위한 방법으로 이해된다. 공공성은 있으나 공공재가 아닌 경우가 있을 수 있고, 그런 경우 특별한 해법이 요구된다. 이와 관련된 개념으로 사회간접자본이 있다. 사회간접자본은 경제 활동이나 일상생활을 원활하게 하기 위해 간접적으로 필요한 도로, 항만, 철도, 통신망과 같은 시설을 의미한다. 이러한 시설은 일반적으로 정부나 지방 자치 단체가 통제하기 때문에 사회자본이라고 하며, 특정 기업이나 개인에게 혜택이 주어지는 것이 아니라 공익의 목적에 따라 간접적 필요에 의해 마련되는 것이므로 간접자본이라고도 한다. 사회간접자본은 공공재적인 성격을 갖고 있어서 비경합성과 비배제성의 특성을 지닌다.

(나)

A 씨는 아르헨티나 부에노스아이레스 외곽의 집에서 도심의 직장까지 날마다 열차를 타고 출퇴근을 한다. 그에겐 출퇴근이 고역이다. "출퇴근 시간에 열차가 만원이면 정거장에 정차하지 않고 건너뛰는 일은 예사예요. 에어컨이 가동되지 않아 출입문을

열어 놓은 채 운행하는 것도 이제는 놀라운 일이 아니죠. 불량한 객실 위생 상태 탓에 호흡 곤란 증상이 나타나 역사 보건실에서 휴식을 취한 적도 여러 번 있었어요." 라고 말했다. 부에노스아이레스의 직장인 B 씨도 민간철도회사의 비효율적이고 불량한 서비스를 성토했다. "열차가 최소 20분에서 1시간씩 지연되는 일이 흔해요. 아무런 사과 안내방송과 시정 노력이 없는 철도회사의 서비스에 어이가 없어요. 지각하지 않으려고 어쩔 수 없이 늘 한 시간 정도 여유를 두고 집을 나서요."

아르헨티나의 철도 민영화는 1989년부터 이루어졌다. 아르헨티나의 **철도 산업**은 정부에서 가장 많은 공공 지원금을 받는 만성적인 적자 산업의 하나였다. 아르헨티나 정부는 철도 산업의 민영화로 효율성과 경쟁력을 도모하겠다는 목표를 제시하였다. 정부의 재정 지출을 줄이고, 노후화된 시설과 장비를 교체, 개선하여 사용자의 서비스도 향상하겠다는 것이었다. 그러나 그 기대는 배반당했다. 초기의 낙관적 전망과 달리 방대한 규모의 운영에 부담을 느낀 민간 사업자들은 서비스 개선에 필요한 투자를 거의 이행하지 않았다. 더욱이 여객 철도의 수익성 감소 탓에 민간 사업자의 적자를 정부가 보조금 지원으로 메워줘야 했다. 재정 지출 감소라는 목표도 실현할 수 없게 된 것이다. 또한 민간 사업자들이 수익성이 낮은 적자 노선을 대거 폐쇄하면서, 현재 아르헨티나의 철도망은 민영화 이전의 3분의 1 수준으로 줄어들었다. 화물 수송에서도 철도는 전체 물량의 8%만 감당하고 있다. 민간 기업이 비용을 절감하기 위해 대규모로 인력을 감축하고 시설 투자를 미루면서 철도 사고도 증가하였다.

(다)

윤리적 소비는 소비자의 주체성을 회복하는 운동이라는 관점에서 소비자의 권리인 동시에 의무 또는 책임이라고 할 수 있다. '똑똑한' 소비자들은 기업의 사회적 책임과 윤리를 따져 묻고 개선을 요구하고 있으며 환경적으로 건전한 세상을 만들고자 능동적으로 움직이고 있다. 우리 사회에 불고 있는 조직화된 윤리적 소비 운동 현상의 원인과 진행 상황을 알아보자.

건강에 대한 관심은 경제적 소비에 대한 인식을 바꾸었다. 식탁 안팎을 괴롭히는 각종 유해 물질과의 싸움은 좋은 것을 먹어야 한다는 생각을 확산시켰다고 볼 수 있다. 동물에게 호르몬제를 투여하여 우유의 생산량을 늘려 왔다는 사실을 소비자들이 알게 되었고, 비위생적인 양계 환경에 대한 우려도 높아졌다. 이는 '행복하지 못한 동물에게서 건강한 식품이 나올 수 없다.'라는 생각으로 이어져 좋은 식품과 동물의 권리를 묶는 계기로 발전했다.

전문가들은 착한 소비가 안전한 밥상에서 출발해 공급자와 소비자의 바람직한 역할과 유통 과정에서 지켜야 할 올바른 윤리기준을 제시하고 있다고 설명했다. 이 속에는 유통 과정에서의 약자에 대한 적절한 배려도 자리하기에 '착하다'라는 단어의 쓰임은 정당한 것이라 할 수 있다. 착한 소비에 대한 관심은 실제로 시장의 분위기도 변화시켰다. 친환경 농산물 유통량이 증가했으며 이는 환경 보호와 더불어 건강한 밥상 보급으로 이어져 사회적 지출을 낮추는 계기가 됐다. 친환경 상품은 생산, 판매, 소비 주체에게 새로운 기회를 제공하고 우리 사회를 건강하게 만든다고 볼 수 있다.

대량 생산, 대량 소비 체제는 직간접적으로 지구 온난화에 영향을 미친다. 그래서 일회용품을 줄이고 지나친 포장재 사용을 지양하며, 육가공 식품의 소비를 줄이자는 운동이 설득력을 얻고 있다. 여기서 윤리적 소비는 상대적으로 탄소 발생량이 적은 제품을 선호하는 것으로 나타난다. 더불어 탄소 발생량이 적은 제품이 친환경의 기준이 된다. 그래서 자동차를 대체할 만한 수단으로 자전거를 권장하고 육식보다 채식을 즐기자는 주장은 설득력을 얻는다. 이러한 주장은 저탄소 지향이 지구와 자신의 건강을 함께 돕는다는 이치에 부합한다. 생산자와 소비자 간의 이동 거리를 줄여 유통 시 탄소 발생량을 줄이자는 지역 먹거리 장려 정책도 역시 좋은 본보기라고 하겠다.

결국 현명한 소비자는 지구 환경, 지역 경제, 가계 경제, 가족 건강을 고려하여 적절한 제품을 골라내는 사람이다. 그러나 소비자가 가진 정보는 제한적일 수밖에 없다. 제품에 대한 정보를 제공하도록 법적으로 규제하고 있지만 그것만으로는 부족하다. 그래서 기업은 소비자가 원하는 올바른 정보를 제공하는 윤리적 의무를 수행해야 한다. 정부도 마땅히 제도 보완을 해야 하지만, 시민들의 지속적인 견제와 감시도 필요하다.

경제 정의는 다의적인 표현이다. 윤리적 소비의 관점에서 보면 경제 정의의 범위는 해당 제품을 구매하고 낸 돈이 올바르게 쓰이고 있는가에 대한 관심으로 좁혀질 수 있다. 여행 국가 주민들에게 이윤이 돌아가도록 설계한 공정 여행이나 정당한 노동의 대가를 지불하자는 공정 무역 제품 선호가 여기에 속한다. 한 커피 매장에서 만난 윤리적 소비 운동 단체 대표 C 씨는 "이 회사의 제품이라면 부끄럽지 않은 소비가 될 것이라는 믿음과 판단에서 기꺼이 지갑을 열었어요. 사회적 기업이 생산한 제품이나 공정 무역 제품은 그동안 기업이 일방적으로 누려 왔던 이윤을 원료 생산자와 소비자에게 환원하는 방식이기에 정의롭다고 생각해요."라고 말했다.

전문가들은 윤리적 소비 관점에서의 경제 정의를 원료, 생산 체계, 기업 정신은 물론 상품의 이면성에 담긴 정치 . 사회적 영향까지 고려하는 것으로 설명하고 있다. 이 판단의 정점에는 현재의 행위가 다음 세대에 미치는 영향까지도 고려해야 한다는 '지속 가능성'이라는 말이 자리하고 있다.

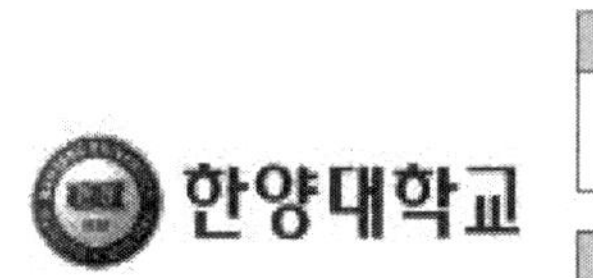

지원학부(과)	수 험 번 호	주민등록번호 앞6자리(예:040512)

성 명

1번 답안

50
100
150
200
250
300
350
400
450
500
550
600
650

이줄 위에 답안 작성시 무효 처리됨

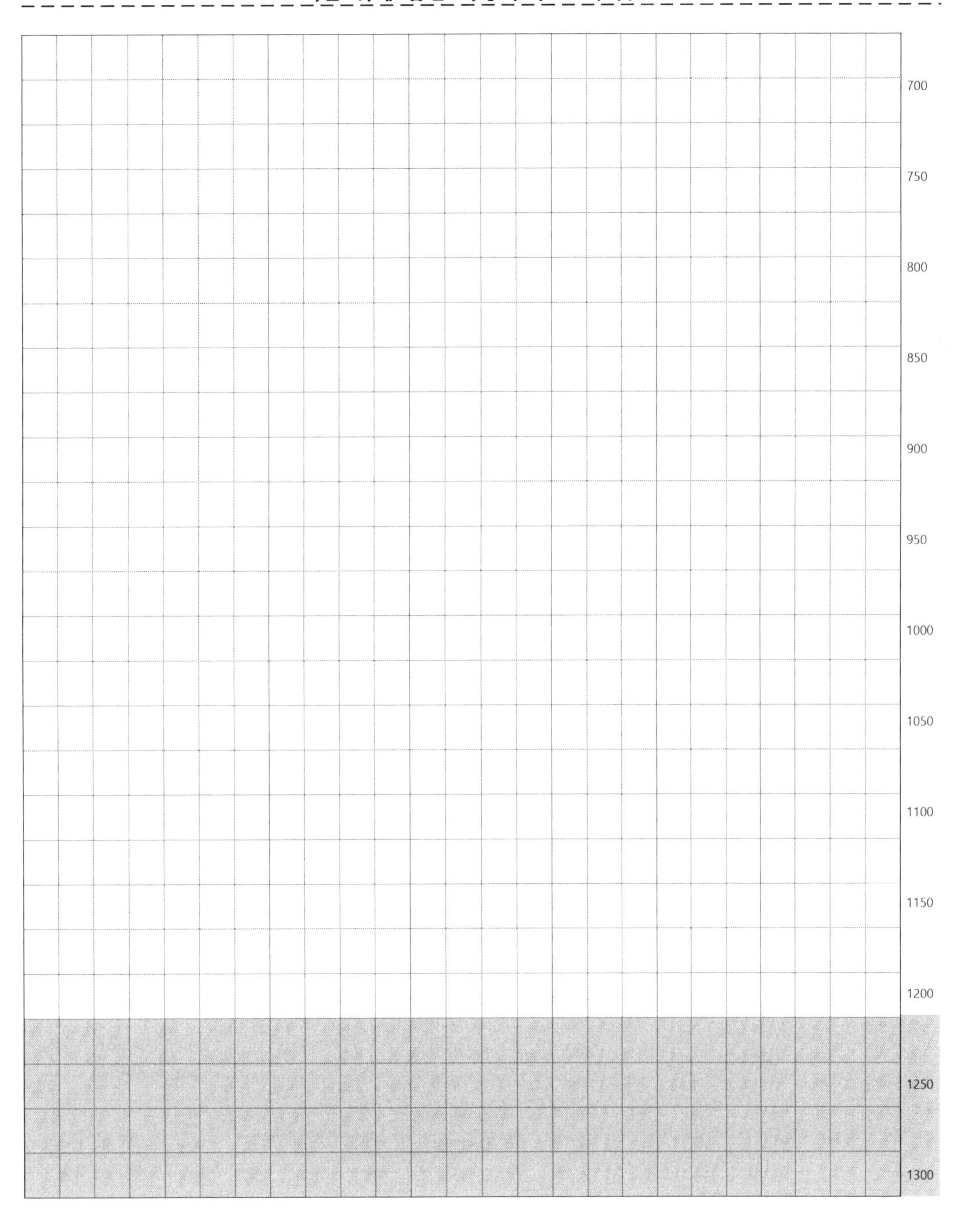

13. 2022학년도 한양대 수시 논술 [상경계열]

[문제 1] (가)의 밑줄 친 '잠김 현상'에 영향을 줄 수 있는 요인을 (나)를 참고하여 설명하고, (다)의 'A 포털 사이트'의 성공과 쇠락 요인을 (가), (나)를 활용해 분석하시오. (600자, 50점)

(가)

동일한 재화나 서비스를 이용하는 사람이 많아질수록 사용자가 얻는 편익이 커질 경우 네트워크 효과가 있다고 한다. 이름에서 알 수 있듯이 네트워크 효과는 전화나 이메일, 사회 관계망 서비스(SNS)와 같이 통신망으로 연결된 재화나 서비스에서 전형적으로 나타난다. 가령 특정 SNS를 사용하는 사람이 거의 없다면 사용자가 얻는 편익은 매우 낮을 것이다. 그러나 사용자가 늘어남에 따라 여러 사람과 소통할 수 있으므로 해당 SNS를 사용하는 데서 오는 편익이 커진다. 직접적으로 망으로 연결되지 않더라도 네트워크 효과가 발생하는 경우도 있다. 컴퓨터 소프트웨어를 예로 들어 보자. 만약 어느 문서 작성 프로그램을 소수의 사람만 사용한다면 다른 사람과 문서 파일을 교환하거나 공동 작업을 하는 것이 어려워 불편을 겪게 될 것이다. 그러나 사용자가 늘어남에 따라 이러한 불편이 줄어들어 프로그램 사용으로부터 얻는 편익이 커지게 된다. 동호회와 같은 모임도 회원이 늘어남에 따라 자신과 마음이 맞는 사람들과 만나게 될 가능성이 높아져 네트워크 효과가 발생한다.

네트워크 효과가 있는 여러 제품이 시장에서 서로 경쟁할 경우, 하나의 제품이 높은 점유율을 보이며 시장을 석권하는 경우가 흔히 발생한다. 사용자가 늘어날수록 편익이 커지므로 자연스럽게 하나의 제품으로 사용자가 쏠리는 경향이 나타나기 때문이다. 경우에 따라서는 나중에 더 우수한 제품이 나오더라도 기존의 제품을 계속 사용하는 잠김 현상(lock-in effect)이 나타나기도 하는데, 이는 쏠림을 강화하는 기제로 작용한다.

(나)

19세기 후반 미국에는 타자기 자판의 글자 배열에 대한 표준이 없었다. 그러다가 1873년 크리스토퍼 스콜스가 새롭게 개선된 자판을 개발하였다. 이 자판은 왼쪽 맨 위에 배열된 글자를 순서대로 따서 쿼티(QWERTY)라고 불리게 되었다. 당시 수동식 타자기는 빨리 치면 키가 서로 엉키는 경우가 많았는데, 쿼티 자판은 자주 사용하는 글자 사이의 거리를 최대한 멀게 배치함으로써 고장 확률을 최소화하여 인기를 끌었다. 후일 전동식 타자기와 컴퓨터의 도입에 따라 키가 서로 엉키는 기술적 문제가 사라지자 쿼티보다 효율적인 자판 체계들이 고안되었다. 그러나 이미 많은 사용자들이 쿼티에 익숙해져 있었던 데다가, 다른 자판으로 옮겨가려면 새로 자판을 익혀야 하는 전환 비용(switching cost)이 발생했기 때문에 이런 자판들은 큰 호응을 얻지 못했다. 만약 타자기 개발 초기에 쿼티가 아닌 다른 자판이 먼저 기술적 문제를 해결하여 통용되었더라면 오늘날 우리가 쓰는 자판은 쿼티가 아니었을지도 모른다.

(다)

2000년대 초반 국내 A 포털 사이트는 특화된 동아리 기능인 '커뮤니티'를 최초로 도입하여 가입자 수가 1,000만 명, 커뮤니티수가 100만 개에 이를 정도로 선풍적인 인기를 끌었다. 가입자 수 증가로 관리 비용이 증가하자 이 포털은 유료화 정책을 도입했다. 유료화 정책에 따른 부담은 합리적인 수준이었다. 모든 사용자가 돈을 지불해야 하는 것이 아니라 커뮤니티 운영자만 월 몇 천 원 수준의 소액을 지불하면 되었고, 유료 사용자는 여러 개의 커뮤니티를 운영할 수 있었다. 하지만 회사의 유료화 정책에 반발한 사용자들이 대거 다른 포털로 이동하면서 A 사이트는 단기간에 군소 포털로 전락하고 말았다. 나중에 이 포털 사이트는 다른 회사에 인수되었다가 결국 파산의 길로 접어들었다

[문 제2] 다음 물음에 답하시오.(50점)

1. 퀴즈쇼에 참가한 A 에게 상금이 걸린 두 개의 문제 Q_1과 Q_2가 주어졌다. 두 문제 중에서 처음 도전할 문제는 무작위로 주어지는데, 그 문제를 맞힌 경우에는 남은 문제에 도전하고 틀린 경우에는 도전할 수 없다. 참가자 A 가 문제 Q_1, Q_2의 정답을 맞힐 확률이 각각 $P_1 = 0.6$, $P_2 = 0.8$이고, 문제 Q_2의 상금 R_2는 75만 원이다. 처음 주어지는 문제가 Q_1일 때의 총 상금의 기댓값과 처음 주어지는 문제가 Q_2일 때의 총 상금의 기댓값이 같아지도록 문제 Q_1의 상금 R_1을 정하시오.
(단, 참가자 A 가 문제 Q_1, Q_2의 정답을 맞히는 사건은 서로 독립이다.)

2. 두 사람이 한 개의 동전을 각각 n 번씩 던질 때, 앞면이 나오는 횟수를 각각 확률변수 X, Y라고 하자. 이때 X와 Y의 값의 차이가 1일 확률을 n에 대한 식으로 나타내시오.
(단, 동전의 앞면과 뒷면이 나올 확률은 $\frac{1}{2}$로 동일하다.)

3. 어느 공장에서 생산되는 두 제품 A , B 의 무게를 각각 확률변수 X, Y 라고 하자. 두 확률변수 X와 Y는 각각 정규분포 $N(10, 3^2)$과 $N(m, 3^2)$을 따른다. 두 확률변수 X, Y의 확률밀도함수 $f(x)$, $g(x)$는 다음 조건을 만족시킨다.
(가) $P(X \le 10) \le P(Y \ge 25)$
(나) $f(15) = g(25)$
이 공장에서 생산된 제품 A 중에서 임의추출한 9개의 평균 무게가 $2k$이상일 확률과 제품 B 중에서 임의추출한 9개의 평균 무게가 k 이하일 확률이 서로 같다. 이때 mk의 값을 구하시오.

한양대학교

지원학부(과)

수험번호				

주민등록번호 앞6자리(예:040812)					

성명

1번 답안

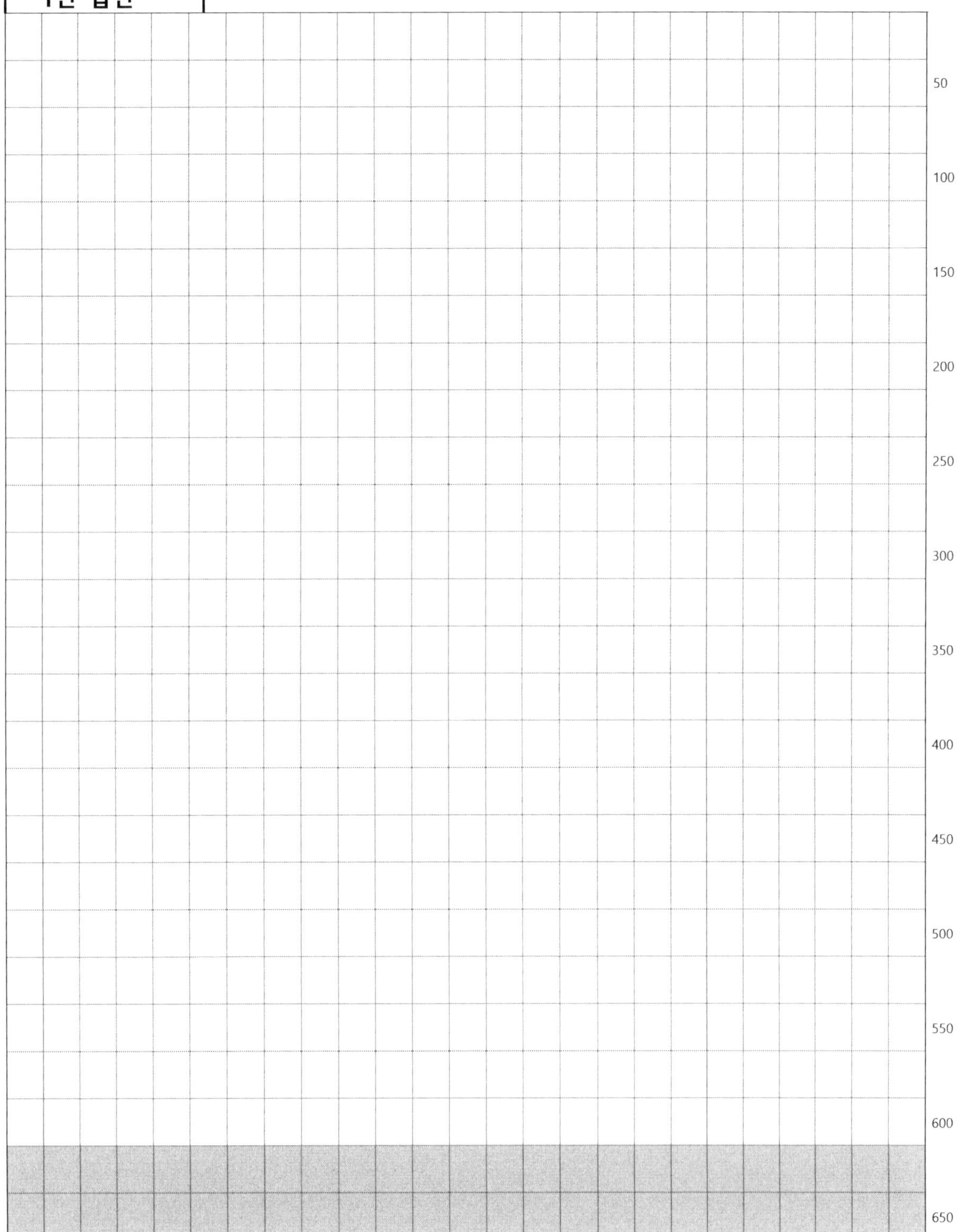

이줄 위에 답안 작성시 무효 처리됨

2번 답안

14. 2022학년도 한양대 모의 논술 [인문계열]

[문제] (가)에서 ㉠의 이유를 추론하고, 그 맥락에서 (나)의 '그,/어떤,/문'과 '키위새'가 각각 표상하고 있는 바가 무엇인지를 해석하여 제시한 후, (다)의 두 자료를 모두 활용하여 (가)의 ㉡에 답하는 글을 쓰시오. (1200자, 100점)

(가)

우리가 읽는 행위를 하기 위해서는 뉴런의 연결망이 음속 수준으로 빠르게 자동 반응하며 뇌 구조 전역에 걸쳐 시각·인지·언어 영역 등에 연결이 일어나야 한다. 이때 뇌의 좌우 반구에 있는 4개 엽과 5개 층은 모두 사용되며 새로운 입력값을 수용한다.

그런데 이와 같은 인간의 문해력(文解力, literacy), 곧 글을 읽고 쓰는 능력은 생득적인 것이 아니다. 문해력은 호모사피엔스의 가장 중요한 후천적 성취 중 하나다. 6,000년 전에야 인류는 문자 문화를 개화해 뇌에 새로운 회로를 더하기 시작했다. 문제는 6,000년간 진화해 온 '읽는 뇌'는 디지털 기기의 등장과 함께 그 능력이 퇴화하고 있다는 점에 있다. 선천적인 능력이 아니라 후천적으로 습득된 문화적 능력이기에 퇴화할 수 있는 것이다. 노르웨이의 한 연구에 따르면 같은 책을 종이책으로 읽은 학생이 전자책 단말기 킨들로 읽은 학생보다 줄거리를 시간 순으로 재구성하는 능력이 더 뛰어났다. ㉠<u>이는 종이책과 다른 물성을 지니고 있는 디지털 기기가 데이터나 정보의 습득에는 매우 편리한 환경을 제공해 주지만 그것이 곧 지식을 익히는 데에도 유리한 환경이 되는 것은 아님을 말해준다.</u>

㉡<u>그렇다면 과연 디지털 기기에 의존하는 우리 인간들의 삶은 어떻게 변하게 될 것인가? 그러한 변화에 우리는 어떻게 대응해야 할 것인가?</u>

(나)

이제 어디를 가나 아리바바의 참깨
주문 없이도 저절로 열리는
자동문 세상이다.
언제나 문 앞에 서기만 하면
어디선가 전자 감응 장치의 음흉한 혀끝이
날름날름 우리의 몸을 핥는다 순간
스르르 문이 열리고 스르르 우리들은 들어간다.
스르르 열리고 스르르 들어가고
스르르 열리고 스르르 나오고
그때마다 우리의 손은 조금씩 퇴화하여 간다.
하늘을 멀뚱멀뚱 쳐다만 봐야 하는
날개 없는 **키위새**
머지않아 우리들은 두 손을 잃고 말 것이다.
정작, 두 손으로 힘겹게 열어야 하는

그,

어떤,

문 앞에서는

키위키위 울고만 있을 것이다.

-유하, <자동문 앞에서>

(다)

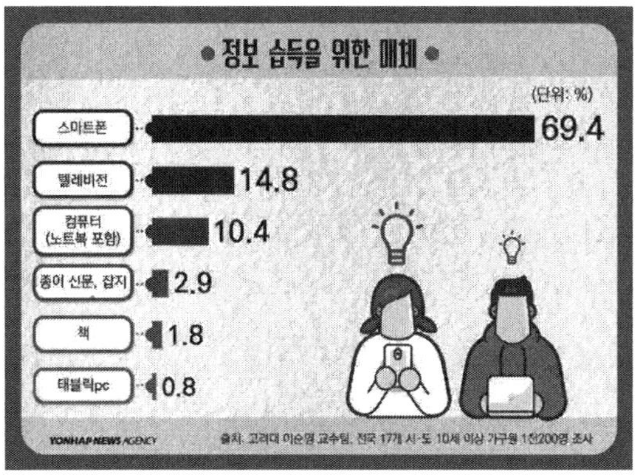

[그림 1] 정보 습득을 매체 활용 현황

[그림 2] 데이터, 정보, 지식, 지혜의 위계

한양대학교

지원학부(과)

수험번호				

주민등록번호 앞6자리(예: 040512)					

성명

1번 답안

50

100

150

200

250

300

350

400

450

500

550

600

650

이줄 위에 답안 작성시 무효 처리됨

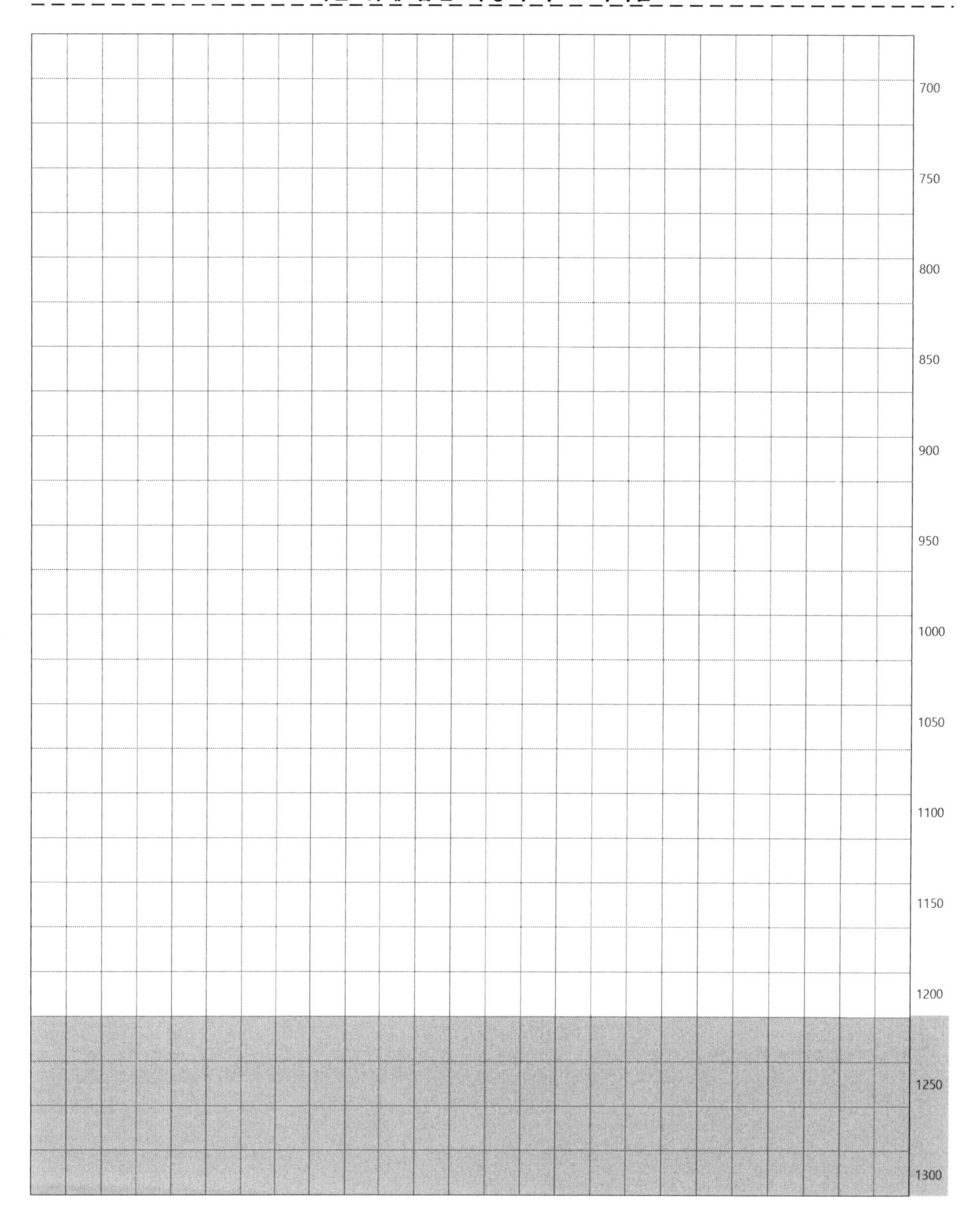

15. 2022학년도 한양대 모의 논술 [상경계열]

[문제 1번] (가), (나)를 활용하여 ㉠의 긍정적 측면과 부정적 측면을 각각 서술하고, 이 중 부정적 측면을 극복하기 위한 방법을 ㉡을 적용하여 서술하시오. (600자, 50점)

(가)

인류의 역사에서 불안과 지배는 피할 수 없는 삶의 현실이었다. 고고학자들이 형체가 손상된 유골을 통해 추정한 바에 따르면 수렵·채집 사회에서 전쟁의 빈도는 매우 높았으며 이는 학자들이 상상하던 '평화로운 야만인'과는 거리가 먼 것이었다. 한 연구에 따르면 조사된 사회 중 3분의 2에서 적어도 2년에 한 번꼴로 전쟁이 일어났으며, 전쟁을 하지 않은 사회는 전체의 10퍼센트에 불과했다. 수렵·채집사회에 대한 또 다른 연구에 따르면 강력한 권력이 존재하지 않는 '무국가 사회'에서 폭력으로 인한 사망자는 10만 명당 500명 이상으로, 살인으로 인한 사망자가 10만 명당 5명인 오늘날 미국의 100배가 넘는다. 정치철학자 토머스 홉스는 리바이어던 에서 당시의 삶을 "끊임없는 공포, 폭력적 죽음의 위험, 고독하고 가난하고 끔찍하고 잔인하며 짧은 인간의 삶"으로 묘사하였다. 홉스는 이러한 상황이 모두를 두려워하게 할 공통의 권력이 없는 상태에 기인한다고 보고, ㉠ <u>'거대한 리바이어던'이라 이름 붙인 중앙집권적 권력</u> 창출을 해법으로 제시했다. 리바이어던은 성경에 등장하는 거대한 바다 괴물이다. 홉스는 강력한 리바이어던이 두려운 존재라는 사실을 알고 있었지만, 이것이 모두가 모두를 두려워하는 '만인에 대한 만인의 투쟁'보다 낫다고 생각했다.

(나)

길가메시는 고대 메소포타미아 수메르 왕조 초기 도시 국가인 우루크의 전설적인 왕으로 수많은 신화와 서사시에 등장하는 영웅이다. 수메르인들이 점토판에 기록한 「길가메시 서사시」는 우루크가 상업적으로 번창하였으며 주민들에게 양질의 공공서비스를 제공하였음을 보여준다. 하지만 이 서사시에는 동시에 통제할 수 없는 길가메시의 강력한 힘에 좌절한 우루크 사람들이 신 아누에게 고통을 호소하고 해결책을 요청하는 장면이 등장한다. '길가메시의 문제'라고 일컫는 이 문제에 대해 아누가 제시한 해법은 오늘날의 '견제와 균형'에 해당하는 방식이었다. 아누는 길가메시를 복제하여 만든 엔키두로 하여금 자신의 짝을 저지하도록 했다. 길가메시가 백성에게 행패를 부리자 엔키두가 이를 저지하고 나섰다. 결국 길가메시가 이기기는 했지만 맞설 자가 없었던 길가메시의 위상은 사라졌다. 하지만 이처럼 하늘에서 뚝 떨어진 견제와 균형은 결국 제대로 작동하지 않았다. 둘이 손을 잡고 공모하기 시작했기 때문이다. 신이 그들을 벌하려고 하늘의 황소를 보냈을 때 둘은 힘을 합쳐 황소를 죽여 버렸다. 도플갱어를 통해 국가에 가한 견제와 균형의 제약이 자유를 가져다주지는 못했다. 자유는 국가나 국가를 통제하는 엘리트층이 주는 것이 아니라 개인으로 구성된 사회가 얻어내는 것이다.

(다)
'레드 퀸 효과'는 루이스 캐럴의 소설 『거울 나라의 앨리스』에 등장하는 레드 퀸의 말에서 유래한다. 아무리 빨리 달려도 제자리에 머무르는 것을 이상하게 느낀 앨리스가 이상한 나라의 여왕 레드 퀸에게 그 이유를 묻자, 레드 퀸은 그 나라에서는 제자리에 머물려면 최선을 다해 달려야 하며, 어디든 다른 곳으로 가고 싶다면 그보다 두 배는 빨리 달려야 한다고 답한다. 레드 퀸 효과는 환경이 매우 빠르게 변하기 때문에 제자리에 머무르려고만 해도 상당한 노력이 필요하다는 의미로 쓰인다. 이 이야기 속에서 모든 달리기는 헛된 일이지만, ㉡ 레드 퀸 효과는 긍정적인 의미로도 쓰인다. 미국의 생물학자 반 밸런이 각 개체가 끊임없이 서로 자극하며 진화하는 공진화(共進化) 과정을 레드 퀸이라는 말로 설명한 이후, 이 용어는 생물학을 넘어 다른 분야에서도 널리 사용되고 있다. 한 경영학 연구에 따르면 기업이 외부의 자극에 신속하게 대응하는 경우, 이것이 경쟁사의 추가 대응을 유발하여 실적을 하락시키는 측면을 감안하더라도 결국 기업의 실적은 향상되는 것으로 나타났다. 이는 산업계에서 레드 퀸 효과를 통해 나타난 공진화 현상을 보여주는 사례이다.

[문제 2] 다음 제시문을 읽고 물음에 답하시오. (50점)

다음의 규칙에 따라 동전던지기 게임을 한다.
(가) 게임 시작 시 1점을 부여받는다.
(나) 앞면이 나올 확률이 p, 뒷면이 나올 확률이 $1-p$인 동전을 던진다.
동전을 던지기 전의 점수를 x라 할 때, 던진 후의 점수는 앞면이 나오면 $2x$점, 뒷면이 나오면 $\frac{x}{2}$점이 된다.
(다) 동전 던지기 시행을 8회 반복한 후의 점수가 게임의 최종 점수이다.

1. 게임의 최종 점수를 확률변수 X 라고 할 때, $\log_2 X$의 기댓값을 구하시오.

2. 위 확률변수 X 의 기댓값이 $\frac{256}{6561}$이 되도록 하는 p의 값을 구하시오.

3. 다음의 규칙 (라)를 추가한다면, $p=\frac{1}{2}$일 때 최종 점수의 기댓값은?

(라) 처음 4회의 동전 던지기를 했을 때, 점수가 1점 미만이면 점수를 1점으로 하고 나머지 4회의 동전 던지기를 시행한다.

한양대학교

지원학부(과)

수 험 번 호				

주민등록번호 앞6자리(예:040512)					

성 명

1번 답안

50

100

150

200

250

300

350

400

450

500

550

600

650

이줄 위에 답안 작성시 무효 처리됨

2번 답안

16. 2021학년도 한양대 수시 논술 [인문계열 오전]

[문제] (가)를 토대로 '지도란 무엇인가?'에 대해 답하고, (나)의 추론 방식을 참조하여 (다)의 지도 [A]와 [B]에 나타난 제작자의 관점을 각각 설명하시오. (1,200자, 100점)

(가)

지도는 지표면을 일정한 비율로 줄여서 기호를 사용하여 평면에 나타낸 것이다. 문제는 지구라는 3차원 실체를 2차원 평면으로 나타낸 것이기 때문에 아무리 차이를 감추려고 해도 변형이나 왜곡을 피할 수 없다는 데 있다. 즉 지도에 지구의 양극은 평평하게, 적도는 불룩하게 표시됨으로써 위치에 따라 실제 지표상의 거리와 각도, 크기가 왜곡된다. 또한 지도에서 자오선은 확정되었지만 각국마다 경도의 중심을 어디에 두느냐에 따라 지리적으로 가장 근접한 지역이 지도의 양쪽 끝에 표시될 수 있기 때문에 보는 이로 하여금 두 지역 간의 거리를 착각하게 만든다.

한편 지도 제작자의 관점에 따라서 지도는 달라질 수 있다. 지도의 축척, 방위, 지역 명칭, 지도에 표시할 것과 명칭을 정하는 등의 다양한 요소에 걸쳐 제작자의 관점과 의도가 영향을 끼친다. 이처럼 선택된 대상을 보여준다는 점에서 지도는 영화와 매우 유사하다. 스크린을 통해 투사되는 영화의 전체 이야기들은 감독이 제작한 선별된 프레임들을 모아 놓은 것이다. 감독은 포함되어야 할 것과 배제되어야 할 것을 결정한 뒤, 우리에게 포함된 것만을 보여준다. 마찬가지로 지도 역시 영화의 프레임처럼 지구의 일부만을 재구성하여 우리에게 보여주는 것이다.

그런가 하면 지도를 보는 사람들이 제작자의 주관적인 관점을 빨리 알아채도록 유도할 수 있다는 점에서 지도는 저널리즘과도 비슷하다. 지도 제작자는 지도가 신문의 그림이나 삽화처럼 보이도록 방위, 축척, 시점 또는 관측 고도를 자유롭게 바꾸기도 한다. 가령 통계 자료를 지리적인 형태 위에 표현해 강조하는 통계 지도를 보면 국가의 크기나 형태는 잘 알아볼 수 없는 대신 국가나 대륙별로 그려진 경제 활동, 군사력, 인구 통계 등 유용한 정보를 한눈에 알아볼 수 있게 해준다. 이런 지도들은 교육적이되 지구의 물리적 사실을 충실하게 표현하는 지도는 아니다.

영화감독이나 저널리스트는 본질적으로 자신의 심리적, 이데올로기적인 관점을 표현하는 프레임을 만들기 위해 렌즈를 통해 바라보는 자들이다. 이들은 관객들의 의식을 자신이 원하는 방향으로 유도하기 위해 우선순위를 정해 대상들을 선택하고, 배열하고, 해석한다. 이야기의 '줄거리'에 얼마나 도움이 되는가에 따라 '사실'들이 선별되는 것이다. 이 과정에서 개인의 세계관은 역사적이고 정치적인 상황을 반영하며 문화적인 제한을 받는다. 그래서 관객들은 그 영향을 받을 수밖에 없다. 언어를 통해 이야기를 조정할 때 편견이 끼어드는 것도 피할 수 없다. 이때 저널리스트가 주로 단어에 의존한다면 지도 제작자들은 기호, 색상, 지면 등을 자신들의 언어로 사용한다. 이 두 경우 모두 정보는 의사소통 과정을 통해 전달되며, 전달하는 사람 밖으로 투사된 것은 객관성을 가장한다. 지도 제작자의 관점과 의도를 고려해 본다면 지도의 객관성은 사실 신화에 가깝다.

(나)

2008년 1월, 영국사를 전공하는 로버트 베첼러 교수가 옥스퍼드대학 보들리안 도서관의 지하 수장고에서 놀라운 지도를 하나 발견하였다. 가로 96.5㎝, 세로 160㎝ 크기의 위아래로 긴 벽걸이 지도였다. 1659년 영국의 법률가 존 셀던이 대량의 책과 필사본을 기증할 때 함께 입고된 지도였다.

중국사를 전공하는 티모시 브룩 교수에 따르면 이 지도는 1608년 무렵 작성된 것으로 보인다. 지도 위쪽 중앙에는 나침도(나침반 그림)가 있고 그 밑에 눈금자가 있는데, 눈금자는 단순 장식이 아니라 실제 축척을 반영한 것으로 눈금자의 1촌(3.75㎝)은 4노트의 속도로 하루를 항해한 거리였다. 본래 사각형 지도는 항로를 표시하기에 적당하다.

<셀던의 지도>

지도에 나타난 항로와 항로가 지나는 지명을 보면 중국과 주변 지역을 연결하는 해상 유통망의 항로는 타이완의 맞은편인 중국 동남부에서 출발하는데, 동쪽으로 항해하여 필리핀에 도착한 뒤 남쪽 방향의 향료제도까지 연결되는 동양 노선, 베트남과 인도네시아를 거쳐 인도양을 향하는 서양 노선이 일반적으로 잘 알려진 노선이다. 그런데 이 지도에는 특이하게 류큐, 고베, 나가사키로 연결되는 북양 노선이 표시되어 있다. 이러한 점으로 볼 때 셀던의 지도를 확보한 인물은 1610년대까지 일본을 오가며 활동하던 영국 동인도회사의 사령관일 것으로 추정된다.

한편 지도의 상당 부분을 차지하고 있는 중국은 지리적으로 상세하며 디자인적으로 완결된 형태를 갖추고 있다. 그런데 주목할 점은 중국이 본래 모습대로 표현되지 않았고, 중국 내륙에 28숙이라는 별자리를 그렸다는 점이다. 이것은 지도 제작자가 중국 내륙에 대한 관심이나 흥미가 많지 않았고 해안을 보다 중시했음을 의미한다. 야간 항해를 위해서는 별자리가 더 중시되기 때문이다. 다음으로 지도 제작자는 항로를 먼저 그리고, 다음으로 주변 해안선을 그렸다고 판단된다. 육지의 형태는 부차적인 것에 가까웠다. 따라서 셀던의 지도는 진정한 지도가 아니라 항로를 보여주기 위한 해도였다고 보인다.

또 지도에는 남중국해의 몇몇 섬들이 표시되어 있지만 오직 해안을 따라가는 경로와 만나는 곳에만 그려져 있을 뿐이며, 해양 부분은 심각하게 왜곡되어 있다. 이 지도의 해양 부분은 오늘날 중국이 주변국들과 해상 영토 분쟁을 벌이는 핵심 지역에 해당하는데, 지도의 정중앙에 위치하면서도 정작 암초조차 그려져 있지 않고 크기도 실제

면적보다 축소되어 그려졌다. 그러나 관점을 달리해서 보면 이 해역이 지도 제작자에게 그리 중요하지 않았음을 알려준다. 수많은 작은 암초로 가득한 이 해역은 당시 정크선 선주들이 기피하는 위험 구역이었기에 항로 통과 노선이 아니었을 것이다. 그래서 지도 제작자는 곡선을 평면으로 옮기는 과정에서 피할 수 없는 왜곡을 이 해역으로 집중하는 대신 선주들의 거래 지역인 그 주변의 도서 지역이나 해안을 더 정확히 강조했다. 이런 점에서 셀던의 지도는 철저하게 상업적인 관심과 해양적 관점을 가지고 그려진 해도였다고 볼 수 있다. 여기에는 아무런 제국의 영토적 욕망이나 영유권과 관련된 내용이 반영되어 있지 않다.

그렇다면 이 지도는 누가 어디에서 그렸는가? 지도에 중국어가 표기된 점, 중국을 중앙 위쪽으로 배치한 점, 중국을 그릴 때 기존의 중국 지도를 이용한 점을 감안하면 제작자는 중국인이었다고 볼 수 있다. 중국인이었다고 해도 그가 꼭 중국에서 이 지도를 그렸다고 단정할 수는 없다. 제작자가 현지 지식을 가지고 있었을 지역이 어디였을지 생각해 보자. 먼저 나가사키가 그려진 일본은 엉터리로 그려져 있고, 남쪽으로 내려가 필리핀은 마닐라가 잘 그려져 있지만 루손 섬 이하는 대단히 혼돈스럽다. 지도 제작자에게 익숙한 항로가 아니었을 가능성이 크다. 이 지도에서 지리 정보가 가장 정확한 부분은 지도 절반 남쪽 지역, 자바의 전면 즉 반탐이나 자카르타인 것 같다. 그렇다면 반탐일 가능성이 매우 높다. 반탐은 16세기 이 해역에 도달하는 유럽인들의 주된 교역 장소였기 때문이다.

(다)

[A] 남쪽을 위로 설정한 지도

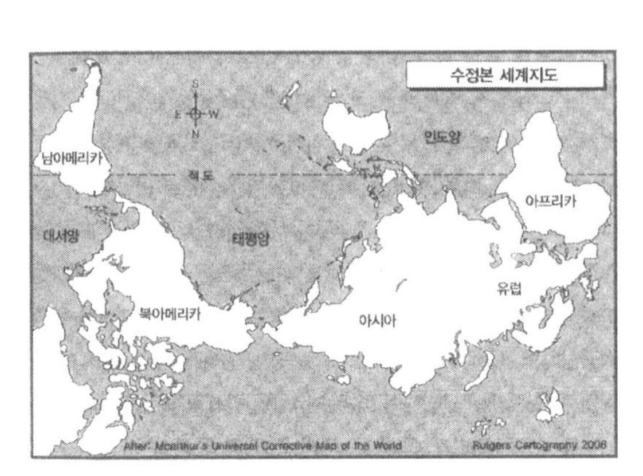

[B] 북극을 중심으로 오그라들어 보이는 지도

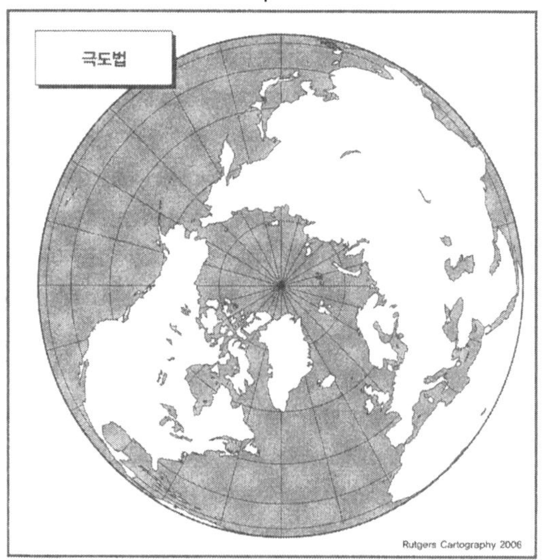

한양대학교

지원학부(과)

수 험 번 호				

주민등록번호 앞6자리(예:040512)					

성 명

1번 답안

50
100
150
200
250
300
350
400
450
500
550
600
650

이줄 위에 답안 작성시 무효 처리됨

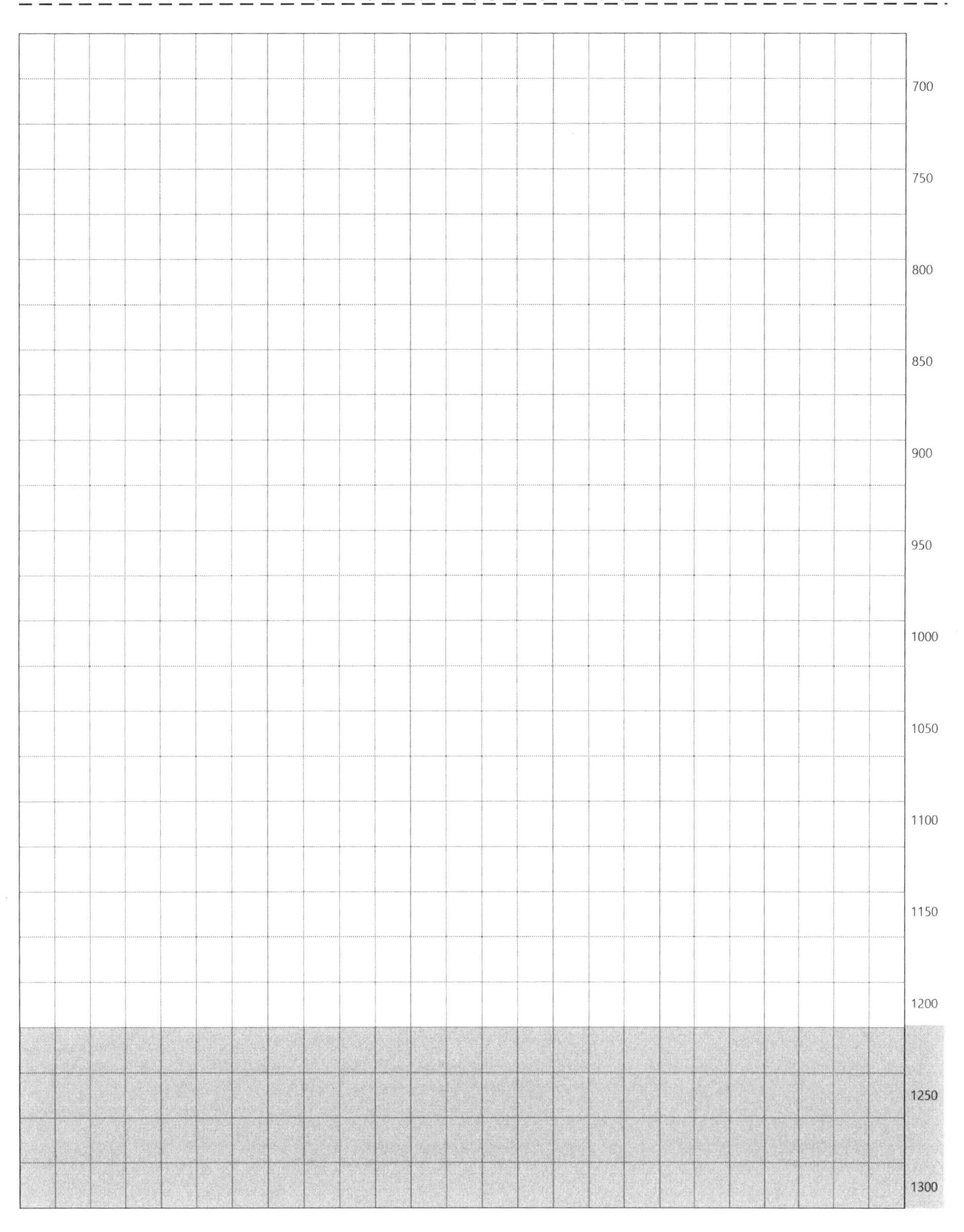

17. 2021학년도 한양대 수시 논술 [인문계열 오후]

[문제] (가)의 내용을 요약한 뒤, 이를 바탕으로 (나)에 드러난 풍자의 의미를 밝히고 (다)에 보이는 화자의 당혹감에 대해 논하시오. (1,200자, 100점)

(가)

폭력은 일반적으로 사람이나 재물에 물리적 피해를 가하는 인간의 공격적 행위를 일컫는다. 『브리태니커백과사전』은 폭력을 '물리적인 힘을 사용하여 상해, 장애, 혹은 사망을 낳게 하는 것'으로 정의하고 있다. 이런 정의는 오랜 세월 사회적 통념으로 받아들여졌다. 이런 통념에 따라 폭력의 개념을 '비합법적이거나 공인되지 않은 무력의 사용'으로만 규정하며, 그 특징을 직접성, 신체성, 개별성, 일시성, 위법성 등으로 추려내는 연구들도 있다.

하지만 최근의 여러 연구자들은 기존의 정의가 폭력의 작은 일부만을 담고 있을 뿐이라는 반론을 제기한다. 그들은 폭력의 개별적이고 가시적인 현상에 얽매이지 말고, 그러한 폭력이 발생하는 원인과 함께 더 큰 차원에서 소리 없이 진행되는 폭력을 통찰해야 한다고 주장한다. 이들의 주장에 따르면, 폭력은 지배 세력이나 주류 집단에 의해 지속적이고 효과적으로 사용되고 있으며, 하위 계층이나 소수집단이 사용하는 폭력은 거기에 저항하는 가운데 나타나는 현상일 뿐이다. 위로부터의 폭력이 아래로부터의 폭력을 부른다는 것이다. 전자는 크고 체계적이지만 지속적이기 때문에 잘 드러나지 않으며, 후자는 작고 국지적이지만 일시적이기 때문에 쉽게 눈에 띄며 으레 불법적이거나 비윤리적인 것으로 간주된다고 한다.

폭력을 가능한 한 포괄적으로 정의하려고 한 학자는 갈퉁이다. 그는 폭력이란 인간 존재가 그로 인해 영향을 받은 결과 육체적이고 정신적인 잠재력을 실현하지 못하게 되는 상황 전부를 의미한다고 보았다. 여기에서 나아가 직접 폭력과 그것을 넘어서는 다른 폭력을 구분하고, 그 다른 폭력의 특성과 작동 방식을 밝히는 데 많은 노력을 기울였다. 그의 기준에서 직접 폭력이란 '특정 행위자에 의해 의도적으로 자행된 육체 무력화, 극단적인 경우 살해를 포함하는 건강 박탈'을 의미하는데, 이는 그 이전의 폭력에 대한 통념과 부합한다. 이보다 일상에서 훨씬 광범위하게 작동하며 지속적으로 많은 피해를 발생시키는 폭력을 그는 구조적, 간접적 폭력이라 명명했다. 이는 이후 학자들에 따라 비가시적 폭력, 제도적 폭력, 일상적 폭력으로 일컬어지기도 한다.

구조적 폭력은 그 행위가 물리적인 현상으로 나타나지 않기 때문에 인지가 쉽지 않다. 일상에서 관습적으로 일어나기 때문에 자각이 어려운 것이다. 물리적인 현상으로 나타나도 제도와 공적 절차에 따라 진행되기 때문에 정당하고 합법적인 집행으로 비쳐진다. 피해자와 가해자가 1대1로 대응되지 않는 것, 피해자와 피해 사실이 분명한데 반해 가해자가 특정되지 않는 경우가 많다는 것도 이러한 폭력 유형의 특징이다. 가해자가 윤리, 제도(법률), 조직, 자본 뒤에 숨어 버리거나, 복잡한 구조 속에서 책임이 분산되어 사라지고, 아니면 책임이 이리저리 전가되는 가운데 가해자가 증발되어 버리기 때문이다. 언론이나 종교, 또는 학문 등이 가해 사실을 합리화, 정당화하거나,

화제와 논점을 돌려 사안을 은폐, 왜곡하는 것도 주요 특징으로 설명된다.
오늘날 구조적 폭력의 개념은 사회의 여러 차원에 다양하게 적용되어 논의되고 있다. 여성은 오랜 세월 광범위하면서도 심각한 차별을 받아왔지만, 그것이 제도와 윤리를 내세워 가해진 폭력이라는 사실이 밝혀진 것은 근래의 일이다. 롭 닉슨은 산업화된 북반구에 의해 유발된 환경적인 재앙이 남반구에 영향을 끼치는 과정을 지칭하기 위해 '느린 폭력'이라는 단어를 만들어 냈다. 이 '느린 폭력'은 점진적이고 시야에 잘 보이지 않지만, 시공간에 흩어져 느리게 진행되고 있는 파괴의 폭력이자 폭력으로 전혀 간주되지 못하는 마모적인 폭력이다. 최근에는 자유 경쟁과 공정을 내세우는 자본주의 체제가 얼마나 많은 피해와 희생의 토대에서 작동하는지, 또 그 피해와 희생이 어떻게 은폐되고 정당화되는지를 입증하는 논의도 활발하다.

(나)

독고민은 간수를 따라 감방 구역으로 들어섰다. (…) 독고민은 구멍으로 안을 들여다보았다. (…) 그는 두 주먹을 가슴에 모으고, 턱을 치킬싸한 채, 허공을 노려보고 있었다. 얼굴 표정은 점잖고, 높은 것을 그리워하는 사람의 의젓함이 있었다. 독고민은 물었다.
"저분은 무슨 죄로 잡혀 있는 것입니까?"
"(…) 저 사람은 원래 유명한 시인인데, 그의 죄목은 '투시(透視)하려 한 죄'입니다. 그의 눈길을 보십시오. 마치 벽을 뚫고 아득한 곳을 바라보는 것 같지요. (…) 저 사람이 순전히 여자의 알몸만 투시한 것으로는 생각지 마십시오. 만물을 다 그렇게 봤다는 말입니다. 이를테면 존재를 뚫어봤다는 소립니다. (…) 권력가들도 한때는 이 사람을 사랑하여 퍽 써먹었습니다만, 마지막에는 두려워하여 옥으로 보낸 것입니다. (…)"
다음 감방 창을 열고 간수는 자리를 비켜주었다. (…) 거기에는 웬 남자가 책상에 앉아서 제도(製圖)를 하고 있었다.
"(…) 저 사람의 죄목은 '결론을 내려고 한 죄'입니다. 지금 저 사람이 하고 있는 작업은, 제도가 아니고 기호신학(記號神學) 문제를 풀고 있는 것입니다. 신학과, 철학과, 논리학과 거기에다 수학까지를 뭉친, 새로운 방법으로 존재의 구조를 수식화한다는 게 저 사람의 소원입니다. (…) 그는 밤이나 낮이나 길거리에서나 방에서나, 산에서나 바다에서나, 땅에서나 하늘에서나, 결론만 생각했습니다. (…)"
그 방에는, 용모가 매끈한 젊은이가 침대에 걸터앉아서, 손에 든 한 장의 사진을 들여다보며 울고 있었다. (…)
"저 사람의 죄목은 '잊어버리지 않는 죄'입니다. 그저 그렇게만 말씀드려서는 얼른 어림이 안 가실 테지만, 이 사람은 첫사랑을 잊지 못한 죄로 여기 붙잡혀온 것입니다. 첫사랑이 다 그렇듯이, 이 청년도 쓴잔을 마셨던 것이에요. (…) 저 사진 속의 여자가 다른 여자보다 나은 것은 그를 배반했다는 사실을 빼고는 아무것도 없다는 점을 아무리 타일러도 쓸데없습니다."

최인훈, 구운몽 (1962)

(다)

더운 날
적(敵)이란 해면(海綿)* 같다
나의 양심과 독기를 빨아먹는
문어발 같다

흡반 같은 나의 대문의 명패보다도
정체 없는 놈
더운 날
눈이 꺼지듯 적이 꺼진다

김해동(金海東) - 그놈은 항상 약삭빠른 놈이지만 언제나
부하를 사랑했다
정병일(鄭炳一) - 그놈은 내심과 정반대되는 행동만을
해왔고, 그것은 가족들을 먹여 살리기 위해서였다
더운 날
적을 운산(運算)*하고 있으면
아무 데에도 적은 없고

시금치밭에 앉는 흑나비와 주홍나비모양으로
나의 과거와 미래가 숨바꼭질만 한다
"적이 어디에 있느냐?"
"적은 꼭 있어야 하느냐?"

순사와 땅주인에서부터 과속을 범하는 운전수에까지
나의 적은 아직도 늘비하지만
어제의 적은 없고
더운 날처럼 어제의 적은 없고
더워진 날처럼 어제의 적은 없고

김수영, 「적」(1962)

* 해면(海綿) : 흡수력이 강한 바다 섬유 형태의 하나, 갯솜으로도 불림.
* 운산(運算) : 1차 의미는 수학의 계산이지만, 여기서는 하나하나 따져 헤아린다는 뜻.

한양대학교

지원학부(과)

수 험 번 호				

주민등록번호 앞6자리(예: 040512)					

성 명

1번 답안

50

100

150

200

250

300

350

400

450

500

550

600

650

이줄 위에 답안 작성시 무효 처리됨

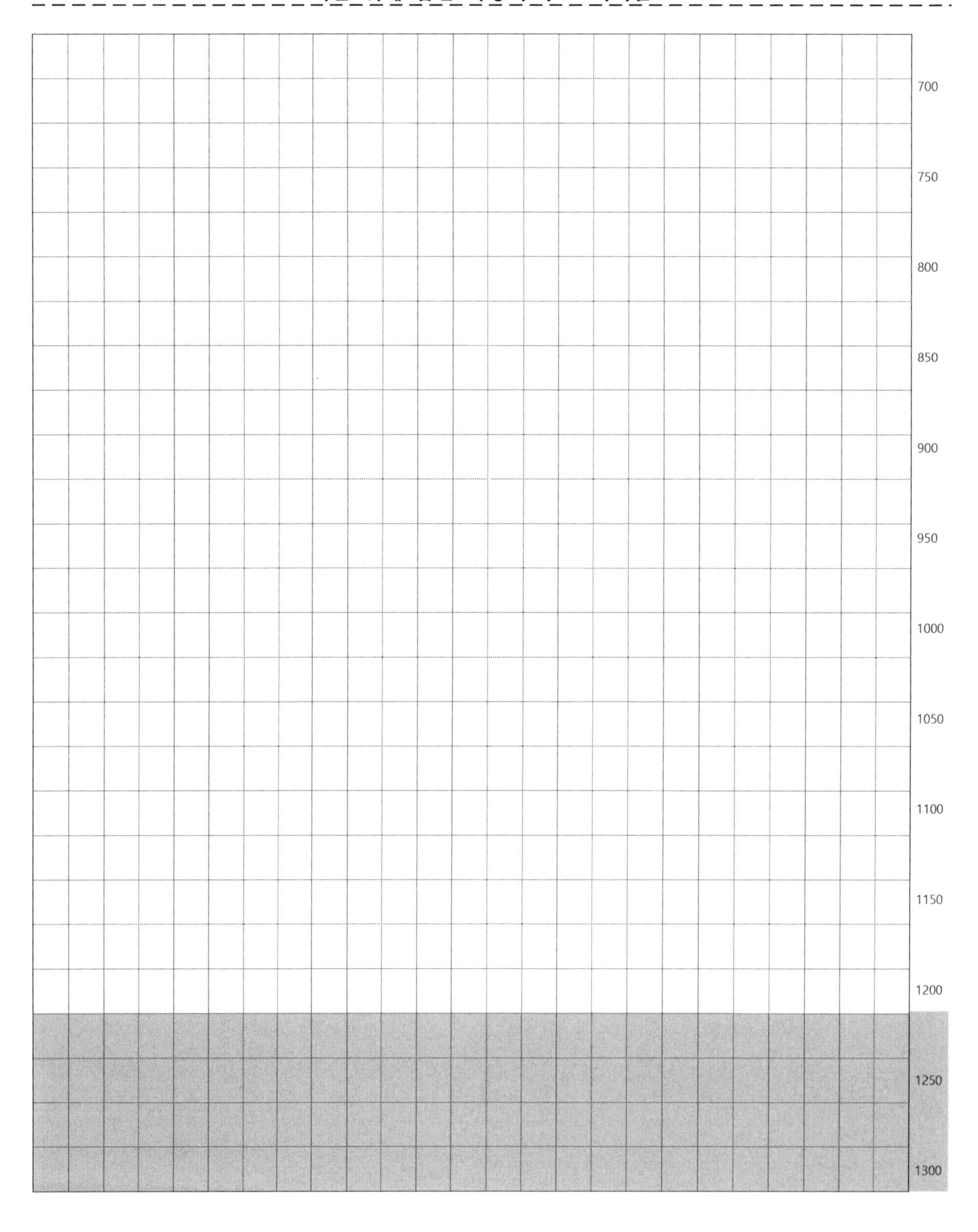

18. 2021학년도 한양대 수시 논술 [상경계열]

[문제 1] (가)와 (나)가 (다)의 A기업 인재 채용에 주는 시사점을 서술하고, 이를 바탕으로 (다)의 AI 면접 시스템이 ㉠의 성취에 도움이 될 것인지 평가하시오. (600자, 50점)

(가)

케이트 윌헬름의 소설 노래하던 새들도 지금은 사라지고 에는 생물학자와 의사, 경영인으로 구성된 똑똑한 일가족이 등장한다. 이들은 인류가 곧 멸망할 것이라 여기고, 이에 대비해 자신들의 클론들로 이루어진 공동체를 만들었다. 이들은 클론을 무한히 생산하는 방법을 개발할 정도로 뛰어난 자질과 기술을 보유한 사람들이었다. 하지만 클론들의 공동체는 똑같은 인간들의 모임이었기 때문에 새로운 세계를 창조하기는커녕 새로운 방향을 제시하지도 못한 채 결국 멸망에 이르고 만다.

(나)

귤화위지(橘化爲枳)는 문자 그대로 해석하면 귤이 탱자가 된다는 뜻이다. 이 말은 제나라의 사신인 안영이 초나라 왕과의 대화에서 "강남의 귤을 강북에 옮겨 심으면 탱자가 된다."라고 한 말에서 유래된 고사성어로, 같은 성질의 것이라도 기후와 풍토가 달라지면 그 성질이 달라진다는 의미를 내포하고 있다. 일반적으로 문화와 주변 환경이 사람에게 큰 영향을 준다는 점을 강조할 때 쓰인다.

(다)

A기업은 국내 50대 기업에 속하는 회사로, ㉠<u>변화와 혁신을 통해 국내 10대 기업으로 성장하는 것</u>을 목표로 삼고 있다. A기업은 신입 사원 채용에도 인공지능(AI)을 활용한 혁신적인 면접 방법을 도입하였다. A기업이 사용하는 AI 면접관은 웹캠이 촬영한 영상을 통하여 지원자의 표정과 음성, 맥박 등의 신체 신호와 지원자 답변에 등장하는 키워드들을 분석하고, 간단한 게임을 통해 지적 능력, 태도, 성격, 가치관 등 지원자의 특성을 정확하게 파악하는 능력을 갖추고 있다. 한편 이 AI 면접 시스템은 지원자의 업무 잠재력을 정확히 평가하기 위해 빅데이터 기술을 활용한다. 지난 5년간 국내 10대 기업에 입사한 85,000명의 특성과 그들이 이룩한 성과를 빅데이터화 하였고, 연구/개발, 경영지원, 영업/마케팅, 생산관리 등 각 직군별로 높은 성과를 나타낸 이들의 특성 프로파일을 구축한 것이다. AI 면접 시스템은 이 프로파일에 근접한 정도에 따라 지원자에게 업무 잠재력 점수를 부여하고 이를 신입 사원 채용에 활용한다. A기업은 이를 통해 선발한 국내 10대 기업 직원들 정도의 역량을 갖춘 직원들이 회사의 변화와 혁신에 큰 힘이 될 것이라 기대한다.

[문제 2] 다음 물음에 답하시오. (50점)

1. 좌표평면에서 중심이 원점이고 반지름이 2인 원 C위를 움직이는 점 P가 $(0,\ 2)$에 있다.

(가) 주사위를 던져서 나오는 눈의 수가 3의 배수이면 점 P를 원 C의 둘레를 따라 시계 반대 방향으로 30° 회전하여 이동시킨다.

(나) 주사위를 던져서 나오는 눈의 수가 3의 배수가 아니면 점 P를 원 C의 둘레를 따라 시계 방향으로 30° 회전하여 이동시킨다.

위의 규칙에 따라서 주사위를 5번 던졌을 때, 점 P의 마지막 위치와 점 $(1,\ 0)$사이의 거리를 확률변수 X라 하자. 기댓값 $\mathrm{E}(X)$를 구하시오.

2. 세 수열 $\{a_n\}$, $\{b_n\}$, $\{c_n\}$은 모든 자연수 n에 대하여 다음 조건을 만족시킨다.

(가) $a_{n+1} = 3\left(a_n + 2a_n c_n + \dfrac{a_n}{b_n}\right)$

(나) $b_{n+1}c_n = b_n c_n + c_n + 2$

(다) $b_n c_n^2 = 1$

(라) $c_n > 0$

$a_1 = 3,\ b_1 = 1,\ c_1 = 1$일 때, $\displaystyle\sum_{n=1}^{2021} \frac{nc_{n+1}}{a_n} 3^{\sqrt{b_{n+1}}}$의 값을 구하시오.

3. 한 변의 길이가 2인 정육각형 ABCDEF가 있다. $0 \le t \le 2$인 t에 대하여, 변 AB위의 점 P와 변 CD위의 점 Q는 $\overline{\mathrm{AP}} = \overline{\mathrm{CQ}} = t$를 만족시킨다. 정육각형 ABCDEF는 선분 PQ에 의해 두 영역으로 나뉜다. 두 영역 중 작은 영역의 넓이를 t에 대한 식 $f(t)$로 나타낼 때,

$$\int_0^2 f(t)dt$$

의 값을 구하시오.

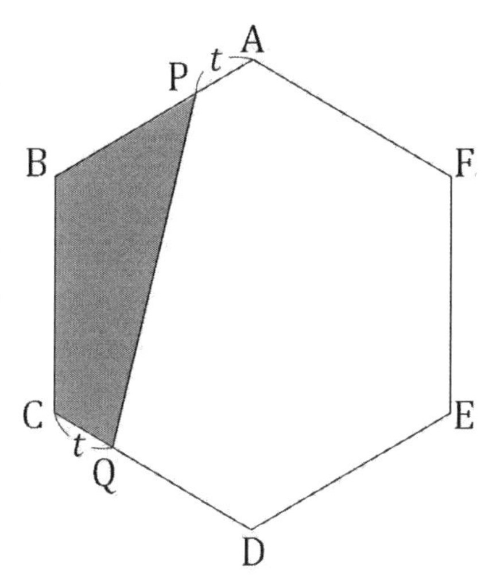

한양대학교

지원학부(과)

수 험 번 호				

주민등록번호 앞6자리(예: 040812)					

성 명

1번 답안

50

100

150

200

250

300

350

400

450

500

550

600

650

이줄 위에 답안 작성시 무효 처리됨

2번 답안

19. 2021학년도 한양대 모의 논술 [인문계열]

[문제] (가)와 (나)의 공통된 논지를 밝히고, 이를 토대로 (다)의 '어린아이'와 '시골 사람'에게 필요한 덕목이 무엇인지, 그리고 이 덕목이 지니는 사회적 의의가 무엇인지를 서술하시오. (1200자, 100점)

(가)

자연은 우리 인간을 향해 이렇게 말합니다. "당신네 모두는 연약하고 무지한 존재로 태어나 이 땅 위에서 짧은 시간을 살다가 죽어 그 육체로 땅을 비옥하게 할 것이오. 당신들은 연약한 존재이므로 서로를 도우시오. 당신들은 무지하므로 서로를 가르치고 용인하시오. 만약 당신들 모두가 같은 의견이고 단한 사람만이 반대 의견이라면 당신들은 그 사람을 용서해야 하오. 왜냐하면 그가 그렇게 생각하는 데는 당신들 각자가 책임이 있기 때문이오. 나는 당신들 인간에게 땅을 경작할 팔을, 그리고 자신을 인도해 줄 한 줌의 이성을 주었소. 나는 당신들 각자의 가슴에 서로를 도와 삶을 견디어 나갈 수 있도록 동정심의 싹을 심어 주었소. 이 싹을 꺾거나 썩히지 마시오. 이 동정심의 싹이야말로 신이 내려주신 것이라는 사실을 깨달아야 하오. 그리고 당신네의 가련할 수밖에 없는 당파적 논쟁의 격앙된 고함으로 자연의 목소리를 지우지 마시오. 당신네 인간들이 걸핏하면 벌이는 잔인한 전쟁, 과오와 우연과 불행이 펼쳐지는 영원한 무대인 그 전쟁 한복판에서도 오직 나 자연만이 당신들을, 당신들은 원하지 않더라도, 당신들 서로 간의 필요로 결합하게 할 수 있소. 오로지 나 자연만이 국가의 귀족층과 사법부 사이, 세속 권력 집단과 성직자 사이, 도시민과 농민 사이의 끊임없는 분열로 빚어지는 참담한 재앙에 종지부를 찍을 수 있소. 그들 모두는 자신들의 권리를 끝없이 요구하고 있소. 그러나 결국에는 그들이, 마음 내키지않겠지만, 가슴에 호소하는 내 목소리에 귀 기울이게 될 것이오."

- 볼테르, 관용론 에서

(나)

대화 역량은 평화 역량을 위한 덕목이다. 대화가 중단되는 곳에는 그것이 개인적인 영역이든 아니면 공적인 영역이든 전쟁이 일어났다. 대화가 실패하는 곳에서 억압이 시작되었고 권력자들의 힘이 지배했다. 대화를 시도하는 자는 발포하지 않는다. 대화를 지지하는 자는 자신의 교회와 종교의 규칙에 따라 얽매이지 않으며, 다르게 생각하는 자 또한 이단자와의 투쟁이라는 형태를 혐오한다. 대화를 지지하는 자는 대화를 고수하고, 필요하다면 타인의 입장을 존중하고자 하는 강력한 내적인 힘을 소지해야 한다. 왜냐하면 세계의 모든 종교가 이단자에 대해 거듭 관용하는 자세를 취하지 못하고 있는 한, 대화 역량이라는 덕목에 관해 아무런 이해도 하지 못한다는 사실만큼은 분명하기 때문이다. 아울러 이 대화 역량에 우리의 모든 정신적 생존은 물론 심지어는 윤리적 생존도 달려 있다는 사실 역시 분명하다. 왜냐하면 종교 사이의 대화를 배제하고는 국가 사이의 어떠한 평화도 불가능하고, 종교 사이의 대화를 배제하고서는 종교 사이의 어떠한 평화도 불가능하고, 신학적인 기본 연구를 배제하고서는 종교 사이의 어떠한 태도도 불가능하기 때문이다.

- 한스 큉, 세계 윤리 구상 에서

(다)

어린아이가 마당에서 놀고 있는데, 그 귀가 갑자기 우는지라 놀라 기뻐하며 가만히 옆의 아이에게 말하였다.

"얘! 너 이 소리를 들어보아라. 내 귀가 우는구나. 피리를 부는 듯, 생황을 부는 듯, 마치 별처럼 동그랗게 들려!"

옆의 아이가 귀를 맞대고 귀 기울여 보았지만 마침내 아무 소리도 들리지 않았다. 그러자 귀 울음이 난 아이는 답답해 소리 지르며 남이 알아주지 않음을 한탄하였다.

일찍이 시골 사람과 함께 자는데, 코를 드르렁드르렁 고는 것이 게우는 소리 같기도 하고, 휘파람 소리 같기도 하고, 탄식하거나 한숨 쉬는 소리 같기도 하며, 불을 부는 듯, 솥이 부글부글 끓는 듯, 빈 수레가 덜그럭거리는 듯하였다. 들이마실 때에는 톱을 켜는 것만 같고, 내쉴 때에는 돼지가 꽥꽥거리는 듯하였다. 남이 흔들어 깨우자 발끈 성을 내며 말하기를,

"내가 언제 코를 골았는가?"

하는 것이었다.

- 박지원, 「공작관문고 자서」에서

한양대학교

지원학부(과)

수 험 번 호				

주민등록번호 앞6자리(예:040512)					

성 명

1번 답안

50
100
150
200
250
300
350
400
450
500
550
600
650

이줄 위에 답안 작성시 무효 처리됨

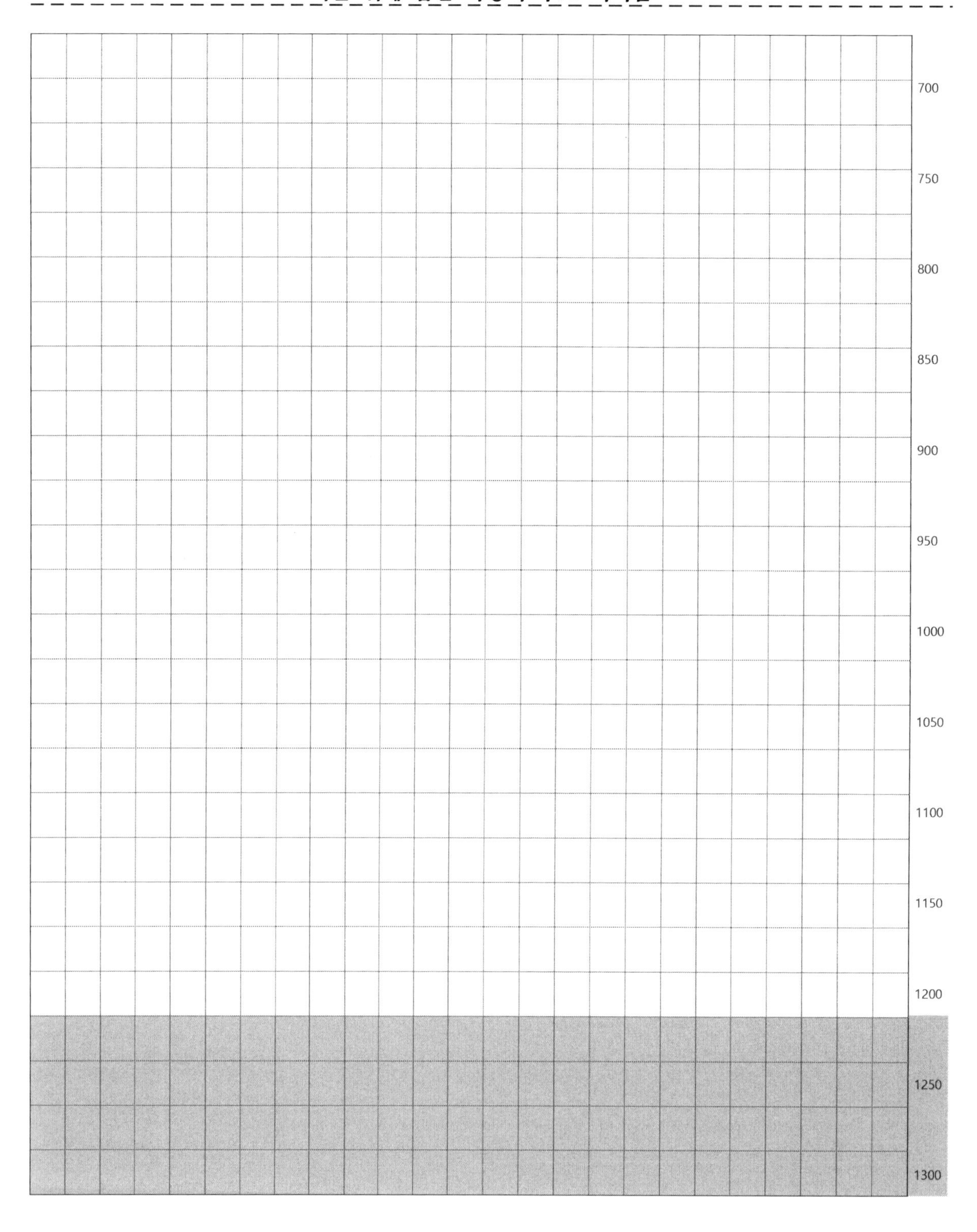

20. 2021학년도 한양대 모의 논술 [상경계열]

[문제 1번] 다음 지문을 참조하여 [자료1], [자료2]&[자료3], [자료4]에 나타난 결핵의 전파 및 사망률에 영향을 미치는 원인을 추론하고 그 영향의 내용을 설명하시오. (600자, 50점)

생활과 관련된 질병으로 결핵 환자 비율은 실내에서 보내는 시간과 관련이 있었다. 결핵은 환자의 기침, 콧물, 가래로부터 공기를 통해 전염되는데, 대부분의 감염자들은 초기에 별다른 증상이 없어서 자신이 결핵에 걸렸다는 사실을 알아차리기 어렵고, 결핵균 보균자 중에서 오직 10% 정도만 활동성 결핵으로 발병한다. 이때 적절한 치료를 받지 못하면 대략 절반 정도가 사망하게 된다. 결핵의 전파와 발병에 유전적 요인이 끼치는 영향은 아직 명확하게 밝혀진 다음 바가 없으며, 그보다는 흡연, 영양부족, 열악한 주거환경, 식습관, 당뇨, AIDS 등의 요인이 중요하다고 알려져 있다.

지난 세기 중국에서 결핵은 가장 큰 단일 사망 원인이었다. 결핵은 중국인들의 열악한 환기 장치, 과밀한 주거환경, 고밀도의 분진 주거, 가족이 같은 접시를 사용하는 식습관과 관련이 있을 듯하다. 중국에서는 1920년대 매년 결핵으로 85만 명 이상이 사망했는데, 이는 매 시간 100명 가까이 사망한 셈이다. 1930년대에는 중국 전역에서 매년 1천만 명 이상이 감염되었고, 120만 명이 사망했다.

[자료1] 1901~1990년 상하이 지역 결핵 사망률

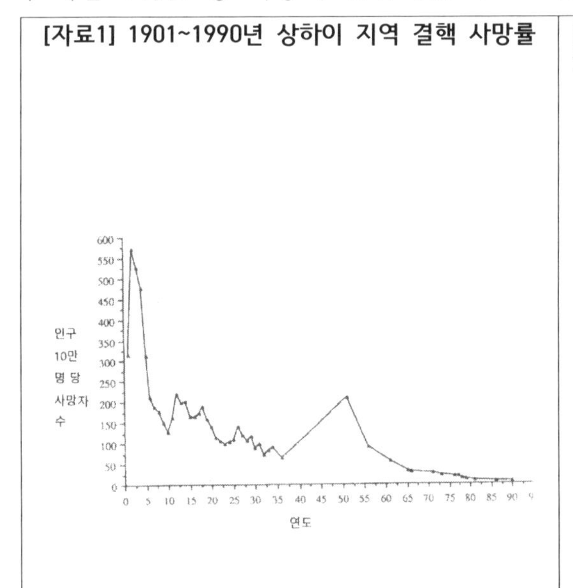

[자료2] 1933년 광동 지역의 직업에 따른 결핵 감염률

직업	전체 환자 중 결핵 감염자 비율
목사	10.5
교사	8.4
학생	11.1
주부	6.6
군인	1.9
경찰	1.8
인쇄공	20.0
제지업 종사자	16.7
재봉사	13.0
목수	9.1
제화공	4.3
농부	6.8
인력거꾼	3.3
선원	2.4

[자료3] 1939년 베이징 지역의 직업에 따른 결핵 감염률

직업	전체 환자 중 결핵 감염자 비율
공장 노동자	4.7
대학생	5.1
식음료 판매상	5.9
정부 관리	7.6
미용사	19.2

[자료4] 1900년 뉴욕시 인종에 따른 결핵 사망자 비율

중국인	백인	흑인	인디언
36	13.6	19.7	30

대중목욕탕이발사	27.3
대중목욕탕종사자	8.3

[문제 2번] 다음 제시문을 읽고 물음에 답하시오. (50점)

<가> 동서를 가로지르는 직선 도로 위를 차 한 대가 시속 $60km/h$을 유지하며 동쪽으로 이동하고 있다.

<나> 수열 $\{a_k\}_{k=1}^{\infty}$는 모든 자연수 n에 대하여 $\sum_{k=1}^{n}\frac{4a_k}{k+2}=(n^2-n)(n^2+3n+2)$를 만족시킨다.

1. 도로 북쪽에 탑이 있다. 4분 전, 운전자가 시선을 차 정중앙으로부터 $20°$ 만큼 왼쪽으로 돌렸을 때, 탑이 정면으로 보였다. 현재, 운전자가 시선을 차 정중앙으로부터 $63°$ 만큼 왼쪽으로 돌렸을 때 탑이 정면으로 보인다. 탑과 도로 간의 최단 거리를 구하시오. (단, 도로의 폭 및 탑의 높이, 너비는 무시하며, $\sin 20° = 0.34$, $\sin 43° = 0.68$, $\cos 27° = 0.89$로 둔다.)

2. 도로 남쪽에는 기지국 A, B 가 놓여있고, 두 기지국 간의 거리는 $4km$, 각 기지국과 도로 간의 최단 거리는 hkm이다. 현재 차와 기지국 A, B 간의 거리가 각각 $2km$, $3km$이다. 1분 후의 차와 기지국 A, B 간의 거리를 각각 αkm, βkm라 할 때, $\alpha^2+\beta^2$의 값을 구하시오. (단, 도로의 폭과 기지국의 높이, 너비는 무시한다.)

3. 이차함수 $f(x)$가 1보다 큰 모든 자연수 n에 대하여 $f(x)=\sum_{k=2}^{n}\left(\frac{a_k}{k-1}-k^2(k+3)\right)$을 만족시킬 때, $\lim_{x\to -2}\frac{f(x)-1}{x+2}$을 구하시오.

한양대학교

지원학부(과)

수 험 번 호				

주민등록번호 앞6자리(예:040512)					

성 명

1번 답안

50
100
150
200
250
300
350
400
450
500
550
600
650

이줄 위에 답안 작성시 무효 처리됨

2번 답안

21. 2020학년도 한양대 수시 논술 [인문계열]

[문제] (가)와 (나)를 토대로 '기억이란 무엇인가?'에 대해 답하고, 서로 충돌하는 집단기억을 타당하게 평가할 수 있는 방안에 대해 논술하시오. (1,200자, 100점)

(가)

오늘날 우리는 기억이 하드 디스크의 자성 패턴과 유사한 방식으로 두뇌에 기록된다고 생각한다. 하지만 기억에 대한 이런 비유는 근본적 수준에서 틀렸다. 기억은 선사 유적지의 뼈처럼 뇌의 어딘가에 묻혀 있다가 무처럼 뽑아낼 수 있는 것이 아니다. 우리는 우리에게 일어난 모든 일을 기억하지 않으며 두드러진 특징만을 선택적으로 기억한다. 게다가 무와 달리 기억은 떠올리는 과정에서 원래 내용이 고스란히 보존되는 것도 아니다. 기억을 떠올리는 과정은 그보다는 연결되지 않는 영화의 여러 장면을 보고 나머지 내용을 짐작하여 그럴듯한 이야기로 만들어 내는 것에 더 가깝다.

이처럼 기억은 본질적으로 재구성의 성격이 강해서 작화(作話) 혹은 '이야기 지어내기'가 끼어들기 쉽다. 다른 사람과 소통하며 기억을 구성하는 과정에서 다른 사람에게 일어난 사건을 자신에게 일어난 사건으로 혼동하거나, 전혀 일어난 적도 없는 사건을 기억하고 있다고 확신하는 경우가 생기기도 한다. 인지심리학자 랠프 헤이버는 자신이 어머니의 반대를 무릅 쓰고 집에서 멀리 떨어진 스탠퍼드 대학원에 진학하기로 결심한 이야기를 주변 사람들에게 자주 하곤 했다. 어머니는 집에서 가까운 미시건 대학원에 가기를 원하셨지만, 자신은 좀 더 먼 곳으로 가서 독립적인 삶을 살아보고 싶었다는 것이다. 헤이버가 어머니의 80세 생일을 기념하기 위해 고향집을 찾았을 때, 그의 어머니는 그에게 그와 어머니가 주고받은 편지 뭉치를 건넸다. 첫 편지를 읽고 그는 다른 모든 제의를 거절하고 미시건에 남겠다고 주장했던 사람은 놀랍게도 자신이었음을 알게 되었다. 정작 그의 마음을 돌려 스탠퍼드에 가도록 설득한 것은 어머니였다. 이에 대해 헤이버는 "나는 어려운 결정을 놓고 갈등이 많았던 당시 상황에 대한 기억을, 결국에는 내가 가정을 떠나는 결정을 했다는 사실과 조화될 수 있도록 무의식적으로 재구성한 것이 틀림없다."고 설명한다. 아이러니하게도 헤이버의 주 연구 주제는 '자전적 기억'이다.

(나)

태평양전쟁 막바지 원자폭탄이 투하되었던 히로시마는 현재 전 세계적인 반핵 평화운동의 상징이다. 1951년에 사망한 피폭 희생자 나가이 다카시는 "아름다웠던 나가사키를 이런 잿빛 언덕으로 바꾼 것은 누구인가? … 우리들이다. 어리석은
전쟁을 일으킨 것은 우리들 자신인 것이다."라고 스스로 질책했다. 반면 2015년 8월, 일본 총리는 종전 70주년 담화에서 "히로시마와 나가사키에서의 원폭 투하, 도쿄를 시작으로 각 도시에서의 폭격, 오키나와에서의 지상전 등으로 인해 많은 곳에서 사람들이 남김없이 희생됐습니다."라며 피해자 의식을 강조하였다. 일본인들은 언제부터 전쟁 경험을 피해자의 기억으로 인식하게 되었는가, 지금까지 누구의 기억이 공유되

어 왔는가, 지금 그들이 기대고 있는 역사는 누구의 기억인가?

종전 후 일본인들은 전쟁의 도발 책임은 일본에 있다고 생각했지만, 구체적으로는 일본 군부에 책임이 있다는 생각이 지배적이었다. 그리고 극동군사재판에서 A급 전범으로 지목된 이들 중 일부는 전쟁 도발의 책임을 지고 처형되었다. 반면 일반 국민은 전쟁의 책임에서 면제되었을 뿐 아니라 오히려 자신들은 군부의 폭주에 의해 이루어진 잘못된 전쟁의 피해자라는 생각을 갖게 되었다. 여기에 1950년대부터 히로시마가 반핵 평화운동의 상징으로 떠오르면서 전쟁 당시의 피폭과 공습 경험은 피해자 의식을 자극하였고, 공습에 대한 자전적인 기억의 수집과 보존에 관심을 갖게 만들었다.

1960년대부터 본인 거주 지역에 대한 공습 기억을 수집하고 보존하기 위한 노력이 본격적으로 시작되었다. 1970년대에는 많은 도시에서 생존자 경험담을 수집하고 기록하는 각종 단체가 결성되었다. 당시 일본인이 전쟁을 기억하는 주된 방식은 자신들이 후방에서 피해자였다는 것, 특히 200개 이상의 도시가 파괴되고 약 33만 명이 사망한 공습의 피해자였다는 것이다. 이들 대부분은 전시의 고통과 기억을 수집해 다음 세대에게 전달하는 것이 평화를 촉진하는 길이라고 생각하며, 자신들을 전시 일본 정부에 희생당한 사람들로 기억했다. 이러한 활동을 통해 자전적인 기억들은 점차 지역이나 공동체의 집단기억으로 굳어져 갔다. 이러한 활동들은 자전적 기억을 수집할 때부터 피해자로서의 기억을 집중적, 선택적으로 모은 것이었다.

전쟁 세대는 1945년 이후 출생자들, 즉 포스트메모리 세대에게 전쟁 기억이 사라지고 있을 뿐 아니라 심지어 전사자의 죽음을 찬미하는 서사들이 등장하면서 전쟁 기억이 미화되기 시작했다는 사실을 우려했다. 따라서 이들은 진정한 평화를 촉진하기 위해서는 희생자의 경험을 다음 세대에 충분히 전달할 필요성을 절감했다. 당시 전쟁에 대한 자전적인 기억을 어떻게 바라볼 것인가를 둘러싸고 다양하고 상충되는 해석이 있었다. 그러나 최소한 이 시기에는 일본 내에서 세대 사이에 서로 다른 전쟁 기억이 공존할 수 있었고, 이러한 차이에 대해 논의하고 소통하고 화해할 수 있었다. 당시 전쟁 경험담 수 집을 통해 후방의 목소리, 공습에 대한 목소리, 일본인의 고통에 대한 수많은 목소리가 보존될 수 있었다. 이러한 자전적 기억을 바탕으로 어떤 이들은 회고록을, 어떤 이들은 동화책을, 어떤 이들은 소설을 집필했다.

1970년대와 1980년대에는 후방에서의 전쟁 경험을 다룬 상업 영화와 텔레비전 드라마가 주목받기 시작했다. 이야기의 대부분은 가해자를 밝히지 않은 채 이름 없는 전쟁 또는 악의 희생양으로 후방에 있던 일본인들을 묘사하였다. 이들의 희생자 서사에서 가해자는 드러나지 않는다. 이웃 국가들에 대한 가해자로서의 기억은 집단기억 형성 과정에서 침묵하거나, 무시되거나, 미화되거나 또는 전범 재판으로 마무리된 기억일 뿐이었다. 여기에 더해 당시 일본이 누리는 평화와 경제적 번영은 전쟁 세대가 겪은 고통과 상실 덕에 가능했다는 기억을 전해주었다. 결국 이러한 대중문화 작품들은 부모와 조부모의 전쟁 기억과 이야기를 일본의 역사와 연결시켰다. 이제 피해자들의 자전적 기억들은 대중매체를 매개로 사회적인 집단 기억으로 자리 잡게 되었다.

그 결과 평화를 위한 교훈 정도로 활용되던 전쟁의 기억이 포스트메모리 세대의 어린 시절을 온통 지배하게 되었다. 포스트메모리 세대는 이러한 이야기를 들으며 성장했고 이로써 이들은 이해할 수도, 재현할 수도 없는 부모 세대의 트라우마, 즉 전쟁의 트라우마와 시련·상실의 트라우마를 물려받게 되었다. 게다가 전쟁의 또 다른 유산인 전쟁 책임도 물려받았다.

일본인의 전쟁에 대한 기억이 중요한 전환점을 맞이한 것은 1995년이었다. 이미 1980년대부터 일본은 교과서 왜곡 문제로 동아시아 이웃 국가들과 갈등을 유발했고, 1985년 일본 총리의 야스쿠니 신사 참배로 전쟁 책임과 관련된 우려를 샀다. 1990년대 초반 냉전이 종언을 고한 후, 이웃들인 한국과 중국, 타이완 등지에서 냉전 때문에 드러내지 못했던 일본의 전쟁 책임을 묻는 목소리가 쏟아지기 시작하였다. 동아시아에서 일본이 자행한 잔혹 행위가 부각되면서 피해자로서의 일본의 집단기억은 이웃 국가들의 전쟁 기억과 충돌·대립할 수밖에 없었다. 전후 일본의 집단기억 형성 과정에서 아시아태평양 전쟁이 미국과 일본의 전쟁으로 단순화되면서 잊혔던 일본의 침략 행위가 드러났고, 이는 일본에게 가해자로서의 기억을 요구한 것이었다. 종전 50주년이었던 1995년 무라야마 총리는 일본 정부가 '위안부' 제도에 관여한 사실은 물론 일본이 아시아 민중에게 상처와 고통을 가했음을 인정하는 성명을 발표하였다. 이는 가해자로서의 기억을 받아들일 여지가 있음을 보여준 것이다.

이후 일본 정부가 우익 쪽으로 기울면서 이러한 성명은 무색해졌다. 가해자의 기억을 일본의 집단기억으로 받아들이려 하지 않는 움직임이 본격화되었다 1997년에 '모두 함께 야스쿠니 신사를 참배하는 국회의원 모임'과 '새로운 역사 교과서를 만드는 모임'이 설립되고, '우리가 자랑스러워할 수 있는 아름다운 일본을 재건하기 위한 정책 홍보 및 대중운동을 목적으로 하는 민간단체'인 '일본협회'가 설립된 것은 우연이 아니었다. 일본으로서는 이웃 국가들과의 기억 전쟁에서 일본의 전쟁 기억을 집단기억, 즉 국가적 기억으로 편입하여 통일된 의견을 제시할 필요가 매우 컸다. 후소샤 교과서는 이른바 역사수정주의 입장에서 일본이 치른 모든 전쟁의 침략적 성격을 부정하는 것은 물론, 아시아태평양 전쟁에 대해 만주에서의 이권을 지키기 위해서라든지, 블록경제권을 수립하기 위해서라든지 또는 경제 봉쇄로 일본이 곤궁에 빠졌기 때문이라는 식으로 전쟁의 불가피성을 강조하였다.

포스트메모리 세대에게 전쟁의 문제는 책임감, 죄책감 같은 추상적인 개념일 뿐이었다. 그들은 이전 세대가 누리던 경제 성장을 누리지 못한 세대였다. 전후 세대 사이에 자신들이 전쟁에 대해 책임지지 않게 해주는 상징적인 제스처를 환영하는 경향이 생겼다. 죄책감의 압박과 전시의 고난이라는 이름의 트라우마를 벗어나기 위해 이들 중 일부는 자신들을 전후 책임에서 벗어날 수 있게 해주는 피해자적 기억을 역사로 받아들였다. 그 외의 다른 사람들은 일본이 방어를 위해 전쟁에서 싸웠고 이 전쟁은 아시아 해방을 위한 전쟁일 뿐이라는 역사수정주의 인식을 받아들였다. 여기에도 기억을 문화적 도구로 보고 기억의 선택과 망각 과정을 통해 집단기억을 의도적으로 재구성하려는 시도가 잘 드러나 있다. 1995년의 전환 이전 일본인 중 아시아태평양 전쟁이 침략 전쟁이었다고 보는 이들이 60~70%였지만, 2013년 <아사히신문>의 조사에서는 침략 전쟁이었다는 응답이 45%로 줄어들었다. 현재로서는 일본 내에서 전쟁의 성격에 대한 서로 다른 집단기억이 맞서고 있는 형세이지만, 이웃 국가들의 자전적 기억이나 남겨진 사료에 비추어 어떤 집단기억이 역사적 사실에 부합되느냐 여부와 무관하게 역사수정주의적 집단기억이 보다 우세해질 가능성도 있다.

한양대학교

지원학부(과)

수 험 번 호

주민등록번호 앞6자리(예:040512)

성 명

1번 답안

50
100
150
200
250
300
350
400
450
500
550
600
650

이줄 위에 답안 작성시 무효 처리됨

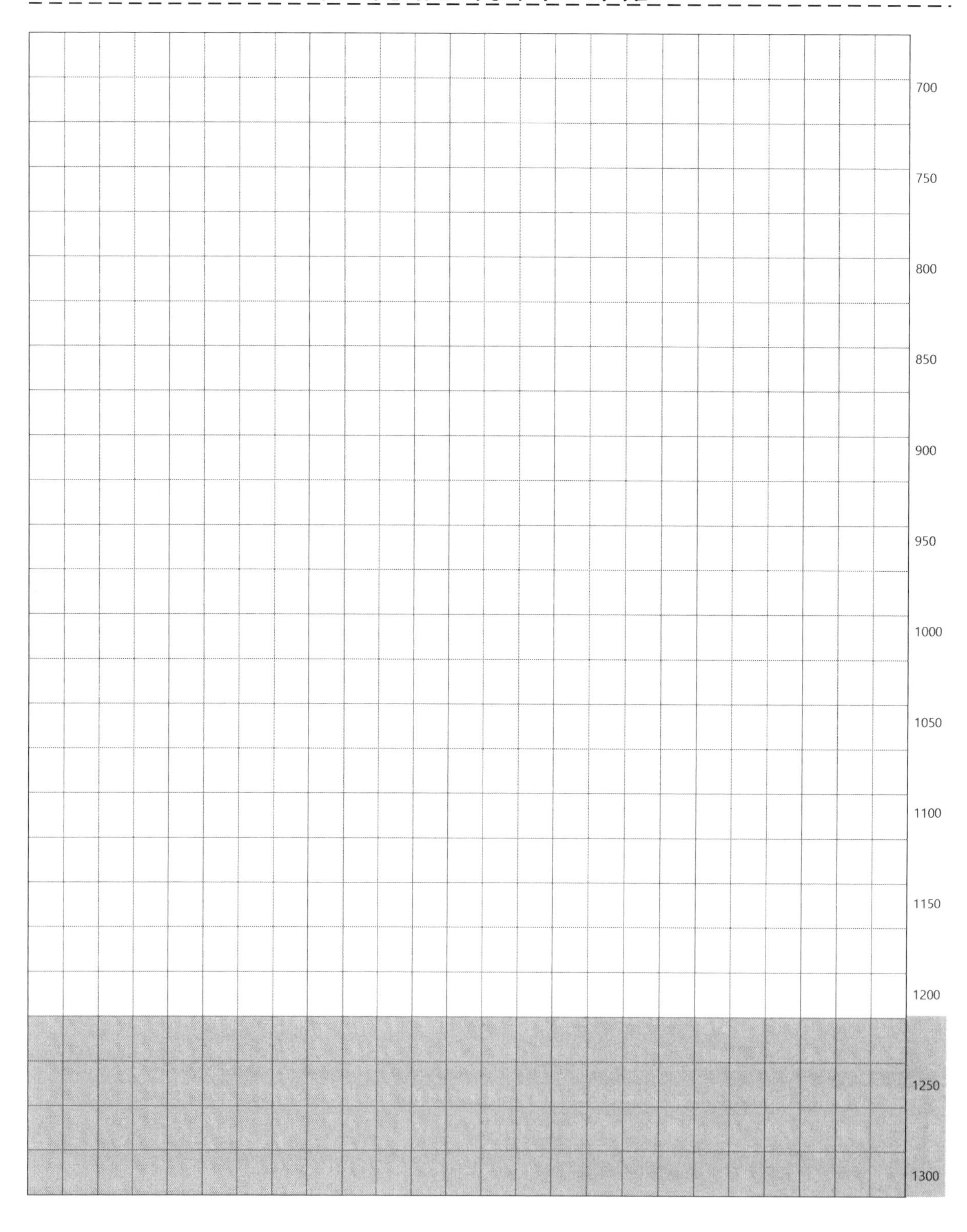

22. 2020학년도 한양대 수시 논술 [상경계열]

[문제 1] [자료 1]과 [자료 2]는 X국 정부가 Y정책의 도입을 고려하게 된 배경을 보여주는 자료이고, [자료 A]~[자료 D]는 Y정책 도입에 찬성하거나 반대하는 근거로 사용될 수 있는 자료들이다. 이 자료들을 토대로 Y정책이 무엇인지 추정하고, [자료 A]~[자료 D] 중 필요한 자료를 활용하여 Y정책의 도입에 대한 자신의 견해를 밝히시오. (600자, 50점)

[자료 1] 연령대별 인구의 추이 및 전망

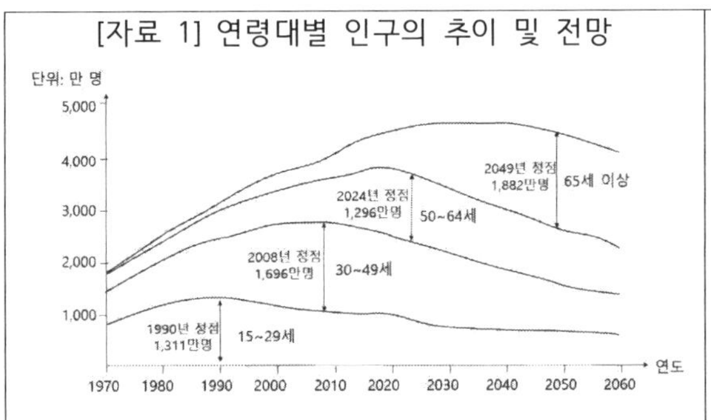

* 현재 X국의 법정 정년은 60세이고, 생산가능인구는 15세 이상부터 법정 정년에 5세를 더한 65세 미만이다.

[자료 2] 주요 국가들의 노인부양비 추이 및 전망

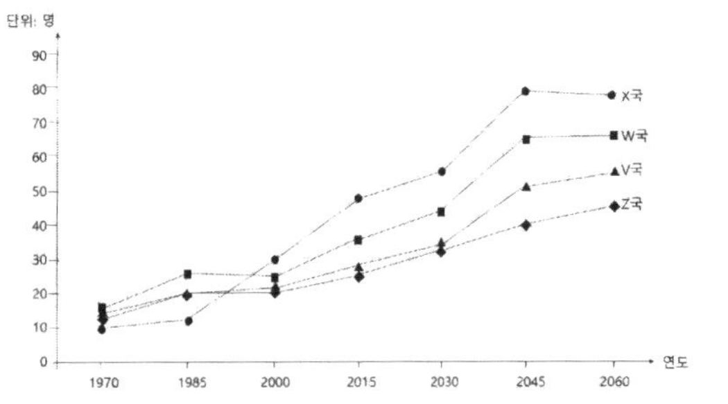

* 노인부양비란 생산가능인구 100명이 부양해야 하는 65세 이상 노인의 수를 말한다.

[자료 A] 근로자 연령층 구성 추이 및 전망

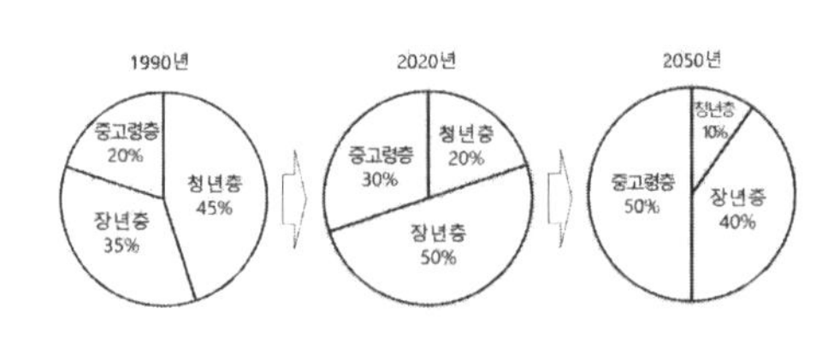

* X국 전체 기업에서 종사하는 근로자들의 연령층 구성 추이와 전망을 나타낸다. 청년층은 30세 미만, 장년층은 30~49세, 중고령층은 50~60세에 해당한다.

[자료 B] 중고령층 및 청년층의 직종별 비중

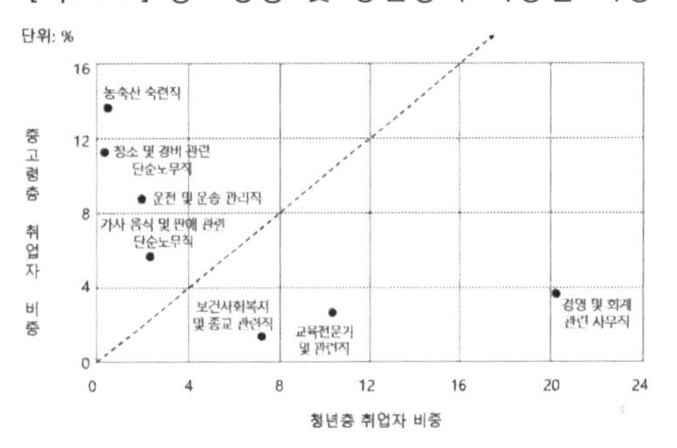

* 가로축은 한 직종에서 청년층 취업자가 차지하는 비중을, 세로축은 중고령층 취업자가 차지하는 비중을 나타내며, 각 점은 한 직종에서 청년층 취업자 비중과 중고령층 취업자 비중을 나타낸다.

[자료 C] 연령별 임금과 생산성

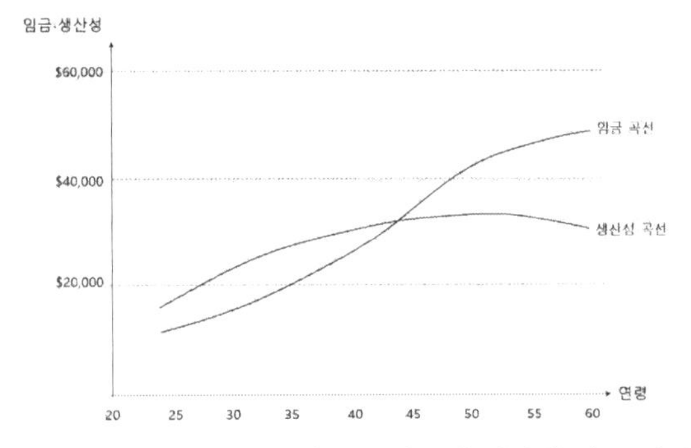

* X국 전체 기업들에 속한 근로자들의 연령에 따른 임금과 생산성의 관계를 나타낸다.

[자료 D] 중고령층 고용률 변화와 청년층 실업률 변화 관계

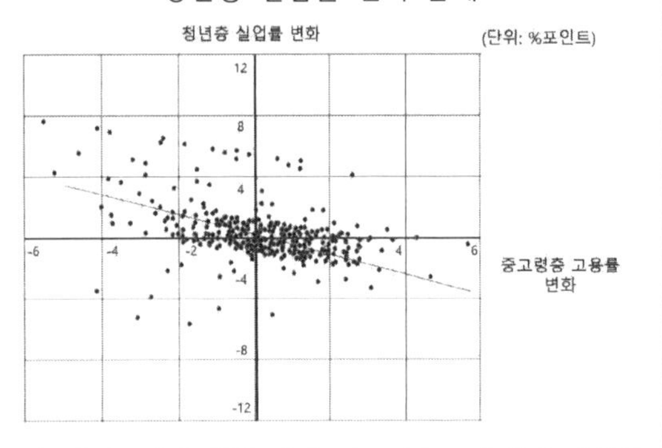

* 가로축은 전년 동월 대비 중고령층 고용률의 변화를, 세로축은 전년 동월 대비 청년층 실업률의 변화를 나타내며, 각 점은 1988년 7월부터 2017년 6월까지 월별 측정치이다. 그래프에서 추정한 결과는 통계적으로 유의미한 상관관계를 보였다.

[문제 2] 다음 제시문을 읽고 물음에 답하시오. (50점)

- 정다면체에는 정사면체, 정육면체, 정팔면체, 정십이면체, 정이십면체가 있다.
- 면의 개수가 n인 정다면체 주사위의 각 면에는 수 1, ⋯, n 이 하나씩 적혀 있다.
- 정다면체 주사위를 던졌을 때 주사위의 각 면이 바닥에 놓일 확률은 같다.

1\. 정육면체, 정팔면체, 정이십면체 주사위를 각각 하나씩 던질 때, 정육면체 주사위의 바닥에 놓인 면에 적혀 있는 수가 3의 배수가 되거나 정팔면체 주사위의 바닥에 놓인 면에 적혀 있는 수가 소수가 되고, 정이십면체 주사위의 바닥에 놓인 면에 적혀 있는 수는 6과 서로소가 아닐 확률을 구하시오.

2\. 정육면체 주사위와 정십이면체 주사위를 동시에 300회 던지는 시행에서 바닥에 놓인 면에 적혀 있는 수의 합이 3의 배수가 되는 횟수를 확률변수 X라 하고, 동시에 m회 던지는 시행에서 바닥에 놓인 면에 적혀 있는 수가 서로소인 횟수를 확률변수 Y라 하자. $V(6Y+3) \geq E(2X+7)$ 을 만족하는 자연수 m의 최솟값을 구하시오.

3\. 어떤 정다면체 주사위를 300회 던지는 시행에서 바닥에 놓인 면에 적혀 있는 수가 3의 배수가 되는 횟수를 확률변수 X라고 하자. $P(X \geq 120)$이 최소가 되는 정다면체 주사위를 모두 찾으시오.

한양대학교

지원학부(과)

수 험 번 호				

주민등록번호 앞6자리(예: 040512)					

성 명

1번 답안

50
100
150
200
250
300
350
400
450
500
550
600
650

이줄 위에 답안 작성시 무효 처리됨

2번 답안

VI. 예시 답안

1. 2024학년도 한양대 수시 논술 [인문계열 오후1]

[문제] (가)의 '노자'의 입장에 의거하여 (나)에 나타난 '나'의 관점을 옹호하거나 반박하고, (나)의 '나'에 대한 자신의 평가를 바탕으로 (다)의 '캠든 벤치'가 우리에게 시사하는 바를 서술하시오. (1,200자, 100점)

<학생 예시답안 1>

(가)의 노자는 '어짊', 곧 '인'은 천지 만물의 근본적 원리인 '도'가 무너진 자리를 대체하는 '인위적인' 덕목에 불과하다고 주장하며. 이상적인 인간상과 동일시되는 '성인'과 '도'라는 근본적 원리를 따르는 '천지'는 둘 다 어질지 않다고 말한다. 노자는 '어짊'이라는 인위적 가치가 아니라 인간과 관계 없이 '무심한' 태도를 더 바람직하게 여긴다고 보여진다. 이러한 맥락에서 볼 때, (나)의 손님은 인간의 관점에서 이를 '미물'이라 함부로 판단하는 것은 노자의 입장과 충돌하며, 이러한 손님에게 깨달음을 주고자 손님의 발언을 받아치며 반박한 '나'는 노자의 지지를 받을 법도 하다. 그러나 (나)의 '나'는 노자의 비판을 받을 가능성이 더욱 크다. 노자는 '친애함과 멀리함'도 인간적 덕목이라 하였는데, (나)의 '나'는 이러한 인간적 덕목을 전제하여 설명했기 때문이다. 이가 '불쌍'하다고 여기거나 죽음에 대해 좋고 싫음을 논하는 것에서 인간적 덕목을 전제함이 드러나는데, '나'는 손님에게 새로운 관점을 갖춘 뒤에 '도'에 대해 논하겠다고 한다. 이는 노자가 생각한 '도'를 잘못 이해하고 있다고 보여진다. 노자가 '나'의 주장에 대해 언급한다면, "자비는 인과 도를 잘 구분하지 못하는 것 같다네. 진정 '도'를 추구하고자 한다면, 인간적 덕목을 배제해야 한다네."라고 말할 것이다. 한편, 노자와는 별개로 내가 (나)의 '나'를 평가하자면, 현실과 괴리된 주장이라 생각한다. 모든 생명이 가치가 있다는 데에는 이견이 없지만, 농사 등에서 도움을 주는 가축과 피해를 주는 해충을 동등하게 여기려면 우리가 인간이 아닌 그것들과 전혀 무관한 존재여야 한다고 생각한다. 하지만 우리는 그것들과 함께 살아가는 '인간'이기에 동등하게 대하기는 힘들다. 우리는 인간에게 피해가 안가는 선에서 다른 존재를 배려하고 공존할 방법을 모색하는 것이 '인간'인 우리에게 최선의 선택지라 생각하기 때문에 (나)의 '나'는 우리의 위치를 고려하지 못한 주장이라 생각한다. 마찬가지로 (다)의 '캠든 벤치'는 벤치 본래 목적에서 벗어나 다른 이들에게 피해를 끼치는 상황을 줄이고, '잠깐의 휴식처'라는 본연의 용도에 더욱 활용될 수 있게 만든 디자인이라 생각한다. '적대적 건축물'이라는 비판적 평가는 벤치의 본래 목적을 고려하지 못한 입장이며, 실제로 실용성이 검증되었기 때문이다. (다)의 사례에서 우리가 비판적 시선으로 바라볼 지점은 '캠든 벤치' 자체가 아니라 노숙자를 양성하고 청소년이 여가를 즐길 공간을 앗아간 사회로 돌려야 하는 것은 아닐까? '캠든 벤치'가 시사하는 바는 우리가 사회를 돌아보도록 신호를 주는 것은 아닌가 하는 생각이 들었다. (1270자)

<학생 예시답안 2>

(나)의 '나'는 큰 짐승과 미물의 목숨의 가치에 구별을 두고 미물의 죽음은 불쌍히 여기지 않는 손님의 모순을 지적한다. 이로써 생명체의 목숨에는 경중이 없으며 공평히 여기는 관점이 있을 때 도를 추구할 수 있다는 주장을 전달한다. 반면, (가)의 '노자'에 따르면 천지는 도적적 존재가 아니라 단지 무위한 자연일 뿐이다. 만물이 천지자연에서 비롯한 흐름에 속해 있으나 천지는 그들에게 의도적으로 개입하지 않고, 그 때문에 공평할 수 있는 것이다. 이는 '나'의 관점과 비교했을 때 만물을 공평하게 바라봐야 한다고 생각한다는 점에서 유사하다. 하지만 노자는 나와 달리 천지 혹은 성인이 개별 생명체에서 '공감'하지 않는다고 말한다. 또한 죽음 역시 천지자연의 일부일 뿐이므로 일부러 생명체의 죽음에 관여하는 등 다른 생명체의 삶에 의도적이고 인위적인 개입은 삼가야 한다는 입장에 따라 미물의 삶 또한 소중히 여겨야 한다는 나의 관점을 비판할 것이다. 따라서 노자는 공감과 인위적 개입의 유무를 다루는 입장이 상이한 나를 비판할 것이다.

그러나 나는 '나'의 주장과 같이 만물을 대할 때 공감과 같이 인간적 덕목이 필요하다고 생각한다. 도덕적 가치 판단은 보다 현실적이고 효과적인 사회 조성에 일조하기 때문이다. 우리는 '도덕적 성찰'이 없는 제도 마련이 어떠한 문제점을 가지고 오는지 '캠든 벤치'의 사례를 통해 알 수 있다. 캠든 자치구는 벤치가 사회가 생각하는 정상성의 범주에서 벗어난 사람들에 의해 일탈 행위나 범죄에 사용된다는 이유로 장시간 이용이 불편한 벤치를 설치했다. 그러나 이것은 진짜로 일탈 행위나 범죄를 줄이는 것이 아니라 행위자를 사회에서 소외시키고 쫓아낼 뿐이다. '캠든 벤치'의 설치 효과가 '벤치 주변'에 국한되는 것이 아니라 정말로 행위자의 일탈 행위 전반을 감소시키는 것까지 이어졌는지도 의문이다. 또한 일탈 행위자 배제는 비단 그들만의 어려움을 초래하는 것이 아니다. 노약자뿐만 아니라 일반 행인들의 휴식 또한 방해하게 된다. 적대적 건축물은 모두에게 적대적인 것이다. 이러한 사례를 통해 우리는 사회 저변에 깔린 차별적 사고가 겉으로 드러난 것은 아닌지 성찰해 봐야한다. 또한 사회 문제를 단편적이고 무심한 관점에 의거하여 접근할 때 어떠한 문제점이 발생하는지 충분히 고려한 뒤 '공감'과 같은 인간적 덕목에 근거하여 실질적이고 도덕적인 제도 마련에 힘써야 한다. 바로 그때 진정으로 바람직하고 이상적인 사회가 만들어질 수 있을 것이다. (1201자)

2. 2024학년도 한양대 수시 논술 [인문계열 오후2]

[문제] (가)의 ㉠에 대하여 (나)의 '사회계약론'이 어떻게 답할지 '두 가지 조건'을 고려하여 논하고, (가)의 ㉡을 (다)의 '공리주의'에 의거하여 정당화한 후 그 정당화에 대한 자신의 견해를 서술하시오. (1,200자, 100점)

<학생 예시답안 1>

사회계약론의 입장은 (가)의 ㉠에 부정적일 것이다. 미래 세대와 현재 세대 간의 관계가 상호적이지 않기 때문이다. 현재 세대가 천연자원을, 삶에 필수적이지 않은 그들 자신의 이익을 위해 활용할 때 이는 미래 세대가 잠재적으로 소유하는 자원을 빼앗는 것이 아니다. 미래 세대는 그 존재가 불확실하기 때문에 사회계약과 관련한 어떠한 종류의 합의도

할 수 없으며, 도덕적 지위를 가질 수 없다. 현재 세대는 미래 세대에 대해 일방적인 권리를 지니지만, 미래 세대 스스로는 사회계약의 구성원들에게 어떠한 이익도 담보하지 못한다. 그들이 현 세대에 이익이 된다면 이는 현 세대의 구상에 의해 기대되는 이익일 테지만 미래 세대가 기존의 제도 등에 합류할지는 불확실하다. 또한 미래 세대가 미래 세대인 한에서 그들은 사회계약의 구성원이 아니며, 그들을 잠정적인 구성원으로 가정한다한들, 약속 준수 여부를 떠나, 사회적 처벌의 수단이 전무하다. 상기의 기술은 미래 세대가 (나)의 조건에 제한되지 않는다는 점을 밝힌다.

공리주의는 현재의 선택에 따라 미래에 생길 잠정적인 쾌락과 고통을 계량하여, 쾌락이 우세한 정도가 높을수록 도덕적인 선택이라 판단한다. (가)의 가정은 두 가지가 있는데 천연자원을 보존하는 가정을 A, 이용하는 가정을 B라 하자, 가정 A의 경우, 현 세대의 '일반적인' 불편과 미래 세대의 '높은 수준의 편의'가 결과로서 도출된다. 반면 가정 B의 경우, 현 세대의 일반적인 수준의 편의와 미래 세대의 높은 불편이 그 결과일 것이다. 불편을 고통으로 편의를 쾌락으로 치환할 시에 가정 A에서의 선택은 도덕적이며, 가정 B의 선택은 비도덕적인 것이 된다. 두 선택을 비교하여 가정 A에서의 선택이 B의 선택보다 더 많은 쾌락을 산출해내기 때문이다. 이러한 비교로부터 (가)의 ㉡이 뜻하는 명제가 도출된다.

이상의 공리주의에 의거한 ㉡명제의 정당화는 일견 타당해 보인다. 그러나 이는 몇 가지 암묵적인 가정을 전제하고 있다. 첫째로 현 세대의 쾌고감수능력자들의 수와 미래세대의 그것이 동일할 것이라 가정이 있다. 가령 미래 세대의 수가 현 세대보다 현저히 적을 경우, 미래 세대의 개개인이 겪을 고통이 현 세대보다 크다 하더라도, 그 총량은 현 세대의 고통보다 적을 가능성이 있다. 이 경우 가정 B를 따르는 편이 공리주의적으로 합리적인 선택이다. 또, (가)에서의 불편이 고통으로 대체될 수 있는지도 의문이다. 고통에는 심리적인 기제가 작용한다. 가령 미래 세대가 불편에 대처하며 자기효능감을 느낄 시에 불편은 꼭 고통인가? ㉡이 설득력을 갖기 위해서는 이런 난점이 해결되어야 하며, 그 전에는 판단을 유보할 필요가 있다는 것이 필자의 견해이다.

<학생 예시답안 2>

제시문 (가)의 ㉠인 '우리에게는 아직 존재하지 않는 미래 세대에 대한 도덕적 의무가 있는가?'라는 질문에 제시문 (나)의 사회계약론은 부정의 대답을 할 것이다. 이를 설명하기에 앞서 사회계약의 입장을 알아보겠다. 사회계약론은 끔직한 상태에서 벗어나기 위해 사람들이 서로에 대한 규칙을 제정하는 것에 동의해야 하며 이러한 규칙 실현을 강제할 국가의 창설에도 동의해야 한다고 말한다. 또한 다른 구성원들이 규칙에 동의할 것이라는 전제를 바탕으로 한 도덕적 의무도 존재한다. 하지만 도덕적 의무가 성립하기 위해서는 두 가지 조건이 요구되는데 이 조건들을 통해 위의 질문에 대한 부정의 대답을 뒷받침할 수 있다.

우선 도덕적 의무의 성립을 위해 고려해야할 첫번째 조건은 사람들이 상호 이익을 위해 협력하기로 암묵적으로 약속할 수 있어야 한다는 것이다. 이러한 관점을 바탕으로 제시문 (가)의 ㉠을 보면, 아직 존재하지 않은 미래 세대의 구성원과는 암묵적 약속이 불가능하

다. 뿐만 아니라 사람들이 규칙을 준수하는 이유에는 자신이 사회적 이익을 누리기 위함인데 존재하지 않는 미래 세대에게 이익을 얻을 수 없고 '상호'라는 단어가 성립하지 않는다. 또한 두번째 조건은 약속을 어긴 사람에게는 처벌을 통해 불이익을 줄 수 있어야 한다는 것이다. 이는 첫번째 조건과 같은 맥락으로 존재하지 않는 사람에게는 처벌이 이루어질 수 없으며 이들이 규칙을 어기는 상황 또한 발생할 수 없다.

한편 제시문 (가)의 ㉡인 현재 세대의 복지 수준을 높이기 위해 미래 세대의 복지 수준을 낮추는 정책은 옳지 않다는 주장은 제시문 (다)의 공리주의를 통해 정당화할 수 있다. 공리주의는 미래 세대가 누구인가는 중요하지 않고 서로 다른 미래 세대의 복지 수준을 비교하여 더 높은 복지를 발생시키는 정책을 선택해야된다고 주장한다. 이를 제시문 (가)에 비추어 보면, 미래 세대가 A인지 B인지 중요하지 않으므로 B의 구성원들이 애초에 존재하지 않은 것보다 자원 부족으로 고생하는 것이 더 좋다는 입장은 부정될 것이며 오직 높은 복지를 누리게 하는 정책이 선이므로 ㉡은 정당화된다. 하지만 나는 이러한 공리주의식 결정에 반대한다. 오로지 최대이익, 최소고통만을 주장하는 공리주의는 전체의 이익을 위해 소수의 사람에 대한 권리를 침해하기 때문이다. 가령 특정 정책을 결정한다고 하였을 때, 순수 쾌락의 양을 따지는 과정에 있어 제외되는 소수의 사람이 분명 존재한다. 하지만 쾌락의 최대화에만 집중한다면 이들은 사회 구성원으로서의 존중을 받지 못하고 희생당하는 것이다. 즉 공리주의는 전체주의를 정당화할 위험성이 있기 때문에 부정적으로 바라볼 수 있다.

3. 2024학년도 한양대 수시 논술 [상경계열]

[문제 1] (가)에 대한 이해를 바탕으로 (나)에서 논의한 '누리 소통망(SNS)'의 특징이 (가)의 ㉠에 어떤 영향을 미칠 것인지에 대해 (다)에 제시된 주요 개념들을 활용하여 논술하시오. (600자, 50점)

<학생 예시답안 1>

(나)에 의하면 누리 소통망은 개인들이 다른 개인 및 집단과 상호작용을 하며 자신의 정체성을 형성하도록 하는 특징을 지닌다. 이는 (가)에 나타난 소속 정당에 따른 정서적 양극화를 심화하기도 하고 혹은 완화하기도 할 것이다.

누리 소통망을 통해 동질적인 정체성을 가진 개인들끼리의 소통이 강화됨으로써 친밀감과 유대감 형성이 주가 된다면, 그 집단은 공동체적 성격을 보이게 된다. 같은 정당을 지지하는 사람들 간에는 폐쇄적인 상호 호혜성이 증진하는 반면, 다른 정당을 지지하는 사람들을 배타적으로 인식하게 되면서 누리 소통망은 결속형 네트워크로서 기능하게 된다. 이는 정치적 이념이 유사한 개인들 간의 기계적 연대만이 이루어짐으로써 정치적 이념 간 차이를 극복하지 못하고 이념 갈등을 증폭시킬 것이다. 한편, 누리 소통망이 이질적 개인 간의 교류를 촉진하는 역할을 할 수도 있다. 이는 정치적 이념에 따른 양극화를 완화하기도 한다. 이질적 개인 간의 유기적 연대를 촉진하는 누리 소통망은 교량형 네트워크의 기능을 한다. 즉, 지지하는 정당이 다른 개인들 사이에 상호 신뢰를 형성하여 협력을 유도하고 정치적 갈등을 조정하게 되는 것이다. 정치적 이념이 다른 개인들이 모여 형성된 결사체는 이념 차이를 넘어서 조화를 추구하는 개방적 사회로 나아가는 기반이 된다.

<학생 예시답안 2>

(나)의 누리 소통망은 물리적 제약없이 다양한 분야에서 유대감과 정체성을 형성할 수 있게 해준다. 이러한 네트워크가 결속형으로 발전한다면 (가)의 ㉠의 문제가 심화될 것이다. 정치적 측면에서의 결속형 사회 집단은 강한 내집단 결석과 외집단 배척의 폐쇄적 결과를 초래한다. 이는 사람들이 실제 정책과 관계없이 정서적인 애착심에 따라 사회 관계를 형성하도록 한다. 즉, 정서적 양극화의 심화로 '우리'와 '그들'의 구분이 명확해지고 그로 인한 사회 갈등이 촉진될 것으로 예상된다. 여기에서 SNS는 집단 간 결속과 갈등을 심화시키는 데 영향을 줄 것이다.

반면, 네트워크가 교량형으로 발전한다면 (가)의 ㉠의 문제가 완화될 것이다. 정치적 측면에서의 교량형 사회 집단은 개인들이 유연하고 유기적으로 연대하는 포괄적 결과를 불러일으킨다. 이는 사람들이 이해관계를 바탕으로 이념과 실질적 정책에 집중하여 합리적인 판단을 할 수 있도록 돕는다. 즉, 사회 구성원 간의 신뢰와 호혜성이 강화되어 사회 갈등이 해소되고 사회의 통합이 이루어질 것으로 예상된다. 여기에서 SNS는 다양한 집단 간의 교류를 기반으로 한 사회 전체의 협력 관계 형성과 정치적 정서 양극화 완화에 기여할 것이다.

[문제 2] 다음 물음에 답하시오. (50점)

1. 세 자연수 a, b, $c(c \geq 3)$에 대하여 함수 $f(x)$를

$$f(x)=\begin{cases} -ax^2+bx & (x \leq 2) \\ \dfrac{4a-2b}{c-2}(x-c) & (x>2) \end{cases}$$

라 하자. $f'(c)<0$이고 곡선 $y=f(x)$와 x축으로 둘러싸인 부분의 넓이가 $\dfrac{22}{3}$가 되도록 하는 5이하의 두 자연수 a, b와 3이상의 자연수 c의 순서쌍 $(a,\ b,\ c)$를 모두 구하시오.

2. 이산확률변수 X가 가질 수 있는 값이 1, 2, 3, $\cdots$, 22이고, 상수 k에 대하여

$$\mathrm{P}(X=x)=\begin{cases} \dfrac{k}{x(x+1)} & (x=1,\ 2,\ 3,\ \cdots,\ 21) \\ \dfrac{4}{11} & (x=22) \end{cases}$$

이다. 확률 $\mathrm{P}(k+1<X<k+8)$을 구하시오.

3. 참가자와 진행자가 주사위를 던져서 나오는 결과에 따라 참가자가 점수를 얻는 게임이 있다. 참가자가 한 개의 주사위를 세 번 던져서 나오는 눈의 수를 차례로 a, b, c라 하고 진행자가 한 개의 주사위를 한 번 던져서 나오는 눈의 수를 d라 할 때, 어떤 실수 x에 대하여 다음 규칙에 따라 참가자가 점수를 얻는다.

<가> a, b, c 중 d와 같은 것이 없으면 점수를 얻지 못한다.

<나> a, b, c 중 d와 같은 것이 1개이고 나머지 2개가 서로 다르면 $2+x$점을 얻는다.

<다> a, b, c 중 d와 같은 것이 1개이고 나머지 2개가 서로 같으면 $3+x$점을 얻는다.

<라> a, b, c 중 d와 같은 것이 $k(k=2,\ 3)$개이면 $2k+x$점을 얻는다.

이 게임을 한 번 하여 참가자가 얻은 점수를 확률변수 X라 하자. X의 기댓값 $\mathrm{E}(X)$를 x에 대한 식으로 나타내고, $x=-1$일 때 X의 분산 $\mathrm{V}(X)$를 구하시오.

1.

$\lim_{x\to 2-} f(x)=\lim_{x\to 2+} f(x)=-4a+2b$**이므로** $f(x)$**는 연속함수이다.** $f'(c)=\dfrac{4a-2b}{c-2}<0$**인 데** $c\geq 3$**이므로** $b>2a$**이다. 이에** a**는** 1 **또는** 2**이다. 한편,** $f(x)$**는 연속함수이므로 적분가능하다.**

$$\int_0^c f(x)dx=\int_0^2(-ax^2+bx)dx+\int_2^c\frac{2(2a-b)}{c-2}(x-c)dx$$

$$=-\frac{8}{3}a+2b+\frac{(b-2a)}{(c-2)}(c-2)^2=\frac{22}{3}$$

이므로 $\dfrac{22}{3}-\left(-\dfrac{8}{3}a+2b\right)=(b-2a)(c-2)$**이어야 한다.** $b\neq 2a$**이므로 이를** c**에 대해 정리하면** $c=\dfrac{22+8a-6b}{-6a+3b}+2$**이다. 이때** $c\geq 3$**조건에 의해** $22+8a-6b\geq 3b-6a$**이어야 한다.**

이를 정리하면 $b\leq\dfrac{14a+22}{9}$**이다.**

(경우 1)

$a=1$**이면,** $b>2a$**와** $b\leq\dfrac{14a+22}{9}$**를 만족하는** b**는** $b=3,\ 4$**이다. 이를 대입해보면**

$a=1,\ b=3$**일 때** $c=\dfrac{12}{3}+2=6$**이고** $a=1,\ b=4$**일 때** $c=\dfrac{6}{6}+2=3$**이다.**

(경우 2)

$a=2$**이면,** $b>2a$**와** $b\leq\dfrac{14a+22}{9}$**를 만족하는** b**가** 5 **하나뿐이다. 그러나** $a=2,\ b=5$**이면** $c=\dfrac{14}{3}$**로** 3**이상의 자연수가 아니게 된다.**

따라서 조건을 만족하는 5**이하의 두 자연수** a, b**와** 3**이상의 자연수** c**의 순서쌍** $(a,\ b,\ c)$**는** $(1,\ 3,\ 6)$, $(1,\ 4,\ 3)$**의 두 가지이다.**

2.

모든 확률의 합이 1**이므로** $\dfrac{k}{1\times 2}+\dfrac{k}{2\times 3}+\cdots+\dfrac{k}{21\times 22}+\dfrac{4}{11}=1$,

$\left(k-\frac{k}{2}\right)+\left(\frac{k}{2}-\frac{k}{3}\right)+\cdots+\left(\frac{k}{21}-\frac{k}{22}\right)=k-\frac{k}{22}=\frac{7}{11}$ **이 성립한다.**

따라서 $k=\frac{2}{3}$ **이고**

$$\mathrm{P}(k+1<X<k+8)=\mathrm{P}(2\le X\le 8)=\mathrm{P}(X=2)+\mathrm{P}(X=3)+\cdots+\mathrm{P}(X=8)$$

$$=\frac{2}{3}\times\frac{1}{2\times3}+\frac{2}{3}\times\frac{1}{3\times4}+\cdots+\frac{2}{3}\times\frac{1}{8\times9}$$

$$=\frac{2}{3}\times\left(\frac{1}{2}-\frac{1}{3}\right)+\frac{2}{3}\times\left(\frac{1}{3}-\frac{1}{4}\right)+\cdots+\frac{2}{3}\times\left(\frac{1}{8}-\frac{1}{9}\right)=\frac{2}{3}\times\left(\frac{1}{2}-\frac{1}{9}\right)=\frac{7}{27}$$

이다. 따라서 구하고자 하는 확률 $\mathrm{P}(k+1<X<k+8)$**은** $\frac{7}{27}$**이다.**

3. 이 게임을 한 번 하여 참가자가 얻은 점수를 확률변수 X**라 했을 때,**

$\mathrm{P}(X=0)=\frac{6\times5\times5\times5}{6^4}=\frac{125}{216}$, $\mathrm{P}(X=2+x)=\frac{6\times{}_3\mathrm{C}_1\times1\times5\times4}{6^4}=\frac{60}{216}$,

$\mathrm{P}(X=3+x)=\frac{6\times{}_3\mathrm{C}_1\times1\times5\times1}{6^4}=\frac{15}{216}$, $\mathrm{P}(X=4+x)=\frac{6\times{}_3\mathrm{C}_2\times1\times1\times5}{6^4}=\frac{15}{216}$

$\mathrm{P}(X=6+x)=\frac{6\times{}_3\mathrm{C}_3\times1\times1\times1}{6^4}=\frac{1}{216}$

이다. 따라서 확률변수 X**의 기댓값은**

$$\mathrm{E}(X)=0\times\frac{125}{216}+(2+x)\times\frac{60}{216}+(3+x)\times\frac{15}{216}+(4+x)\times\frac{15}{216}+(6+x)\times\frac{1}{216}=\frac{231+91x}{216}$$

이다.

$x=-1$**일 때** $\mathrm{E}(X)=\frac{140}{216}=\frac{35}{54}$**이다.**

$\mathrm{E}(X^2)=0^2\times\frac{125}{216}+1^2\times\frac{60}{216}+2^2\times\frac{15}{216}+3^2\times\frac{15}{216}+5^2\times\frac{1}{216}=\frac{280}{216}=\frac{35}{27}$**이므로**

X**의 분산은** $\mathrm{V}(X)=\mathrm{E}(X^2)-\{\mathrm{E}(X)\}^2=\frac{35}{27}-\left(\frac{35}{54}\right)^2=\frac{2555}{2916}$**이다.**

4. 2024학년도 한양대 모의 논술 [인문계열]

[문제] (가), (나)에서 말한 '새로운 연대 개념'과 '진정한 소통'의 의미를 살려 바람직한 공동체에 대한 의견을 밝히고, (다)를 활용하여 ㉡의 입장에서 ㉠에 대해 서술하시오. (1200자, 100점)

제시문 (가)에서 강조하는 '새로운 연대'란 사회 구성원 모두가 각자의 개성을 고유하게 유지한 채 공감과 소통의 공존 가능성을 가지는 경우를 말하고 있다. 가령 분업에 기초한 호혜적 공존 가능성이 그러한 공동체의 모습을 확연하게 보여주는데, 이는 사회의 영역이 확장되어가고 구조가 고도화되는 흐름에 대한 자연스러운 연대의 원리라고 할 수 있다. 그

것을 일러 제시문은 '유기적 연대'라고 지칭하고 있다.

또한 제시문 (나)는 흐르는 물을 막았다가 그것이 터지면 크나큰 피해를 입듯이 사회 구성원과 소통을 하지 않고 제 고집대로 권력을 휘두르면 낭패를 볼 수 있음을 매섭게 경고하고 있다. 주나라 여왕의 사례를 통해 우리가 흔히 접하는 자연의 원리에 공동체 구성원이 가질 법한 소통의 원리를 비유하여 보여준 것이다. 나아가 제시문은 자유롭고 수평적인 의견 교환과 소통이 얼마나 중요한지를 동시에 강조하고 있다. 강한 권력 때문에 입을 다물었던 백성들은 마치 터져 나오기 직전의 물과 같은 존재였을 것이다. 바람직한 공동체는 그러한 억압과 침묵의 분위기를 넘어 구성원들끼리 연대와 소통을 긴밀하고 지속 가능하게 이루어내는 사회적 시스템에서 이루어진다고 할 수 있다.

그리고 제시문 (다)에 제시된 시 작품은 이러한 공동체를 구축해가기 위해 어떤 태도가 필요한지를 함축적 언어로 들려주고 있다. 하루살이나 메뚜기에게도 각자 그 나름대로 삶의 무게와 속도가 있고 그것을 코스모스 한 송이가 온몸으로 받아내는 장면을 통해 시인은 모든 구성원들이 서로 영향을 주고받는 유기적 공동체를 역설하고 있다. 그렇듯 시인도 낡은 담벼락이 되어 모든 생명의 눈물을 받아내고 있는데, 공동체가 진정한 연대와 소통을 갖추기 위해서라면 이러한 눈물의 마음이 밑바탕을 이루어야 할 것임을 이 작품은 상징적으로 보여준다. 이러한 모습이야말로 앞에서 읽은 '새로운 연대'와 '진정한 소통'을 위한 가장 근원적인 태도를 함축하고 있다 할 것이다. 그리고 궁극적으로 그러한 자연의 원리에 의해 '기계적 연대'는 극복되고 '유기적 연대'가 강화되어갈 것임을 암시하고 있다.

5. 2024학년도 한양대 모의 논술 [상경계열]

[문제] (가)에 나타난 '테우트'와 '타모스 왕'이 (나)의 문제 상황을 맞이했다고 가정할 때, 그들이 각각 이 상황에 대해 어떤 판단을 내릴지를 유추하여 서술한 후, 여기에서 근거를 찾아 자신의 입장에서라면 ㉠과 ㉡ 각각의 상황에 대해 어떤 판단을 내릴지를 서술하시오. (600자, 50점)

(가)에서 테우트는 자신이 발명한 문자가 사람들을 더 지혜롭게 만들고 더 잘 기억하게 만들 것이라고 자부하였지만, 타모스 왕은 오히려 사람들이 문자에 의존한 나머지 오히려 기억하려 하지 않을 것이기에 망각을 부추기고 문자로 된 글을 읽고서 마치 다 아는 것처럼 스스로를 착각하게 만들 것이라고 하여 문자의 효용을 부정하였다. 이러한 관점의 연장선상에서 보면, 테우트는 정보 생성형 AI를 적극적으로 활용해야 할 필요성을, 반대로 타모스 왕은 정보 생성형 AI를 적극적으로 배제해야 할 필요성을 역설할 것으로 예상된다.

그렇다면 교육 기관과 기업에서는 각각 이에 어떻게 대응하는 것이 바람직할까? 학생들의 지적 성장을 도모하는 교육 기관의 교수-학습 상황에서는 타모스 왕의 관점이 더 바람직해 보인다. 그들이 정보 생성형 AI에 의존하면 스스로 읽고 쓰는 기회를 차단당함으로써 성장할 수 있는 기회를 빼앗길 것이기 때문이다. 더욱이 거짓 정보가 섞여 있다면 그 진위를 가리는 데 불필요한 시간을 소모하게 될 것이다. 그러나 시장의 경제 상황에 대한 정보는 매우 광범위해서 인간이 스스로 정보를 수집하고 분석하는 것보다 정보 생성형 AI에 의존하면 훨씬 더 효율적일 것이다. 따라서 기업에서는 테우트가 문자를 바라보는 관점

의 연장선상에서 정보 생성형 AI의 적극적인 활용이 생산성 향상에 기여할 것으로 보인다.

[문제 2번] 다음 제시문을 읽고 물음에 답하시오. (50점)

1. x에 대한 이차방정식 $x^2+2bx+c=0$이 중근을 갖도록 하는 두 실수 b, c가 나타내는 점 $(b,\ c)$는 곡선 C를 이룬다. 꼭짓점이 $(r,\ r)$, $(-r,\ r)$, $(-r,\ -r)$, $(r,\ -r)$인 정사각형을 K라 하자. 단, r는 1보다 큰 양의 실수이다.

(1) 정사각형 K의 넓이를 $k(r)$, 곡선 C와 정사각형 K의 윗변으로 둘러싸인 도형의 넓이를 $a(r)$이라고 할 때, $\dfrac{a(r)}{k(r)}$을 구하시오.

(2) 극한값 $\lim\limits_{r\to\infty}\dfrac{k(r)-a(r)}{k(r)}$을 구하시오.

2. 수열 $\{a_n\}$에서 첫째항 a_1은 양의 실수이고, 1보다 큰 자연수 n에 대하여 a_n은 한 변의 길이가 a_{n-1}인 정육면체의 부피에 4를 곱하여 얻어진 수이다. 이때 첫째항부터 제5항까지의 곱 $a_1a_2a_3a_4a_5$의 값이 2^{358}일 때, a_6의 값을 구하시오.

3. 어떤 농구대회에 1, 2, 3, 4번 네 팀이 참가해 각 팀은 자기 팀을 제외한 다른 팀들과 모두 한 번씩 경기를 치르고 난 후, 순위를 정하기로 하였다. 두 팀 사이의 경기에서 한 팀이 이길 확률과 순위는 다음과 같이 정해진다.

- 모든 경기에서 무승부는 없다.
- 두 팀 사이의 모든 경기에서 한 팀이 이길 확률은 각각 $\frac{1}{2}$이고, 경기의 승패가 다른 경기의 승패에 영향을 미치지 않는다.
- 승리가 많을수록 더 높은 순위를 가지며, 승패가 같은 팀이 2팀 이상인 경우, 팀의 번호가 클수록 더 높은 순위를 갖는다.

모든 경기를 치른 후, 1번 팀이 4위가 될 확률을 구하시오.

1.

(1) 이차방정식의 근은 $x=-b\pm\sqrt{b^2-c}$이므로 실수인 중근을 가지는 조건은 $b^2-c=0$이다.

이때, 곡선 C와 정사각형 K의 윗변으로 둘러싸인 도형의 넓이 $a(r)$는

$$2r\sqrt{r}-\int_{-\sqrt{r}}^{\sqrt{r}}b^2\,db=2r\sqrt{r}-\frac{1}{3}b^3\Big|_{-\sqrt{r}}^{\sqrt{r}}=2r\sqrt{r}-\frac{2}{3}r\sqrt{r}=\frac{4}{3}r\sqrt{r}$$

이다. 따라서 구하고자 하는 $\dfrac{a(r)}{k(r)}$는 $\left(\dfrac{4}{3}r\sqrt{r}\right)/(4r^2)=\dfrac{1}{3\sqrt{r}}$이다.

(2) 극한값 $\lim_{r\to\infty}\frac{k(r)-a(r)}{k(r)}$은 $\lim_{r\to\infty}\left(1-\frac{a(r)}{k(r)}\right)=\lim_{r\to\infty}\left(1-\frac{1}{3\sqrt{r}}\right)=1$이 된다.

2. 주어진 조건에 의해 $a_n=4a_{n-1}^3$임을 알 수 있다. $x=a_1$이라고 두자.
그러면

$$a_2=4x^3,\ a_3=4(4x^3)^3=4^{1+3}x^9,$$
$$a_4=4(4^{1+3}x^9)^3=4^{1+3+9}x^{27},\quad a_5=4(4^{1+3+9}x^{27})^3=4^{1+3+9+27}x^{81}$$

이다.
등비수열의 합에 의해 $1+3+\cdots+3^n=\frac{3^{n+1}-1}{2}$임을 알 수 있다.
그러므로

$$\begin{aligned}a_1a_2a_3a_4a_5&=4^{1+(1+3)+(1+3+9)+(1+3+9+27)}x^{1+3+9+27+81}\\&=4^{1+4+13+40}x^{121}=4^{58}x^{121}=2^{116}x^{121}\end{aligned}$$

이다.
주어진 조건에 의해 $x^{121}=2^{358-116}=2^{242}$이고, $x=4$이다.
그러므로 $a_6=4(4^{1+3+9+27}x^{81})^3=4^{1+3+9+27+81}x^{243}=4^{364}=2^{728}$이다.

3.
우선 4개 팀이 참여하므로 이 대회에서 치러야 할 총 경기 수는 ${}_4C_2=6$경기이다. 따라서 1, 2, 3, 4번 팀이 거둘 수 있는 총 승수의 합은 6이다. 1번 팀은 번호가 작아 1번 팀보다 적은 승수를 기록한 팀만 없으면 이 팀은 4위를 차지하게 된다. 따라서 (i) 1번 팀이 0승을 거둔 경우, (ii) 1번 팀이 1승을 거두고 0승을 거둔 팀이 없는 경우 두 가지만 생각하면 된다. 1번 팀이 2승 이상을 거두게 되면 나머지 3팀이 가질 수 있는 승수의 합이 4이하이므로 적어도 한 팀은 1승 이하를 기록하게 된다. 따라서 고려 대상에서 제외된다. X를 1번 팀이 대회에서 거둔 승수라고 생각하면 이는 확률변수가 되고 이항분포 $B\left(3,\ \frac{1}{2}\right)$를 따르게 된다.
(i) 1번 팀이 0승으로 4위를 기록할 확률은

$$P(X=0)={}_3C_0\left(\frac{1}{2}\right)^0\left(\frac{1}{2}\right)^{3-0}=\left(\frac{1}{2}\right)^3=\frac{1}{8}=\frac{4}{32}$$

이다.
(ii) 1번 팀이 1승을 거두고 0승을 거둔 팀이 없을 확률을 구하기 위해 해당 상황에서 1번 팀에게 패배한 팀이 나머지 두 경기에서 거둔 승수를 Y라고 하자. 이는 확률변수가 되고 이항분포 $B\left(2,\ \frac{1}{2}\right)$를 따르게 된다. A를 1번 팀이 1승을 거둘 사건, B를 1번 팀에게 패배한 팀이 나머지 두 경기에서 1승 이상 거둘 사건이라고 한다면, 두 사건은 독립이므로

1번 팀이 1승을 거두고 0승을 거둔 팀이 없을 확률은 다음과 같이 구할 수 있다.

$$P(A\cap B)=P(A)P(B)=P(X=1)\{1-P(Y=0)\}$$

$$={}_3C_1\left(\frac{1}{2}\right)^1\left(\frac{1}{2}\right)^{3-1}\times\left\{1-{}_2C_0\left(\frac{1}{2}\right)^0\left(\frac{1}{2}\right)^{2-0}\right\}=\frac{3}{8}\times\frac{3}{4}=\frac{9}{32}.$$

따라서 1번 팀이 4위가 될 확률은 $\frac{4}{32}+\frac{9}{32}=\frac{13}{32}$이다.

6. 2023학년도 한양대 수시 논술 [인문계열 오후1]

[문제 1] (가)의 관점에서 (나)에 나타난 상황을 해석하고, (가)의 ㉠과 (나)의 ㉡, (다)의 ㉢이 정보를 대하는 태도에 대한 비교를 바탕으로 ⓐ의 질문에 답하는 글을 쓰시오. (1,200자, 100점)

<학생 예시답안 1>

(나)는 당시 프랑스의 반유대주의 신념에 따른 확증 편향으로 인해 개인이 무고하게 희생되고, 사회 전체가 혼란해지는 상황이 나타난다. 프랑스 언런에 의해 반유대주의 정서가 점차 확산되는 배경에서 군사법정과 수사관들은 자신들이 지닌 반유대주의적 신념과 일치하는 정보만을 선택적으로 받아들인다. 이는 정보를 선택하고 해석하는 과정에서 반유대 정서에 따른 확증 편향이 나타난 것이다. 법정에서 드레퓌스가 친독일적 행위를 일으켰다는 소문을 증거로 채택한 것 그리고 필적 감정에 일치 판정을 내린 한명의 의견만을 채택한 것은 외부의 다양한 정보들을 판단할 때 반유대적 신념에 부합하는 정보만을 수집하여 신속한 의사결정을 내리고자 한 것이다. 또한 재판의 과정과 결과 모두에 중대한 과실이 있었고, 이러한 사실이 밝혀졌음에도 군부는 이를 감추고자 하는 모습을 보인다. 이는 개인의 견해와 신염을 타당한 것으로 확신하고, 개인의 권위와 명예를 유지하려는 것으로 알 수 있다. 이처럼 개인과 단체의 합리화 그리고 확증편향으로 인해 무고한 개인이 희생되고 사회가 혼란해지는 결과가 발생한 것이다.

(가)의 '확증편향에 빠진 사람'은 정보를 선택하고 해석하는 과정에서 자신이 지닌 시념에 부합하는 정보만을 주관적으로 판단하는 태도를 지닌다. 반면 (나)의 '조르주 피카르 중령'은 자신이 지닌 신념과 일치하지 않는 정보들도 받다들이며 최대한 객관적인 태도로 정보를 판단하는 태도를 보인다. (다)의 '길에서 울고 있는 자'는 보여지는 것에 따라 어느 정보가 옳은 것인지 혼란을 느끼는 모습을 보인다. 그러나 자신의 지팡이를 믿고 발걸음을 신뢰하여 옳은 선택을 하게 된다. 이는 현대 사회에서 미디어가 발달하며 무분별한 정보의 생산으로 인해 혼란을 겪는 개인의 모습을 나타내는 것이다. 이처럼 현대 사회는 확증편향으로 인해 개인과 사회가 심각한 혼란의 문제를 겪게 된다. 우선 개인의 확증편향을 완하하기 위해 개인은 미디어를 이용할 때 개인의 신념에 부합하지 않는 정보도 수집을 하여 최대한 다양한 관점에서 정보를 파악하고자 노력해야 한다. 또한 정보가 객관적인 관점을 담고 있는 것인지 다양한 신념을 가진 이들과 소통하며 보다 객관적 태도에서 바라보아야 한다. 사회적 차원의 문제를 해결하기 위해 언론은 사회에서 발생하는 사건들을 다각도로 조명해야 한다. 또한 한 입장의 영향력으로 언론의 확산이 이루어지지 않아야 하며, 개인은 언론을 무조건적으로 신뢰하지 않고 객관적으로 판단해야 한다.

<학생 예시답안 2>

인간은 그 누구를 막론하고 본성적으로 확증 편향적 성향을 지닌다고 (가)는 말한다. 확증 편향적 태도는 개인적 차원, 사회적 차원 모두에서 문제를 야기한다. (나)의 드레퓌스의 사례는 그러한 문제점들을 여실히 보여준다. 당시 사회적으로 반유대적, 반독일적 신념 체계가 만연한 가운데 드레퓌스는 희생물이었다. 정확한 사실적 판단에 기반해 수사해야하는 수사관들 또 그것을 객관적으로 판단해야하는 법관들조차 확증 편향에 빠져 있었기 때문에 신념이나 사고 체계에 부합하지 않는 정보는 철저히 무시당하고 반대로 사고나 신념을 뒷받침해주는 정보는 사실과 무관하게 수용되었다. 그로 인해 단지 소문이나 필적과 같은 주관성이 많이 개입된 정보도 진위 여부에 대한 명확한 판단 없이 받아들여졌다. 이로써, 개인적 차원에서 확증 편향에 대한 희생자가 발생했던 것이다.

한편, 확증 편향의 문제점은 사회적 차원으로도 발생되었다. 시념 체계를 공유하던 국민들은 피카르 중령에 의해 과거의 오류가 시정되는 과정에서 가치 체계가 크게 흔들리며 사회적 혼란도 야기되었다. 이처럼 확증 편향적 태도는 개인적으로는 무고한 희생자를 발생시키고 사회적으로는 혼란을 가중한다는 점에서 경계가 요구된다.

(가)의 ㉠은 확증 편향적 태도에 빠진 사람으로서 신념에 부합하는 정보만 선택적으로 수집하고 편향적으로 해석하는 태도를 보인다. 이와달리 ㉡은 자신이 가지는 신념 체계에 부합하는 정보만 정당화하는 것이 아닌 사실에 근거하여 정보의 정확성과 객관성을 중시한다는 점에서 합리적 태도를 보여준다. ㉢은 새로운 정보에 대한 주체적 판단은 결여한 채 기존의 지각, 사고 체계에만 의존하는 수동적 태도를 보인다. 이런 태도는 특정한 판단 상황에서 정보를 선택하고 해석해야 할 때 확증 편향에 빠질 가능성이 높아 ㉠처럼 오류를 범할 수 있기에 각별히 주의해야 한다.

우리가 겪고 있는 개인적 사회적 확증 편향의 완화를 위한 방법으로는 두 가지가 있다. 첫째는 모든 정보의 선택과 판단에 앞서 성찰적 태도가 전제되어야 한다. 이는 자신의 정보의 선택과 해석 과정이 특정한 신념이나 가치체계에서 비롯된 것은 아닌지 점검하고, 오류 가능성을 낮춰준다. 둘째로 사회는 확증 편향을 방지하기 위해 역사적으로 왜곡된 이념이나 가치관 등을 바로 잡기 위해 교육 제도를 개편해야 하며, 특정 이념의 관점을 대변하는 여러 언론사의 여론 몰이나 사회적으로 영향력이 큰 가짜 뉴스에 대한 법적 규제를 강화하여 확증 편향을 바로 잡아야 한다.

7. 2023학년도 한양대 수시 논술 [인문계열 오후2]

[문 제] (가)에 기술된 선택의 문제를 (나)의 '압도의 원리'를 바탕으로 분석하고, (나)의 '최소극대화 원리'와 '최대극대화 원리' 중 하나에 의거하여 (가)의 '갑'의 입장에서 하나의 정책을 선택한 후, (다)를 활용하여 그 선택을 정당화하시오. (1,200자, 100점)

<학생 예시답안 1>

(가)에 제시된 선택의 문제는 갑이 파견된 외계 행성에서 A, B, C, D 중 하난를 맡게 될 것임을 알 뿐 어떤 역할을 맡을지는 모르는 상황에서 3가지 정채 중 하나를 선택해야 한다는 것이다. 이때 갑이 각 정책의 내용을 알고 있다는 점에서 (나)에 제시된 선택에 따

른 각 상황에서의 결과는 알지만 상황의 발생 확률은 모르는 을의 경우와 유사하다. 이 경우에서 갑이 합리적 선택을 하기 위해 압도의 원리를 적용해보자.. 압도의 원리란 갑, 을의 경우처럼 결과는 알지만 발생확률을 모를 시에 비합리적 선택을 피할 수 있게 해주는 원리로 합리적 선택에 근접할 수 있도록 개인의 선택을 도와준다. 이를 바탕으로 정책 Ⅰ, Ⅱ,Ⅲ을 살펴보면 정책 Ⅰ와 Ⅱ, 정책 Ⅱ와 Ⅲ은 각각 서로에게 어느 것도 다른 것에 의해 압도되지 않지만 정책 Ⅲ은 Ⅰ에 압도된다. 왜냐하면 한 상황에서 Ⅰ가 Ⅲ보다 더 좋은 결과를 가져오고 나머지 모든 상황에서도 같은 결과를 가져오기 때문이다. 따라서 갑은 비합리적 선택인 정책 Ⅲ을 제외한 정책 Ⅰ과 Ⅱ 중에서 선택을 내려야 하지만 둘 중 어떤 것을 고를지는 압도의 원리로 파악할 수 없다.

이렇게 압도의 원리를 바탕으로 비합리적 선택을 제외한 후 정책 Ⅰ와 Ⅱ 중 합리적 선택을 내리기 위해서는 아본의 원리와 같이 확률에 대한 정보가 부족한 경우 사용되는 최소극대화 원리와 최대 극대화 원리를 사용할 수 있다. 나는 갑이 최대극대화 원리에 의거하여 정책 Ⅱ를 선택할 것이라고 생각한다. 갑의 입장에서 최선의 결과는 최다 보상이 보장된 역할 D이기에 최선의 결과 중 특히 가장 많은 보상을 받을 수 있는 정책 Ⅱ가 원리에 부합하기 때문이다.

(다)에 나타난 합리적 선택은 선택지의 결과, 개인의 상황, 잔여 선택기회의 여부에 따라 수익성을 추구할지 안성성을 추구할지로 나뉨을 알 수 있다. 이러한 (다)에 비추어 갑의 선택을 살펴볼 때 먼저 갑은 어려운 임무를 맡아 파견되는 파견대의 일원이란 점에서 각 선택지들 즉, 각 역할의 어려움 정도나 위험성은 어느 정도 감수하고 있을 것이라 추론할 수 있다. 또한 더 많은 보상을 받을 역할을 정하고 나머지 역할의 보상에 대해서도 논의한다는 점에서 파견대원들 모두 합리적 선택시 수익성을 고려하고 있음을 알 수 있다. 만약 어떤 선택지가 보장되는 몫에 만족한다면 정책결정 논의에 참여하지도 않았을 수 있다. 마지막으로 갑이 선택한 역할을 중간에 바꿀 수 있는지의 여부는 알 수 없지만 외계행성을 개척할 정도의 기술력이 있는 국가의 파견대원이라면 이후에 충분히 또 다른 외계해성에 파견될가능성이 크기 때문에 갑에게는 선택의 기회가 남아있다 할 수 있다. 그러므로 갑은 최대극대화 원리에 의거한 정책 Ⅱ를 합리적으로 선택할 것이다.

<학생 예시답안 2>

외계 행성에 가게된 갑이 선택할 수 있는 세 개의 정책은 모두 D가 받을 보상이 제일 클 수 있도록 한다. 하지만 D가 가지게 될 보상의 크기나 다른 일원들에 대한 보상 정도가 모두 다르다. (나)를 바탕으로 세 정책을 비교해보면 정책 Ⅲ은 정책 Ⅰ에 압도되고 있음을 알 수 있다. 역할 A, B, C, D 모두 정책 Ⅲ보다 정책 Ⅰ에서 더 큰 보상, 즉 최선의 결과를 얻을 수 있기 때문이다. 만약 분배의 균등 정도에 초점을 맞춘다면 역할 D를 제외한 일원들에 대한 보상 정도가 동일한 정책 Ⅲ이 매력적일 것이지만, 압도의 원리에 따르면 정책 Ⅲ을 선택지에서 제외하는 것이 갑에게 있어 훨씬 더 합리적인 선택을 가져올 것이다.

정책 Ⅲ을 제외하고 남은 두 정책을 분석해보자. 정책 Ⅰ에서는 네 역할에 대한 보상의 총ㅎ바이 제일 클 뿐만 아니라 최소수혜자가 받게 될 보상 또한 110으로 가장 크다. 정책

Ⅱ는 최소수혜자에 대한 보상이 70으로 가장 적은 대신 최선의 결과, 즉 최대의 수혜를 받는 D의 보상이 190으로 가장 크다. 그렇다면 무엇이 갑에게 가장 합리적인 선택이 될 수 있을까

최소극대화의 원리에 따라 최악의 결과, 즉, 최소수혜자가 받는 보상이 최선인 정책 Ⅰ을 선택하는 것이 가장 합리적이다. (가)에서는 현재 파견대원들이 각자 어느 역할을 맡게 될지 모르는 우연성에 놓여 있다. 즉, 운이 좋은 대원은 D를 맡겠지만 운이 나쁘다는 이유만으로 가장 적은 보상을 받는 역할을 맡게 될 수 있다. 따라서 (다)에서 언급하듯이 운에 따른 불평등을 최소화하여 불리함을 완화해야 한다. 우선, 대원들을 외계행성에서 잠시 생활할 경우 어느 정도의 수혜가 그곳에서 견딜 만하게 해줄 것인지에 대해 아무 경험이 없기에 알 수 없다. 즉, 최악의 결과들이 모두 견딜만한 지에 대한 판단이 불가능하다는 것이다. 따라서 최악의 결과를 비교하는 최소극대화의 원리에 따라 어려운 결과의 확률을 낮출 정책 Ⅰ을 선택해야 한다. 다음으로 (가)에서 제시되었듯이 대원들은 큰돈을 얻기 위한 것이 아니라 임무 수행을 위해 외계 행성에 가는 것이다. 따라서 최선의 결과보다는 최악의 결과에 초점을 맞추어 불운에 대한 불평등을 줄일 것이다. 마지막으로 대원들에게 유사한 선택의 기회가 또 올 것인지는 누구도 알 수 없다. 당장 앞에 놓인 정책 선택 기회가 단 한번이라는 생각에 최악의 결과에 관심을 가질 것이다. 따라서 갑은 최소극대화의 원리에 따라 정책 Ⅰ을 선택해야 한다.

8. 2023학년도 한양대 수시 논술 [상경계열]

[문제 1] (가)에 제시된 실험 결과 중 (나)의 '갑의 주장'에 의해 잘 설명되는 부분과 그렇지 않은 부분을 각각 밝히고, (다)의 '을의 강연'을 추가적으로 활용하여 (가)의 실험 결과를 종합적으로 해석하시오. (600자, 50점)

<학생 예시답안 1>

(나)의 '갑의 주장'에 따르면 인간은 합리적 존재이기에 부정행위시의 편익과 비용을 저울질하여 부정행위를 저지를지의 여부와 정도를 결정한다. 이것은 부정행위가 적발되기 어려운 상황인 <실험 1>의 집단과 <실험 2>의 집단에서 부정행위가 일어난 이유를 잘 설명한다. 그러나 <실험 1>에서 상금이 늘어나 편익이 증가했음에도 부정행위의 정도가 변함없거나 감소한 점, <실험 2>에서 두 번째 집단이 첫 번째 집단에 비해 부정행위 발각 가능성이 낮고 가져갈 수 있는 편익이 더 큼에도 불구하고 두 집단의 부정행위 정도는 같았던 점은 '갑의 주장'에 의해 잘 설명되지 않는다. 이러한 (가)의 실험 결과는 (다)의 '을의 강연'에 의해 설명될 수 있다. (다)에 따르면 인간은 도덕과 욕망이 갈등할 때 자신의 자아이미지를 훼손하지 않는 범위에서 욕망을 충족하려고 한다. 이를 통해 참가자들은 각 실험에서 편익의 크기나 비용을 고려하여 행동하기도 하지만, 결정적으로 자신의 자아에 바장을 한 기준선을 고려하여 행동함을 알 수 있다. <실험 1>, <실험 2>에서 환경이 바뀌었음에도 대부분의 상황에서 참가자들이 평균적으로 6문제를 보고한 것도 다수의 사람들이 2문제 정도의 부정행위를 부정행위 정도의 기준선으로 생각하기 때문이라고 이해할 수 있다.

<학생 예시답안 2>

(나)에서 갑은 인간은 도덕적, 사회적 고려 없이 경제적 편익과 비용만을 고려하는 합리적 존재라고 말한다. 이는 실험 1과 실험 2에서 부정행위가 가능해지자 다수의 참가자들이 더 많은 보상을 위해 부정행위로 행하는 결과를 잘 설명한다. 하지만, 인간의 선택은 편익과 비용의 계산에 의해서만 일어난다는 갑의 주장은 실험 1과 2의 나머지 결과를 잘 설명하지 못한다. 실험1의 추가 실험에서는 상금을 늘려 편익을 높이는 방식으로 실험 2에서는 답안지를 반만 파쇄하거나 아예 정답 개수 보고도 없애 부정행위 발각 가능성을 높이거나 낮춰 비용에 변화를 주는 방식으로도 부정행위의 정도는 변하지 않았기 때문이다.

(다)에서 을은 사람들이 자아 이미지를 훼손하지 않는 한도내에서 부정의 기준선을 마련한다고 말한다. 이를 (가)의 실험결과에 적용한다면 사람들이 마련한 자아 이미지를 훼손하지 않는 기준선은 평균 두 문제 정도의 이득이다. 사람들은 부정행위로 이득을 취할 수 있는 상황이 되자 두 문제 어치의 이득이라는 한도 내에서 최대한의 이득을 보려 하였으므로 적발 확률의 변동에도 부정행위의 정도는 변하지 않았고 상금이 매우 커져 부정행위의 이득이 너무 커지자 자아 이미지를 보호하기 위해 부정행위를 줄였다고 해석이 가능하다.

[문제 2] 다음 물음에 답하시오. (50점)

1. 주머니 A에는 숫자 1, 1, 2, 3, 4, 5, 5 가 하나씩 적혀 있는 7개의 공이 들어 있고, 주머니 B에는 숫자 -1, -1, 0, 1, 2, 3, 3이 하나씩 적혀 있는 7개의 공이 들어 있다. 주머니 A에서 임의로 공을 한 개씩 꺼내어 공에 적힌 수를 확인하고 다시 주머니 A에 넣는 시행을 4번 반복하고, 주머니 B에서 임의로 공을 한 개씩 꺼내어 공에 적힌 수를 확인하고 다시 주머니 B에 넣는 시행을 4번 반복할 때, 주머니 A와 B에서 꺼낸 공 8개에 적혀 있는 수의 평균을 W라 하자. 확률변수 W의 평균 $E(W)$와 분산 $V(W)$의 값을 구하고, $E\left(\frac{5}{2}W-1\right) < n < \frac{2521}{V(-28W+10)}$을 만족시키는 짝수인 자연수 n의 개수를 구하시오.

주머니 A에서 꺼낸 공에 적혀 있는 수에서 2를 뺀 수인 확률변수와 주머니 B에서 꺼낸 공에 적혀 있는 수인 확률변수는 동일한 확률분포를 갖는다. 따라서 주머니 A 에서 임의로 1개의 공을 꺼내는 시행을 8번 할 때, 나온 수를 $Z_1, Z_2, Z_3, Z_4, Z_5, Z_6, Z_7, Z_8$라 하면

$$W = \frac{Z_1 + Z_2 + Z_3 + Z_4 + (Z_5 - 2) + (Z_6 - 2) + (Z_7 - 2) + (Z_8 - 2)}{8}$$
$$= \frac{Z_1 + Z_2 + Z_3 + Z_4 + Z_5 + Z_6 + Z_7 + Z_8}{8} - 1$$

이다. 주머니 A 에서 임의로 1개의 공을 꺼낼 때 공에 적혀 있는 수를 확률변수 X라 하자. X의 확률분포를 표로 나타내면 다음과 같다.

X	1	2	3	4	5	합 계
$\mathrm{P}(X=x)$	$\frac{2}{7}$	$\frac{1}{7}$	$\frac{1}{7}$	$\frac{1}{7}$	$\frac{2}{7}$	1

X의 평균과 분산은 $\mathrm{E}(X)=\dfrac{1\times2+2\times1+3\times1+4\times1+5\times2}{7}=3$,

$\mathrm{V}(X)=\mathrm{E}(X^2)-\{\mathrm{E}(X)\}^2=\dfrac{1^2\times2+2^2\times1+3^2\times1+4^2\times1+5^2\times2}{7}-3^2=\dfrac{18}{7}$ **이다.**

$$\bar{Z}=\frac{Z_1+Z_2+Z_3+Z_4+Z_5+Z_6+Z_7+Z_8}{8}$$

라고 하면

$$\mathrm{E}(\bar{Z})=\mathrm{E}(X)=3,\quad \mathrm{V}(\bar{Z})=\frac{\mathrm{V}(X)}{8}=\frac{9}{28}$$

이다. 따라서 확률변수 W의 평균과 분산은 각각

$$\mathrm{E}(W)=\mathrm{E}(\bar{Z}-1)=\mathrm{E}(\bar{Z})-1=2,\quad \mathrm{V}(W)=\mathrm{V}(\bar{Z}-1)=\mathrm{V}(\bar{Z})=\frac{9}{28}$$

이다. 또한

$$\mathrm{E}\left(\frac{5}{2}W-1\right)=4,\quad \frac{2521}{\mathrm{V}(-28W+10)}=\frac{2521}{(-28)^2\ \mathrm{V}(W)}=\frac{2521}{252}$$

이므로

$$4<n<\frac{2521}{252}$$

을 만족시키는 자연수 n은 5, 6, 78, 910**이고 그 중 짝수인 자연수 n의 개수는** 3**이다.**

답 : 평균 2, **분산** $\frac{9}{28}$, 3

2\. 한 바둑기사가 인공지능 바둑 프로그램과 연속으로 5차례 대국을 한다. 바둑기사가 k번째 대국에서 이길 확률은 $\frac{1}{k}$이고, 연속되는 두 대국에서 연달아 이길 때마다 상금으로 720만 원을 받는다.

예를 들어 바둑기사가 1, 2, 3번째 대국에서만 이겼다면 총 상금은 1440만 원이다.

바둑기사가 받을 수 있는 총 상금의 기댓값을 구하시오.

(단, 각각의 대국에서 바둑기사가 이기는 사건은 서로 독립이다.)

1**번째 대국에서는 바둑기사가 이길 확률이** 1**이므로** 2**번째부터** 5**번째까지 대국 결과를 살펴보면 총** 16**가지의 경우가 있다. 대국 결과와 상금을 받는 횟수, 확률을 표로 정리하면 다음과 같다. 대국 결과에서 이기는 경우와 지는 경우는 각각** O**와 X로 나타낸다.**

대국 결과	상금을 받는 횟수	확률	대국 결과	상금을 받는 횟수	확률
OOOOO	4	$\frac{1}{2}\times\frac{1}{3}\times\frac{1}{4}$	OXOOO	2	$\frac{1}{2}\times\frac{1}{3}\times\frac{1}{4}\times\frac{1}{5}=\frac{1}{120}$

OOOOX	3	$\frac{1}{2}\times\frac{1}{3}\times\frac{1}{4}$	OXOOX	1	$\frac{1}{2}\times\frac{1}{3}\times\frac{1}{4}\times\frac{4}{5}=\frac{4}{120}$
OOOXO	2	$\frac{1}{2}\times\frac{1}{3}\times\frac{3}{4}$	OXOXO	0	$\frac{1}{2}\times\frac{1}{3}\times\frac{3}{4}\times\frac{1}{5}=\frac{3}{120}$
OOOXX	2	$\frac{1}{2}\times\frac{1}{3}\times\frac{3}{4}$	OXOXX	0	$\frac{1}{2}\times\frac{1}{3}\times\frac{3}{4}\times\frac{4}{5}=\frac{12}{120}$
OOXOO	2	$\frac{1}{2}\times\frac{2}{3}\times\frac{1}{4}$	OXXOO	1	$\frac{1}{2}\times\frac{2}{3}\times\frac{1}{4}\times\frac{1}{5}=\frac{2}{120}$
OOXOX	1	$\frac{1}{2}\times\frac{2}{3}\times\frac{1}{4}$	OXXOX	0	$\frac{1}{2}\times\frac{2}{3}\times\frac{1}{4}\times\frac{4}{5}=\frac{8}{120}$
OOXXO	1	$\frac{1}{2}\times\frac{2}{3}\times\frac{3}{4}$	OXXXO	0	$\frac{1}{2}\times\frac{2}{3}\times\frac{3}{4}\times\frac{1}{5}=\frac{6}{120}$
OOXXX	1	$\frac{1}{2}\times\frac{2}{3}\times\frac{3}{4}$	OXXXX	0	$\frac{1}{2}\times\frac{2}{3}\times\frac{3}{4}\times\frac{4}{5}=\frac{24}{120}$

상금을 받는 횟수를 확률변수 X라고 하면 X의 확률분포는 다음과 같다.

X	0	1	2	3	4
$P(X=x)$	$\frac{53}{120}$	$\frac{44}{120}$	$\frac{18}{120}$	$\frac{4}{120}$	$\frac{1}{120}$

X의 기댓값 $\mathrm{E}(X)=1\times\frac{44}{120}+2\times\frac{18}{120}+3\times\frac{4}{120}+4\times\frac{1}{120}=\frac{96}{120}=\frac{4}{5}$ **이므로 총 상금의 기댓값은** $720\times\frac{4}{5}=576$**만 원이다.**

답 : 576만 원

3. $n\geq 3$인 자연수 n에 대하여, 세 변의 길이가 각각 $n-1$, n, $n+1$인 삼각형의 외접원의 넓이를 S_n이라 할 때, S_n을 n에 대한 식으로 나타내고 이를 이용하여 극한값 $\lim_{n\to\infty}\frac{S_n}{n^2}$을 구하시오.

오른쪽 그림의 삼각형 ABC**에서 코사인법칙에 의해**

$$n^2=(n+1)^2+(n-1)^2-2(n+1)(n-1)\cos\alpha$$

이고, 정리하면

$$\cos\alpha=\frac{n^2+2}{2(n^2-1)}$$

이다. 한편 삼각형 OBH**에서** $R\sin\alpha=\frac{n}{2}$**, 따라서**

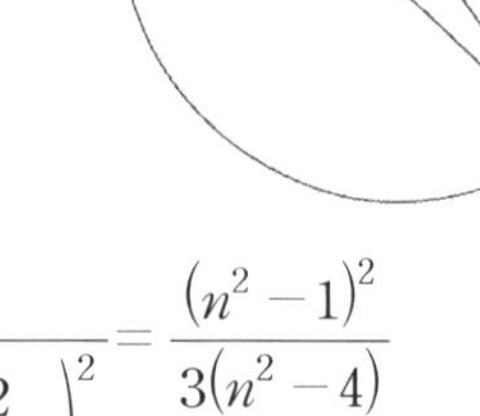

$$R^2=\frac{n^2}{4}\frac{1}{\sin^2\alpha}=\frac{n^2}{4}\frac{1}{1-\cos^2\alpha}=\frac{n^2}{4}\frac{1}{1-\left(\frac{n^2+2}{2(n^2-1)}\right)^2}=\frac{(n^2-1)^2}{3(n^2-4)}$$

이다. 외접원의 넓이는 $S_n=\pi R^2$**이므로**

$$\frac{S_n}{n^2} = \frac{(n^2-1)^2}{3n^2(n^2-4)}\pi$$

이다. 함수 $f(x) = \frac{(x^2-1)^2}{3x^2(x^2-4)}$**에 대하여,** $\lim_{x \to \infty} f(x) = \lim_{x \to \infty} \frac{(x^2-1)^2}{3x^2(x^2-4)} = \frac{1}{3}$**이므로,**

구하는 극한값은 $\frac{\pi}{3}$**이다**

답 : $\frac{\pi}{3}$

9. 2023학년도 한양대 모의 논술 [인문계열]

[문 제] (가)와 (나)에서 긍정적으로 강조하는 '윤리'와 '정체성'의 의미를 각각 설명하고, (다)의 사례를 활용하여 ㉡의 입장에서 ㉠을 비판적으로 서술하시오.(1200자, 100점)

<학생 예시답안 1>

제시문 <가>에 나타나는 윤리의 의미는 자신의 행위에 책임을 지는 책임의 윤리이다. 이때 책임이란 행위자의 행위에 대해 책임소재가 분명하고 밀접한 인과관계가 있는 결과에 대한 책임만을 의미하지 않는다. 제시문 <가>가 긍정적으로 강조하는 윤리는 행위에 대한 직접적 결과인 사후적 책임을 지는 것이 아닌 행위의 결과와 직접적 관련이 없더라도 그 행위가 앞으로 불러일이킬 사태에 관한 책임을 지는 것을 의미한다. 이러한 책임의 대상은 행위자 밖에 놓여있지만 행위자의 권력 작용범위에 해당하는 것이고 그 까닭에 제시문 <가>에서는 이를 오늘날 필요한 책임의 윤리라고 논한다.

제시문 <나>가 긍정적으로 강조하는 정체성은 자기 진실성의 요구들을 전제했을 때 나타난다. 이러한 진설성의 요구들은 삶에 의미가 있는 것으로 사람들이 도덕적 이상을 실현하기 위한 조건이 된다. 이상추구를 포기해 자신 속의 것을 제외한 나머지를 모두 배제한다면 자기 스스로가 윤리적으로 옳지않게 될 수 있으나 자신을 넘어선 영역에서 오는 요구들을 전제로 둔다면 사람들은 자신의 정체성을 스스로 결정할 수 있게 된다. 따라서 제시문 <나>가 긍정적으로 강조하는 정체성이란 삶에 의미 있는 것들을 전제에 둔 진부하지 않은 정체성이다.

제시문 <다>의 화자는 사람이 오는 것에 큰 의미를 두며 그 사람 자체에만 중심을 두지 않고 그의 과거, 현재, 미래 모두에 관심를 둔다. 이때 오는 사람의 과거, 현재, 미래는 제시문 <나>의 도덕적 이상실현의 조건이 되는 삶에 의미가 있는 것들이라고 볼 수 있다. 사람의 일생 전제에 관심을 두는

화자는 자기가 바람을 흉내 내어 일생동안 부서지기도 했을 사람의 마음을 더듬어 주는 것은 도덕적 이상을 실현하는 행위이고 결국 환대라는 긍정적인 결과를 낳게 된다. 한편 제시문 <다>의 사례에서 낡은 의미 책임만을 중시한다면 오는 사람의 일생 전체를 고려하지 않아 일생동안 생겼을지도 모를 상처를 더듬어주지 못한다. 상처를 치유받지 못한 사람은 남은 일생동안 그 상처를 계속 간직할 수밖에 없다. 이는 화자 자신에게도 부정적인 결과

를 초래하는데, 도덕적 이상을 실현하지 못해 윤리적으로 옳지 못하고 자신만을 중시해 결국 자기 정체성을 유의미하게 만들지 못한다. 따라서 자기 진실성의 요구 전제를 중시하는 입장에서 자신의 행위에 대한 책임만을 지는 낡은 의미의 책임은 옳지 않다.

<학생 예시답안 2>

(가)에서 긍정적으로 강조하는 윤리는 책임의 윤리이다. 책임의 윤리란 내가 어떠한 일을 일으킬 힘을 가지고 있다면, 그 일을 행하기 전에 나로 인해 미래에 영향을 받을 모든 대상을 고려하고 이러한 영향에 대해 책임감을 가지는 태도라고 할 수 있다. 이는 아무런 생각 없이 일을 저지르고 이로 인한 피해에 대해서만 책임을 지는 것과는 다르다고 할 수 있다. (가)에서 긍정적으로 강조하는 정체성은 책임자로서의 정체성이라 할 수 있다. 책임자로서의 정체성은 자신이 힘을 가지고 있음을 인지하고, 이에 따라 다른 존재에게 영향을 끼칠 수 있음을 인지하여, 자기 행동을 스스로 반성할 수 있는 행위자 정체성이라고 할 수 있다.

(나)에서 긍정적으로 강조하는 윤리는 자기 진실성의 윤리이다. 자기 진실성의 윤리란 스스로에 대해 진실하며, 자신의 삶에 의미가 있는 자신 이외의 것들을 중요시 하는 태도라고 할 수 있다. 그렇기에 자기 진실의 윤리를 가진 사람은 나 이외의 다른 사람들과의 연대와 유대와 같은 사항을 중요시한다고 할 수 있다. (나)에서 긍정적으로 강조하는 정체성은 자기 진실적 정체성이라고 할 수 있다. 자기 진실적 정체성이란 자신의 존재만을 강조하고 자신 외의 존재는 고려하지 않는 자기중심적인 생각이 아닌, 나를 비롯한 내 주변의 수많은 인과관계를 모두 고려해 그것을 배경으로 도출해낸 나 스스로에 대한 생각이라고 할 수 있다.

㉠의 낡은 의미의 책임은 과거의 행위에 대해 나의 책임이 분명하고 원인과 결과에 분명한 인과관계가 있을 때 이에 대해 책임을 지고 피해를 보상하는 것을 의미한다. ㉡의 자기 진실성의 요구의 입장은 스스로에게 진실할 것을 강조하며 자신 이외 존재의 요구를 수용할 것을 강조하는 입장이다. 따라서 ㉡의 입장에서는, (다)에서 사람들 대할 때 그의 과거와 미래, 일생, 마음 등 그에 대한 여러 가지 사항을 복합적으로 고려하는 것처럼, 타인을 대할 때 그에 대한 복합적인 책임을 져야 함을 강조한다고 할 수 있다. 하지만 ㉠에서는 ㉡과 다르게 사람들 대할 때 그가 어떤 사람인지 고려하는 것은 중요시하지 않으며, 오직 자신이 타인에게 피해를 줬을 때 그에 대해서 책임을 지는 것만을 강조한다. 그렇기에 ㉡의 입장에선 ㉠을, 다른 사람과 나 사이의 관계, 그리고 그가 어떤 사람인지를 복합적으로 고려해야 함을 간과하고 오직 이미 지나간 자신의 행위에 대해 책임지는 것만을 강조한다고 비판할 수 있다.

10. 2023학년도 한양대 모의 논술 [상경계열]

[문 제 1] (가)에 제시된 개념에 근거하여 (나)에서 자라와 토끼 간, 토끼와 용왕 간의 두 가지 거래를 분석한 후, 전자의 상황에서 토끼가, 후자의 상황에서 용왕이 취했어야 할 바람직한 대응 전략을 재화나 서비스의 공급과 소비의 상황에 대입하여 각각 서술하시오. (600자, 50점)

<학생 예시답안 1>

제시문에 나타난 자라와 토끼 간 거래에서 용왕의 병을 치료하려면 토끼의 간이 필요하다는 정보를 알고 있고 수중에 가면 막대한 보상을 주겠다는 거짓 정보를 고한 자라가 정보 우위에 놓여 있다. 토끼는 이 거래에서 자라가 자신에게 원하는 것이 무엇인지 알지 못했으므로 정보 열위에 놓여 있다. 이 상황에서 토끼는 자라의 재화나 서비스의 공급에 따라 자신은 무엇을 소비해야 하는지 명확히 확인하고 거래 진행 여부를 결정했어야 했다. 그리고 토끼가 이 거래를 선택하는 입장에서 거래를 거부할 수 있다는 선택의 우위를 이용하여 정보의 비대칭성을 타파할 수 있다. 이에 비해 토끼와 용왕 간의 거래는 자신의 간에 대한 부적합한 정보를 고한 토끼가 정보 우위에 놓여 있고 토끼의 정보의 진위 여부를 파악하지 못한 용왕이 정보 열위에 놓여있다. 이 상황에서 토끼는 자신을 육지로 보내주면 간을 가져오겠다는 거래를 제안하는데 용왕은 거래를 승낙하기 전 토끼의 정보가 진실인지 파악하고 재화의 상태를 본 다음 거래를 진행했어야 했다. 그리고 용왕은 토끼에게 재화 공급을 받아야 하는 입장이고 정보 열위에 놓여있지만 수궁이라는 공간에서 지위를 이용하여 정보를 추가 요구할 수 있다.

<학생 예시답안 2>

(나)에서 자라와 토끼 간의 거래는 자라가 정보 우위에 있고 토끼가 정보 열위에 있다. 또한, 토끼와 용왕의 거래에서 토끼가 정보 우위에 있고 용왕은 정보 열위에 있다.

전자의 상황에서 토끼는 수궁에 대한 정보의 질을 확인했어야 한다. 재화나 서비스의 공급은 거북이의 거짓된 정보로 많았다. 토끼의 니즈를 파악한 거북이가 거짓된 정보를 제공하여 결국 토끼는 넘어가게 된 것이다. 이는 소비자의 정보 열위가 공급자에게 유리하게 미친 상황이다. 토끼는 자신의 욕망을 위하여 객관적인 정보에 대한 판단없이 도덕적 해이로 인해서 자라를 따라갔다. 토끼는 정보의 사실성을 보장받기 위해 수중에서의 풍경이나 용왕의 토끼에 대한 벼슬을 준다는 확인서를 요구하여야 한다.

후자의 상황에서 용왕은 정보의 사실성을 확인했어야 한다. 재화나 서비스의 공급은 토끼의 양이 적도 불확실한 정보이다. 용왕이 토끼에 대한 확실한 정보가 없었기 때문에 토끼를 보내준 것이다. 이는 소비자의 정보 열위로 인하여 소비의 상황이 공급자에게 유리하게 적용되는 것으로 볼 수 있다. 소비자의 많지 않은 정보에 공급자를 믿을 수 밖에 없던 상황이다. 용왕은 다른 자리를 보내 좀 더 확실한 토끼 간을 빼다 넣었다 할 수 있는지에 대한 확인을 했어야 했다.

[문제 2번] 다음 제시문을 읽고 물음에 답하시오. (50점)

1. 정육면체의 여섯 면에 1부터 6까지의 숫자를 하나씩 적어 주사위를 만들고, 이 주사위를 던져서 나온 숫자와 그 정 반대편 면에 적힌 숫자의 합을 확률변수 X라 정의한다. 즉, 확률변수 X의 분포는 주사위 숫자의 배치에 따라 달라질 수 있다. 이 때 X의 분산이 가질 수 있는 최댓값을 구하여라.

1부터 6까지의 숫자를 3개의 순서쌍으로 나누어 (a_1, a_2), (a_3, a_4), (a_5, a_6)라 하고, 각각의 순서쌍을 서로 마주보는 면에 적는다고 가정하자. 그러면 X의 기댓값은

$$\frac{(a_1+a_2+a_3+a_4+a_5+a_6)}{3}=7$$

로 항상 일정하게 됨을 알 수 있다. 따라서 X의 분산은

$$\frac{(a_1+a_2-7)^2+(a_3+a_4-7)^2+(a_5+a_6-7)^2}{3}$$

이 되는데, 이를 계산해 보면

$$\frac{1}{3}\left[(a_1+a_2-7)^2+(a_3+a_4-7)^2+(a_5+a_6-7)^2\right]$$

$$=\frac{1}{3}\sum_{i=1}^{6}a_i^2+\frac{2}{3}(a_1a_2+a_3a_4+a_5a_6)-\frac{14}{3}\sum_{i=1}^{6}a_i+49$$

를 얻는다. 여기서 $\sum_{i=1}^{6}a_i^2=91$, $\sum_{i=1}^{6}a_i=21$로 고정이므로 $a_1a_2+a_3a_4+a_5a_6$의 최댓값을 구하면 되는데, 경우를 나누어 생각하면 각각의 $a_i=i$일 때 44가 최댓값임을 알 수 있다.

따라서 분산의 최댓값은 $\frac{32}{3}$이다.

2\. 연속확률변수 X가 갖는 값의 범위는 $0 \le X \le 6$이고 확률변수 X의 확률밀도함수 $f(x)$가 다음 조건을 만족시킬 때, $P(1.5 \le X \le 6)$의 값은?

(가) 0이 아닌 상수 a에 대하여 $0 \le x \le 2$일 때, $f(x)=a|x-1|-a$이다.

(나) $2 \le x \le 4$인 모든 실수 x에 대하여 $f(x)=\frac{1}{3}f(4-x)$이다.

(다) $4 \le x \le 6$인 모든 실수 x에 대하여 $f(x)=2f(6-x)$이다.

확률밀도함수는 항상 0보다 크거나 같으므로 $a \le 0$임을 알 수 있다. 조건 (가)에서 $f(0)=f(2)=0$이고, 조건 (나)에서 $f(x)=\frac{1}{3}f(4-x)$이므로 함수 $y=f(x)$의 그래프의 $2 \le x \le 4$인 부분은 $0 \le x \le 2$인 부분을 y축에 대하여 대칭 이동한 후 x축의 방향으로 4만큼 평행 이동한 다음 함숫값을 $\frac{1}{3}$배 한 것이다. 마찬가지로 조건 (다)에서 $f(x)=2f(6-x)$이므로 $y=f(x)$의 그래프의 $4 \le x \le 6$인 부분은 $0 \le x \le 2$인 부분을 y축에 대하여 대칭이동한 후 x축의 방향으로 6만큼 평행 이동한 다음 함숫값을 2배 한 것이다. 따라서 확률밀도함수 $y=f(x)$의 그래프는 다음과 같다.

이때 확률밀도함수 $y=f(x)$의 그래프와 x축으로 둘러싸인 부분의 넓이는 1이므로

$$\frac{1}{2}\times2\times(-a)+\frac{1}{2}\times2\times\left(-\frac{a}{3}\right)+\frac{1}{2}\times2\times(-2a)=1$$

에서

$$a=-\frac{3}{10}=-0.3$$

이다. 따라서 $0 \le x \le 2$일 때, $f(x)=-0.3|x-1|+0.3$이므로

$$\begin{aligned}P(1.5 \le X \le 6) &= P(1.5 \le X \le 2) + P(2 \le X \le 4) + P(4 \le X \le 6) \\ &= \frac{1}{2} \times \frac{1}{2} \times \frac{3}{20} + \frac{1}{2} \times 2 \times \frac{1}{10} + \frac{1}{2} \times 2 \times \frac{3}{5} \\ &= \frac{59}{80}\end{aligned}$$

3. 3022개의 항아리가 있고 각 항아리에는 r 개의 빨간 공과 b 개의 파란 공이 담겨있다고 가정하자. 첫 번째 항아리에서 공 한 개가 무작위로 선택되어 두 번째 항아리로 옮겨지고, 그 후 두 번째 항아리에서 공 한 개가 무작위로 선택되어 세 번째 항아리로 옮겨지는 과정이 순차적으로 이루어진다. 최종적으로 2022번째 항아리에서 공 한 개가 무작위로 선택될 때 이 공이 빨간 공일 확률은 무엇인가?

사실 구하고자 하는 확률은 모든 $i=1,\ \dots,\ 2022$에 대하여 i번째 항아리에서 무작위로 뽑은 한 개의 공이 빨간색일 확률과 동일하고 이는 수학적 귀납법을 사용하여 증명할 수 있다.

우선 A_i는 i번째 항아리에서 빨간 공을 뽑은 사건이라고 하자 ($i=1,\ \dots,\ 2022$). 그러면 수학적 귀납법을 통해 다음이 성립한다.

1) $i=1$**일 때,** $P(A_1)=\frac{r}{r+b}$**임을 손쉽게 알 수 있다.**

2) $i=n$**일 때,** $P(A_n)=\frac{r}{r+b}$**임을 가정한다.**

3) $i=n+1$**일 때, 조건부 확률을 이용하면 다음을 얻을 수 있다.**

$$\begin{aligned}P(A_{n+1}) &= P(A_{n+1} \cap A_n) + P(A_{n+1} \cap A_n^c) \\ &= P(A_{n+1}|A_n) \times P(A_n) + P(A_{n+1}|A_n^c) \times P(A_n^c) \\ &= \frac{r+1}{r+b+1} \times \frac{r}{r+b} + \frac{r}{r+b+1} \times \frac{b}{r+b} \\ &= \frac{r(r+b+1)}{(r+b+1)(r+b)} = \frac{r}{r+b}\end{aligned}$$

따라서 모든 $i=1,\ \dots,\ 2022$에 대하여 $P(A_i)=\frac{r}{r+b}$임을 알 수 있고 찾고자 하는 확률은 $P(A_{2022})=\frac{r}{r+b}$이다.

11. 2022학년도 한양대 수시 논술 [인문계열 오후1]

[문제] (가)의 ㉠을 갖춘 유권자라면 (나)의 밑줄 친 '빨간 버스의 구호'를 보고 어떤 질문들을 할지 구체적으로 설명한 후, (다)의 국가 A, B가 처한 ㉡의 문제를 각각 분석하고 해결책을 제안하시오. (1200자, 100점)

<학생 예시답안 1>

제시문 (가)는 정보를 다면적이고 심층적으로 해석하는 능력인 리터러시를 강조한다. 세상을 능동적으로 해석하는 과정인 리터러시는 피상적이고 수동적인 객체로의 읽기인 정신

의 관료화를 경계하고, 능동적인 문제 해결과 미래에 대해 논할 때 가치가 발현된다. 타당성 신뢰성 등이 결여된 정보의 홍수 속에서 리터러시는 나날이 중요해지고 있다. 문제는 리터러시 개념으로 인해 대두된 사회적 격차이다. 개인이 처한 사회적, 문화적, 경제적 환경과 이로 인한 학습 접근성의 차이가 리터러시 격차를 낳은 것이다. 사회와 미래의 발전을 위해서라도 우리가 당연한 이 공통의 문제를 해결하기 위한 노력의 필요성을 제시문 (가)는 주장한다.

제시문 (나)는 리터러시가 부족한 영국 대중들이 가짜 뉴스에 선동당한 빨간 버스 구호 사건을 예로 리터러시의 중요성을 시사한다. 당시 영국이 EU에 매주 3억 5천만 파운드를 송금한 것은 사실이지만 빨간 버서의 구호는 영국이 EU로부터 약 절반 가량의 금액을 돌려받는다는 사실을 의도적으로 누락함으로 인해 영국 보수당 자신들의 정치적 목적을 실현하기 위하여 허위 정보로 대중들을 현혹했다. 리터러시를 갖춘 유권자라면 '정보의 출처는 어디이며 이 정보는 그 자체로 믿을만 한가?'등의 질문을 할 것이다. 정보의 출처가 보수당임을 알게된 후에는 '혹시 정치적 목적으로 허위 정보를 생산한 것은 아닐까?'하고 정보를 심층적 시각에서 바라보며 타당성, 신뢰성 등을 고려하고 정보에 대해 의문을 가질 것이다.

제시문 (다)의 국가 A는 만 15세 학생들의 읽기 평균 점수가 꾸준히 하락하고 있으며 리터러시가 가능한 학생들의 비율이 감소함을 지적한다. 이를 해결하기 위해서는 학교와 교육 기관에서 리터러시를 신장하기 위한 '정보의 비판적 수용과 정보의 종합적 및 심층적 해석을 위한 다각적 사고'에 대한 교육을 확대하고 정부가 이를 뒷받침해야 한다. 가령, 코로나 19에 관한 여러 정보들 중 허위 정보 구분하기, 팬데믹이라는 상황을 사회적, 문화적, 경제적 관점에서 바라보고 자신의 의견 종합하기가 있다. 국가 B는 중학교 3학년 학생들의 읽기 평균 점수가 일반 학생은 유창에 가까운 반면, 저소득층 학생은 기초보다 조금 높은 선에 머물고 있는 상황을 보여준다. 전체 평균 점수는 비교적 260점 재로 유지되고 있지만, 일반과 저소득층 학생 간 평균 점수 격차도 여전하다. 이를 해결하기 위해서는 경제적 격차와 이로 인한 리터러시 격차를 줄이고자 하는 우리 사회의 노력이 필요하다. 가령, 저소득층 교육비 지원을 통한 부담 완화, 교육 접근성 확대 등이 있다.

<학생 예시답안 2>

리터러시란 인간이 정보를 습득하고 분석, 재구성하는 문해력을 실현하고 이를 사회에 주체적으로 적용, 공유하는 능력으로 공동체적 사회 변혁의 도구이다. (나)의 구호는 영국의 EU 탈퇴 여부를 결정하는 국민투료를 앞둔 시점에 탈퇴를 지지하던 영국 보수당의 유세 차량에 붙어있었다. 이 구호에는 영국이 매주 막대한 양의 자금을 유럽연합에 송급하고 있으므로, 차라지 이 돈을 국민 보건에 투자하자고 주장한다.

현대사회는 다양한 매체 속 수많은 정ㅂ에 노출되어 있다. 리터러시를 갖춘 유권자였다면 구호 속 정보를 피상적으로 받아들이지 않을 것이다. 그는 우선 정보가 검증된 자료인지 출처를 확인하여 진실 왜곡 여부와 신뢰성을 따졌을 것이다. 실제 정보 자체는 사실이었을지라도 그후 EU로부터 돌아온 혜택과 그 가치에 대해 따져봐야한다. 자국으로의 반환 그 외의 것도 따져볼 것이다. 상대적으로 경제가 활성화된 영국인만큼 타유럽 국가들에게

EU가 어떠한 도움을 주는지 이로써 유럽 전체가 상부상조하며 함께 협력하는 공동체적 의의에 대해서도 고려해볼 것이다. 당장은 국가적 손실이 도리지라도 이는 타국의 성장을 도와 모두가 행복한 시대를 만든다는 것에 가치가 있을 수 있기 때문이다. 넘어서 단순히 구호가 제시하는 '금전적 손해'외에 연합 탈퇴시 근방 국가들과의 유대 관계에 끼칠 영향과 국가 이미지의 타격 등에 대한 질문들을 떠올릴 것이다. 또, 탈퇴로 아낀 자금이 국민 보건에 효율적으로 사용될 수 있는지 따져보고 다양한 견해를 접하기 위해 탈퇴 반대의 정보도 찾아본다.

(다)에서 [그림 1]을 보면, 학생들의 읽기 성취도가 하락하고 있다. [그림2]를 통해 자세히 보면 자료 자체를 못 읽는 학생은 감소했으나 문해력과 더 넘어가 글을 평가하는 학생은 감소했다. 국가 B의 [그림 3]에서 학생들의 읽기 성취도는 비교적 일정하지만, [그림 4]를 통해 일반 학생과 저소득층 학생의 리터러시 격차은 좁히지 않음을 확인할 수 있다. 이는 성공의 양극화를 넘어, 모두가 협력하고 소통하는 사회를 방해하므로 개선이 필요하다. 학생들은 정보 습득시 유연한 사고를 통해 끊임없이 질문하고 따져보는 태도를 길러야 한다. 국가는 이를 위해 학생들의 의견을 공유하고 토론하는 교육을 지양해야 한다. 또, 리터러시 격차의 해소를 위해 저소득층 아이들의 학습의 기회를 확대를 위해 정부에서 무료 수업 등 혜택을 지급해야 한다. 시민들도 시민의식을 갖고 저소득층 아이들의 학습을 위한 자원봉사에 참여한다면 모두가 협력하고 소통하는 행복한 새로운 시대에 한 발짝 더 다가설 수 있을 것이다.

12. 2022학년도 한양대 수시 논술 [인문계열 오후2]

[문제] (가)에서 설명된 개념들을 이용하여 (나)의 밑줄 친 '철도 산업'의 특성을 제시하고, (나)와 같은 일이 벌어진 원인을 분석한 후, (다)를 활용하여 해결책을 제시하시오. (1200자, 100점)

<학생 예시답안 1>

제시문 (나)의 철도 산업은 공공성이 있지만 공공재는 아니기 때문에 정보의 통제를 필요로 한다는 특성을 지닌다. 여기서 정부의 통제는 철도 산업이 사회간접자본의 성격을 띠게 만드는 것을 의미한다. (나)의 철도 산업은 사회 구성원 전체가 평등하게 사용한다는 점에서 공공성이 있으나 아르헨티나의 사례와 같이 철도가 사익을 추구하는 민간 기업의 주도로 관리될 경우 이윤 추구의 수단이지 못하다는 점에서 경합성을 보이고, 열차를 타려면 비용을 지불해야하기 때문에 배제성을 가진다. 따라서 철도 산업은 공공성이 있지만, 공공재는 아니라는 특성을 지닌다.

아르헨티나 사례의 문제점은 위의 특성을 지닌 철도 산업의 주체인 민간 기업이 사익충족을 목적으로 공공성을 훼손하였기 때문에 발생했다. 그리고 이러한 현상은 소비자의 소극적인 항의와 정부의 통제 실패로 더욱 심화된다. (나)의 A씨와 B씨는 민간철도회사에 불만을 가졌으나 이를 개선하기 위한 실질적 행동은 하지 않는다. (나)의 정부는 철도 민영화의 목적 달성에 실패했음에도 민간 기업의 횡포를 효과적으로 제거하지 못했다. 그 결과 수익성만을 노리는 민간 기업은 공공성을 띤 서비스를 파괴하여 소비자들은 철도 이용에 차질을 겪었고 정부는 감소한 철도 이용으로 인해 발생한 적자로 인해 재정을 낭비했다.

즉, 공공성의 파괴와 이에 대한 대처 미흡으로 기존의 문제가 더 심화된 것이다.
 제시문(다)는 이에 대한 해결책으로 소비자의 윤리적 소비를 제안하여 이는 민간 기업을 통제하는 정부의 철도 산업 '사회간접산업화'와 맞물려 이루어져야 한다. 윤리적 소비란 소비자가 기업의 횡포에 적극적인 개선의식을 갖고 이를 실행하는 것을 의미한다. (나)의 A씨와 B씨는 윤리적 소비를 실천하여 철도 보이콧과 같은 실질적 개혁을 실행해야 한다. 뿐만 아니라 기업 역시 당장의 이익만 고려하기 보단 지속가능성을 생각하여 장기적 관점에서 윤리와 공공성을 보존하는 기업정신을 지녀야 한다. 소비자와 정부, 기업 모두 장기적 안목을 가지고 윤리적 소비를 실현한다면 사회간접자본 역시 효과적으로 작용하여 공공성은 보존될 것이다.

<학생 예시답안 2>

(가)는 소비재의 4가지 특성을 설명하며 그 특징에 해당하는 소비재의 종류까지 제시한다. 한 사람의 소비로 다른 사람이 소비 가능한 양이 줄어드는 것을 경합성이라 하며, 이러한 인과적 관계가 전혀 나타나지 않는 경우는 비경합성이라 한다. 또한 소비재에 대한 값을 치른 사람만 소비 가능한 것을 배제성이라 하고, 이러한 배타적 턱성을 적용할 수 없는 경우를 비재제성이라 한다. 경합성과 배제성은 사적재화에 해당하는 특성인 반면 비경합성과 비배제성은 주로 공적 소비재에 해당하는 특성이다. 나아가 공공성은 사회 구성원 모두의 이익을 중시하는 공공복리의 차원에서 나타나는 성질이다.
 이러한 개념들을 바탕으로 (나)의 철도 산업은 배제성과 경합성의 특성을 가짐을 알 수 있다. 수익을 중시하는 민간 사업이 운영하는 이 철도 산업을 이용하기 위해 값을 지불해야하기 때문에 배제성이 나타난다. 또한 열차가 이미 다 찬 만원 상태일 때 다음 정거장에 정차하지 않는 상황은 타인의 소비량이 개인의 소비 가능한 양에 영향을 주기 때문에 이를 경합성의 특성이라 볼 수 있다. 이와 같은 특징을 가지는 (나)의 철도 산업은 효율적인 철도 산업이 가지는 특징과 완전히 상반된다는 점에서 문제가 있다. 철도는 사회간접자본 중 하나로 공공재와 공공성의 특징을 모두 가질 때 한 사회 안에서 효과적으로 운영할 수 있다. 그러나 (나)의 철도 운영은 공동체의 이익보다 더 작은 단위의 기업만의 이윤을 추구하며 진행되고 있으므로 공공재의 역할을 제대로 수행하지 못하고 있다. 또한 일반적으로 정부 차원에서 사회 전체 구성원의 이익과 복리를 위해 철도와 같은 사회간접자본을 관리하는 것이 아니라 민영화를 통해 민간의 사업에게 맡기는 방식의 운영은 공공복리 증진에 오히려 해가 되어 공공성의 목적과 정반대의 결과를 가져온다.
 위와 같은 문제를 해결하기 위해 우리는 윤리적 소비의 관점에서 접근해야 한다. (다)에서 소비자드이 기업이 사회적 차원에서 긍정적인 영향을 주는 지 주시하는 것과 같이 (나)의 철도 사업을 진행하는 기업들이 사회 전체를 위하는 방향으로 나아가는 지 살펴보아야 한다. 기업이 개인의 이익만을 추구하며 다른 윤리적, 사회적 가치를 무시하지는 않는 지 보아야 한다. 나아가 정부는 민영화의 과정에서 기업을 관리 감독해야한다. 사회와 공동체를 위하는 지, 공공성을 지킬 수 있는지를 판단하여 사업을 맡겨야 한다. 이를 위해 제도를 보완하거나 기업의 의식을 고취하기 위한 활동도 필요하다. 즉, 이익이 어디로 돌아가는지 보아야 한다.

13. 2022학년도 한양대 수시 논술 [상경계열]

[문제 1] (가)의 밑줄 친 '잠김 현상'에 영향을 줄 수 있는 요인을 (나)를 참고하여 설명하고, (다)의 'A 포털 사이트'의 성공과 쇠락 요인을 (가), (나)를 활용해 분석하시오. (600자, 50점)

<학생 예시답안 1>

[나]는 여러 자판에서 통용되는 쿼터의 잠김 현상에 대해 이야기한다. 당에 가장 혁신적이었던 자판 쿼티는 사용자들의 익숙함과 전환 비용을 이유로 오늘날까지 사용된다. 이를 통해 [가]의 잠김 현상은 전환 비용과 시장을 선점한 제품이 주는 익숙함에 영향을 받는다고 해석 가능하다. 추가적으로 [가]의 네트워크 효과는 이미 시장을 선점한 제품에 이점을 더해 잠김 현상을 더욱 더 심화할 것이다.

[가], [나]를 활용해 보았을 때, A포털 사이트의 성공 요인은 시장 선점이다. A포털 사이트는 동아리 기능을 추가하여 커큐니티 시장에서 앞서 나갔다. 이에 네트워크 효과 익숙함 등 당양한 편익이 사용자들에게 제공되면서 A포털 사이트는 인기를 끌었다. 하지만, 전환 비용이 거의 들지 않는 포털 사이트 특성상 사용자들의 이동은 매우 쉽다. 회사 유료화 정책에 반발한 유저들은 쉽게 포털 사이트를 이동했고 이는 A 포털 사이트는 각각의 특징이 두드러지지 못하고 일치하기에 기존 이용자들의 익숙함은 많은 편익을 주지 못한다. 즉, 다양한 요인이 A포털 사이트를 이용할 때보다 타포털 사이트를 이용했을 때 효용을 크게 만들었을 것이다. 결과적으로 이런 요인들이 A사이트를 쇠락으로 이끈 것이다.

<학생 예시 답안 2>

(가)에서 언급된 잠김 현상에 영향을 줄 수 있는 요인은 제품의 성능과 등장시기이다. (나)의 쿼터 키보드처럼 기존 제품의 단점을 보완하는 등의 기술적 발전이 있어야 하며, 그 등장시기 또한 타 제품보다 빠를수록 유리하다. 또한 전환비용의 크기도 고려되는 요소 중 하나인데, 이는 제품의 분야별로 다르기에 이 또한 영향을 미칠 것이다. (다)의 A 포털 사이트는 본인과 마음이 맞는 사람들을 만날 수 있는 커뮤니티를 운영하였는데 이를 최초로 도입해 자연스럽게 타 사이트보다 가입자 수 측면에서 우위를 점할 수 있었을 것이고 회원이 많을수록 다양해지는 소통기회를 통해 사용자의 편익이 커지는 네트워크 효과가 발생해 성장했을 것으로 분석할 수 있다. 하지만, 이후 가입자 수 증가로 관리비용이 증가해 이 포털은 합리적인 수준의 유료화 정책을 도입했는데 비록 합리적인 수준이라고 하더라도 다른 포털로 옮기는 것이 금전적 비용도 적게 들고, 접근성이 높아 새로운 것을 익히는 과정이 어렵지 않은 포털과 같은 인터넷의 특성상 전환비용이 A포털의 유료사용료보다 더 합리적이다. 이에 따라 사용자들의 대이동이 일어났고, 사용자가 많아질수록 본인이 얻는 편익이 커지는 네트워크 효과가 다른 포털에서 발생해 인과적으로 A포털은 쇠락하였다.

[문 제2] 다음 물음에 답하시오.(50점)

1. 퀴즈쇼에 참가한 A 에게 상금이 걸린 두 개의 문제 Q_1과 Q_2가 주어졌다. 두 문제 중에서 처음 도전할 문제는 무작위로 주어지는데, 그 문제를 맞힌 경우에는 남은 문제에 도전하고 틀린 경우에는 도전할 수 없다. 참가자 A 가 문제 Q_1, Q_2의 정답을 맞힐 확률이 각각 $P_1 = 0.6$, $P_2 = 0.8$이고, 문제 Q_2의 상금 R_2는 75만 원이다. 처음 주어지는 문제

가 Q_1일 때의 총 상금의 기댓값과 처음 주어지는 문제가 Q_2일 때의 총 상금의 기댓값이 같아지도록 문제 Q_1의 상금 R_1을 정하시오.
(단, 참가자 A 가 문제 Q_1, Q_2의 정답을 맞히는 사건은 서로 독립이다.)

참가자 A에게 Q_1이 먼저 주어졌을 때 총 상금의 기댓값을 계산하기 위해선 다음의 경우를 고려해야 한다.

	상금	확률
Q_1오답	0	$1-P_1=0.4$
Q_1정답,Q_2오답	R_1	$P_1(1-P_2)=0.12$
Q_1, Q_2모두 정답	$R_1+R_2=R_1+75$	$P_1P_2=0.48$

그러므로 A의 총 상금의 기댓값은 $R_1P_1(1-P_2)+(R_1+R_2)P_1P_2$를 통해 계산된다. 즉, Q_1이 먼저 주어졌을 때 총 상금의 기댓값은 $0.12R_1+0.48(R_1+75)$만 원이다.
한편, Q_2가 먼저 주어졌을 경우 총 상금의 기댓값은 $R_2P_2(1-P_1)+(R_1+R_2)P_1P_2$를 통해 계산되어 $24+0.48(R_1+75)$만 원이 된 다. 따라서 두 경우 상금의 기댓값이 같아지려면 $0.12R_1=24$만 원이 되어 $R_1=200$만 원이 되어야 한다.

2. 두 사람이 한 개의 동전을 각각 n 번씩 던질 때, 앞면이 나오는 횟수를 각각 확률변수 X, Y라고 하자. 이때 X와 Y의 값의 차이가 1일 확률을 n에 대한 식으로 나타내시오.
(단, 동전의 앞면과 뒷면이 나올 확률은 $\frac{1}{2}$로 동일하다.)

확률의 덧셈정리에 의해

$$\mathrm{P}(X=Y-1)=\sum_{k=0}^{n-1}\mathrm{P}(X=k,\ Y=k+1)$$

이고, $X=k$인 사건과 $Y=k+1$인 사건은 서로 독립이므로

$$P(X=k,\ Y=k+1)=P(X=k)P(Y=k+1)$$

이 성립한다. 따라서

$$P(X=Y-1)=\sum_{k=0}^{n-1}C_{k\ n}C_{k+1}2^{-2n}=2^{-2n}\sum_{k=0}^{n-1_n}C_kC_{n-k-1}$$

이고, 여기서 $\sum_{k=0}^{n-1}{}_nC_{k\ n}C_{n-k-1}$는 $(1+x)^{2n}=(1+x)^n(1+x)^n$**의 전개식에서 x^{n-1}의 계수임을 알 수 있다. 그러므로**

$$P(X=Y-1)=2^{-2n}\ {}_{2n}C_{n-1}$$

이고, 대칭적으로 $P(Y=X-1)$의 값 또한 $2^{-2n}{}_{2n}C_{n-1}$이다. $X=Y-1$인 사건과 $Y=X-1$인 사건은 서로 배반이므로, 답은 두 확률의 합인 $2^{1-2n}{}_{2n}C_{n-1}$이 된다.

3. 어느 공장에서 생산되는 두 제품 A , B 의 무게를 각각 확률변수 X, Y 라고 하자. 두 확률변수 X와 Y는 각각 정규분포 $N(10, 3^2)$과 $N(m, 3^2)$을 따른다. 두 확률변수 X, Y의 확률밀도함수 $f(x)$, $g(x)$는 다음 조건을 만족시킨다.

(가) $P(X \le 10) \le P(Y \ge 25)$

(나) $f(15) = g(25)$

이 공장에서 생산된 제품 A 중에서 임의추출한 9개의 평균 무게가 $2k$이상일 확률과 제품 B 중에서 임의추출한 9개의 평균 무게가 k 이하일 확률이 서로 같다. 이때 mk의 값을 구하시오.

정규분포를 따르는 두 확률변수 X와 Y의 표준편차가 같으므로 두 확률밀도함수의 그래프는 대칭축의 위치는 다르지만 모양이 같다. 조건 (가)에서 $\mathrm{P}(X \le 10) \le \mathrm{P}(Y \ge 25)$이므로 $0.5 \le \mathrm{P}(Y \ge 25)$임을 알 수 있고 또한 조건 (나)에서 $f(15) = g(25)$이므로

$$m = 25 + (15 - 10) = 30$$

임을 알 수 있다.

제품 A 9개의 평균 무게를 $\overline{X}$라고 하면 이는 정규분포 $\mathrm{N}(10,\ 1^2)$을 따른다. 마찬가지로 제품 B 9개의 평균 무게를 $\overline{Y}$라고 하면 이는 정규분포 $\mathrm{N}(30,\ 1^2)$을 따른다. 한편, $\mathrm{P}(\overline{X} \ge 2k)$와 $\mathrm{P}(\overline{Y} \le k)$가 같기 때문에 다음이 성립함을 알 수 있다.

$$\mathrm{P}(\overline{X} \ge 2k) = \mathrm{P}(Z \ge 2k - 10) = \mathrm{P}(Z \le k - 30) = \mathrm{P}(\overline{Y} \le k)$$

따라서

$$2k - 10 = -(k - 30)$$

$$k = \frac{40}{3},\ mk = 30 \times \frac{40}{3} = 400$$

이다

14. 2022학년도 한양대 모의 논술 [인문계열]

[문제] (가)에서 ㉠의 이유를 추론하고, 그 맥락에서 (나)의 ‘그,/어떤,/문’과 ‘키위새’가 각각 표상하고 있는 바가 무엇인지를 해석하여 제시한 후, (다)의 두 자료를 모두 활용하여 (가)의 ㉡에 답하는 글을 쓰시오. (1200자, 100점)

<학생 예시답안 1>

(가)의 필자는 인간의 문해력은 생득적인 것이 아닌 후천적 성취라고 주장하며 현대 기술 발전에 의한 문해력의 퇴화에 대한 내용을 연구를 통해 제시한다. 필자는 ㉠의 이유인 디지털 기기를 통한 학습은 학생들에게 편리한 환경을 제공하여 주지만, 이로 인해 뉴런의 연결망의 반응 속도가 영향을 미쳐 재구성 능력이 퇴화되어 지식 습득 환경 조성에 악영향을 미쳐 유리한 환경만을 제공하지 못한다는 점을 통해서 현대인들의 디지털 기기 의존 문제에 대한 의식을 상기시킨다.

(나)는 현대 문명에 길들여진 퇴화된 현대인들을 비판한다. (나)의 '키위새'를 ㉠에 입각해 바라보면, 날개가 없는 퇴화되어진 생명체, 즉 현대문명에 길들여진 퇴화된 현대인들을 표상한다. 이와 동등하게 ㉠에 입각하면 (나)의 '그,/어떤,/문'은 현대인이 수동적 면모로

행하는 것이 아닌, 직접 자의적으로 행해서 해결하여야 하는 상황을 표상한다.
(다)의 [그림 1]은 정보 습득 매체 활용 수치에 가장 높은 수치를 보이는 디지털 기기인 스마트폰은 종이로 이루어진 매체인 종이 신문, 잡지, 책과 상반되는 수치를 보인다.[그림 2]의 DIKW 모형은 정보보다 지식, 지식보다 지혜의 가치가 더 높고 체계적이라는 것을 보여준다.
㉡의 첫 번째 질문을 (다)의 두 그림에 근거해 답하면, 사람들의 디지털 기기 의존도는 더욱 더 높아져 디지털 기기 산업의 발전이 이루어진 삶을 살아갈 것이다. 반면에 종이로 이루어진 매체의 이용은 감소하여 관련된 산업체는 퇴화되어지는 현상이 나타난다. 또한, 인간의 삶에서 데이터와 정보가 늘어나지만 재구성 능력이 퇴화하여 지혜로 변환시키지 못해 사람들은 살아가면서 삶의 지혜를 깨닫기 어려워질 것이다.
한편, 이런 변화에 대응하기 위한 모습을 (다)를 통해 제시하면, 개인적 측면으로는 디지털 기기에 대한 의존도를 낮추기 위해 디지털 매체의 부정적 측면을 인식하고, 종이로 이루어진 매체를 이용하려는 노력과 데이터를 얻고 자신의 생각을 반영하여 데이터를 지혜로 만들려고 하는 노력이 필요하다. 사회적 측면으로는 사람들에게 디지털 기기 의존 문제에 대한 심각성을 상기시켜 의존도를 낮추려고 하는 노력이 필요하며, 종이로 이루어진 매체에 대한 지원과 사람들이 관심을 잃지 않도록 캠페인 실시와 교육 제도 활용과 같은 다양한 방안을 통해서 위에서 제시한 변화되어진 인간들의 삶에서 나타날 수 있는 문제에 대응할 수 있을 것이라고 생각한다.

<학생 예시답안 2>

제시문 (가)는 디지털 기기를 쉽게 접할 수 있게 됨으로서 문해력이 퇴화되고 있음을 시사한다. 디지털 기기가 종이책에 비해 정보를 습득하는 데에는 편리하지만, 지식을 익히는 데에도 유리하지 않은 이유는 '습득'에 그치기 때문이다. 단순히 내용을 읽는 것에 그치지 않고 스스로 내용을 곱씹어 보며 자신만의 언어로 재해석, 즉 복습을 통해 독자는 내용을 완벽하게 이해하게 된다. 같은 내용을 종이책으로 읽은 학생이 전자책으로 읽은 학생보다 이 능력이 더 뛰어난 이유는 '감각'이 이해력에 큰 영향력을 행사하기 때문이다. 스크롤해서 내려 읽어가는 전자책에서는 텍스트가 똑같은 위치에서 계속 반복되기 때문에 특정 구간이 인상적이지도, 기억에 남지도 않는다. 반면, 종이책은 책장을 넘기고 읽는 위치가 계속해서 바뀌는 등 동작을 요구한다. 또한 실체가 존재하기 때문에 인상적인 부분에 표시를 할 수도 있다. 이러한 사소한 감각적 요소들이 독자의 집중력과 이해도에 기여하며, 디지털 기기에 의존하는 것은 문해력에 악영향을 미친다.
이 맥락에서 제시문 (나)의 '키위새'는 디지털 기기에 의존하는 인간을 표상한다. 날개가 없어 하늘을 멀뚱멀뚱 바라보기만 하는 키위새와 같이, 한때는 눈부신 발전을 이루어 냈던 손은 점차 퇴화해 우리는 날개 잃은 새가 될 것이다. 결국 스스로는 아무것도 할 수 없게 될 것이며, 언젠가 '그, / 어떤, / 문' 앞에서는 주저앉고 말 것이다. '그, / 어떤, / 문'은 디지털 기기가 도와줄 수 없는 영역을 표상한다.
생활의 모든 분야에서 디지털 기기의 도움을 받지만, 우리가 혼자 해내야만 하는 것에 닥치면 무너질 수 밖에 없다. 아무런 동작을 하지 않아도 내용을 떠먹여 주는 전자책의 독자들과 같이, 점점 디지털 기기에 의존하는 인간은 무능력해져 갈 것이다.
디지털 시대에 접어들며 디지털 기기는 우리 생활에서 뗄 수 없는 존재가 되었다. 이미 정보 습득을 위한 매체로 스마트폰이 압도적으로 많고, 2위와 3위 또한 디지털 매체이다. 앞으로 우리의 삶에서 디지털 기기가 차지하는 비중은 늘어날 것이며, 현재 인간의 영역으로 남아있는 사소한 것까지도 디지털 기기가 대체할 것이다. 이에 따라 인간의 퇴화를 막기 위해서는 단순히 데이터 습득에 그치지 않고 정보를 분류하여 인식하고, 스스로에게 '어떻게? 왜?' 등의 질문을 던지며 생각을 확장해 나가야 한다. '데이터' 단계에서 머무르지 않고 정보, 지식, 지혜의 다음 단계로 넘어갈 수 있도록 생각의 힘을 길러주는 다양한 교육을 실시해야 한다.

15. 2022학년도 한양대 모의 논술 [상경계열]

[문제 1] (가)의 밑줄 친 '잠김 현상'에 영향을 줄 수 있는 요인을 (나)를 참고하여 설명하고, (다)의 'A 포털 사이트'의 성공과 쇠락 요인을 (가), (나)를 활용해 분석하시오. (600자, 50점)

<학생 예시답안 1>

강력한 권력은 사람들 사이의 혼란을 진정시키고, 무질서한 사회에 질서를 부여함으로써 사회를 안정화시켰다. 자신의 이득을 최고로 여겨 이득을 취하기 위해 남에게 피해를 주는 것을 마다하지 않던 인간들이, 자신보다 더 높은 자리에서 자신에게 벌을 내리고, 해할 수 있는 강력한 권력은 사람들에게 새롭지만 무엇보다 강한 두려움으로 다가왔을 것이다. 강력한 권력은 질서를 부여해 사람들의 자유를 제한하는 것처럼 보이기도 하지만, 사람들 간의 공포를 줄임으로써 다른 자유를 부여하는 것이기도 하다. 자신의 이득을 최대로 취하기 위해 그 강력한 권력에 복종하고 따름으로써 사회는 안정되었을 것이다. 그러나 길가메시와 엔키두처럼 통제되지 않는 강력한 권력은 독재로 변질되어 그 사회에 또다른 혼란을 야기할 것이다. 따라서 개인은 권력에 무조건 복종하고 의존하는 것이 아니라 국가를 견제하며 개인으로 구성된 사회가 잘못된 권력에는 대항할 수도 있어야 하고, 권력은 사회를 통제할 수 있어야 한다. 사회가 권력에 대항하여 견제하고, 권력이 사회를 견제하며 통제할 때 서로가 서로를 자극하고 견제하며 국가를 발전시킬 수 있다. 견제 없이 복종 또는 무질서만 있을 때, 국가는 발전할 수 없다.

<학생 예시답안 2>

제시문 (가)와 (나)를 통해 알 수 있는 ㄱ의 긍정적인 측면은 생명을 위협받는 불안한 상태에서 벗어날 수 있다는 것이다. 절대적 권력자의 통치 아래에서 사람들이 가장 중요하게 생각하는 생명권을 보장받을 수 있다는 점에서 긍정적이다. 반면 부정적인 측면으로는 독재의 위험이 있다는 것이다. 제시문 (나)를 보면 길가메시의 강력한 힘에 고통받는 모습과 이를 견제하기 위해 내세운 또 다른 권력자가 같이 공모하여 독재를 유지하는 모습을 볼 수 있다. 이처럼 권력을 한 사람이 가지고 있는 것이 남용의 수단으로 사용될 수 있다는 것을 알 수 있다. 이것을 극복하기 위한 방법은 레드 퀸 효과처럼 강력한 권력인 리바이어던에 대해서 사회가 협력해서 힘을 키우고 함께 달리며 우위를 차지하는 쪽이 없게 하는 것이다. 권력에 대한 견제 장치를 마련해야 하는데 이것은 사회의 협력만이 가능하다.

정치에 시민들이 참여하면서 리바이어던이 존재하되 사회를 제압할 수 없고, 시민들 또한 리바이어던을 제압할 수 없다. 이를 통해 리바이어던의 긍정적인 측면인 국가의 통제와 보호를 유지하면서 독재를 방지할 수 있다.

[문제 2] 다음 제시문을 읽고 물음에 답하시오. (50점)

다음의 규칙에 따라 동전던지기 게임을 한다.
(가) 게임 시작 시 1점을 부여받는다.
(나) 앞면이 나올 확률이 p, 뒷면이 나올 확률이 $1-p$인 동전을 던진다.
동전을 던지기 전의 점수를 x라 할 때, 던진 후의 점수는 앞면이 나오면 $2x$점, 뒷면이 나오면 $\frac{x}{2}$점이 된다.
(다) 동전 던지기 시행을 8회 반복한 후의 점수가 게임의 최종 점수이다.

1. 게임의 최종 점수를 확률변수 X 라고 할 때, $\log_2 X$의 기댓값을 구하시오.

동전의 앞면이 나오는 횟수를 확률변수 Y라 하면

$$X=2^Y\left(\frac{1}{2}\right)^{8-Y}=2^{2Y-8}, \text{ 즉, } \log_2 X=2Y-8$$

따라서

$$E(\log_2 X)=E(2Y-8)=2E(Y)-8=2\cdot 8p-8=16p-8$$

2. 위 확률변수 X 의 기댓값이 $\frac{256}{6561}$이 되도록 하는 p의 값을 구하시오.

동전을 던지기 전의 점수를 x라 할 때, 던진 후의 점수의 기댓값은

$$2x\cdot p+\frac{x}{2}\cdot(1-p)=\left(2p+\frac{1}{2}(1-p)\right)x$$

게임 시작 시 1점을 부여받고, 서로 독립인 동전 던지기 시행을 8회 반복하므로

$$E(X)=\left(2p+\frac{1}{2}(1-p)\right)^8=\frac{(3p+1)^8}{2^8}$$

주어진 조건에 의해

$$E(X)=\frac{(3p+1)^8}{2^8}=\frac{256}{6561}=\frac{2^8}{3^8}$$

따라서 $3p+1=\frac{4}{3}$**. 즉,** $p=\frac{1}{9}$

3. 다음의 규칙 (라)를 추가한다면, $p=\frac{1}{2}$일 때 최종 점수의 기댓값은?

(라) 처음 4회의 동전 던지기를 했을 때, 점수가 1점 미만이면 점수를 1점으로 하고 나머지 4회의 동전 던지기를 시행한다.

일반적인 p에 대하여, 처음 4회의 동전 던지기를 한 뒤 점수가 1점 미만이면 점수를 1점으로 조정하였을 때의 확률분포는 다음과 같다.

최종 점수	16	4	1
확률	p^4	${}_4C_1p^3(1-p)=4p^3(1-p)$	$1-p^4-4p^3(1-p)$

이 확률변수의 기댓값은

$$16p^4+4\cdot 4p^3(1-p)+(1-p^4-4p^3(1-p))$$

동전을 던지기 전의 점수를 x라 할 때, 동전을 4회 던진 후의 점수의 기댓값은

$$\left(2p+\frac{1}{2}(1-p)\right)^4 x$$

따라서 게임의 최종 점수의 기댓값은

$$\left(2p+\frac{1}{2}(1-p)\right)^4\left[16p^4+4\cdot 4p^3(1-p)+(1-p^4-4p^3(1-p))\right]$$

$p=\frac{1}{2}$**일 때, 이 값은**

$$\left(\frac{5}{4}\right)^4\left(1+1+\frac{11}{16}\right)=\frac{625}{256}\cdot\frac{43}{16}=\frac{26875}{4096}$$

16. 2021학년도 한양대 수시 논술 [인문계열 오전]

[문제] (가)를 토대로 '지도란 무엇인가?'에 대해 답하고, (나)의 추론 방식을 참조하여 (다)의 지도 [A]와 [B]에 나타난 제작자의 관점을 각각 설명하시오. (1,200자, 100점)

<학생 예시답안 1>

(가)는 지도 제작자를 영화 감독과 저널리스트에 지도를 영화와 저널리즘에 비유하여 지도에 반영되는 주고나성의 모습을 드러낸다. 자신의 의도에 따라 전체의 일부만을 선택적으로 사용한다는 점에서 영화 감독과 자신의 의도를 직접적으로 보여주길 원한다는 점에서 저널리스트와 비슷하다는 것이다. 따라서 지도의 소비자들은 영화와 저널의 소비자와 마찬가지로 상품의 생산자의 주관에 영향을 받을 수 밖에 없다. 이런 맥락을 고려하여 판단한다면 사실 지도의 객관성이란 신기루라는 것을 알 수 있다. 때문에 지도란 절대적이자 불변적인 지구에 대한 기록이 아니라 상대적이자 가변적인 지구에 대한 해석이라고 할 수 있을 것이다.

(나)는 이런 지도에 나타나 있는 주관성에 대한 사후적 추론과정을 면밀히 보여준다. 일반적인 중국을 통한 항로가 아닌 일본과 연결된 항로를 나타낸 지도라는 점에서 지도 소유주를 추론했다. 또한 중국의 해안선에 대한 묘사에 비해 육지에 대한 묘사가 부족하다는 점에서 지도를 제작한 순서를 추론했다. 그리고 암초가 많은 부분에 비해 안전한 항로를 부각했다는 점에서 상업적 관심을 전체적 지리 정보의 묘사를 통해 지도 제작자의 국적과 제작 장소를 추론했다.

이런 점을 참고하면 (A)와 (B)에 타나난 지도 제작자의 주관적 의도를 추론할 수 있다. 우선 (A)는 남반구 국가에서 제작 되었을 것이다. 일반적인 북반구가 위로 설정된 지도를 뒤집어 남반구에 시선이 집중되는 효과를 가져왔기 때문이다. 또한 지도의 중심에 호주와

뉴질랜드를 배치했기 때문에 이 부근의 사람이 제작했음도 의심할만하다. 이에 더해 해상 항로, 하늘길, 특정 통계자료 등 어떤 것도 지도에 표현하지 않았기 때문에 (A)는 오로지 남반구를 부각하기 위한 목적으로 제작되었을 것이라고 생각한다. (B)는 남반구는 거의 제외해버리고 북국 주변국들을 중심을 표현했기 때문에 북극과 그 주변을 강조하려고 한 제작자의 의도를 엿볼 수 있다. 또한 태평양을 중심으로 한 일반적 지도와 다르게 북극해를 중심으로 묘사하여 북극해 항로를 보여주었기 때문에 북아메리카 대륙에서 러시아 또는 북유럽으로 향한 항로를 나타내기 위해 제작했다고 생각할 수 있다. 물론 (A)와 마찬가지로 항로를 잇는 선이 없기 때문에 위의 의견이 틀리다는 반박이 있을 수 있다. 하지만 일반적인 지도에서 파악하기 힘든 북미와 유럽의 가장 가까운 항로를 직관적으로 보여주기 때문에 북극해를 통한 항로를 보여주기 위해 지도를 제작했다는 의견은 여전히 일리가 있다.

<학생 예시답안 2>

우리는 지도를 3차원의 구체를 2차원의 평면으로 나타낸 객관적 수치의 총합이라고 생각하기 쉽다. 하지만 지도에는 다양한 유형이 존재하며 지도를 제작하는 과정에서 창작자의 주관이나 의도가 개입한다. 먼저 지도의 유형에는 지리 정보만을 제공하는 지도, 통계 수치를 삽입한 통계지도, 항해에 필요한 항로를 그려 놓은 해도, 종교적 이상과 가치관을 투영한 크기스트교의 T.O 지도와 같은 종교 지도 등이 있다. 이러한 유형의 지도가 제작될 때에는 창작자가 다양한 정보 중에서 어떠한 정보를 삽입하고 어떠한 정보를 탈락시키느냐에 따라서 표현하고자하는 바가 달라질 수 있으며 창작자의 의도가 지도에 반영된다고 할 수 있다. 이 점은 지도가 여타 미디어나 매체와 같은 창작물과 다르지 않다는 것을 알 수 있게 해주는 대목이다.

제시문 (나)는 셀던의 지도를 보고 중국 내륙에 대한 묘사보단 해안선 묘사에 치중된 점, 별자리와 항로 등 해항에 필요한 요소는 삽입한 점 등을 바탕으로 이 지도가 해상 무역을 주도하던 영국 동인도 회사의 사령관의 물품으로 추정된다. 또한 이 지도의 제작자를 추측할 때 중국어가 지도에 적혀있고, 중국에 대한 묘사에서 이전에 존재하던 중국 지도를 활용한 것으로 제작자가 중국인이라는 것을 유추한다. 그리고 지리 정도가 정확했던 장소를 토재로 제작자의 활동 반경을 추리한다.

제시문 (나)의 추론 방식을 활용하여 제시문 (다)의 [A]를 추론해보자면, [A]지도는 남쪽을 위로 설정하여 기존의 북쪽이 위로 설정되어 있던 북반구 중심의 지도와는 다르다는 것을 알 수 있다. [A]의 지도는 교역량, 인구, 경제력, 군사력 등에서 상대적 우위를 아지하고 있는 북반구 국가들의 북반구 중심 질서를 탈피했다고 평가할 수 있다. 위 지도는 남반구를 중심으로 한 것으로 미루어 보아 남아메리카나 오세아니아에서 제작, 사용할 것으로 추측할 수 있다. 한편 제시문 (다)의 [B]지도는 북극점을 지도의 정중앙에 배치한 지도이다. 지구온난화로 인해 북극권의 빙하가 녹으며 북극항로가 신항로로 부상하며 그 수요에 맞게 제작된 지도일 수 있다. 뿐만 아니라 북극에 매장된 자원을 개발하기 위해 북극권에 인접한 나라들의 필요에 의해 제작된 지도일 수도 있다. 따라서 이 지도는 미국, 캐나다, 러시아, 스칸디나비아 반도 3국 등에서 제작한 지도일 수 있다.

17. 2021학년도 한양대 수시 논술 [인문계열 오후]

[문제] (가)의 내용을 요약한 뒤, 이를 바탕으로 (나)에 드러난 풍자의 의미를 밝히고 (다)에 보이는 화자의 당혹감에 대해 논하시오. (1,200자, 100점)

<학생 예시 답안 1>

제시문 (가)는 폭력을 거시적 관점에서 정의하고 있다. 폭력은 무력을 이용한 공격적 행위만을 일컫는다고 생각하는 것은 잘못되었다. 폭력은 지배 계급이 피지배 계급을 지배하는 과정에서 비가시적이면서 체계적이고 지속적으로 사용된다. 이것은 구조적 폭력으로써 사회에 만연하게 드러나 있기 때문에 쉽게 인지할 수 없다. 우리가 정의롭고 지켜야만 한다고 생각하는 법이나 절차 속에 구조적 폭력의 모습이 숨어있기 때문이다. 또한 인간의 생각을 쉽게 조종하거나 바꿀 수 있는 다양한 매체를 이용하여 비판적 의식을 약화시키기도 한다. 따라서 구조적 폭력이 내제된 법과 제도로 구조적 모순을 정당화시키고 보호하고 모호하게 만드는 역설적인 결과를 앎게하는 것이다. 그렇기에 우리는 이러한 구조적 간접적 폭력을 인식하려는 노력이 필요하다.

이러한 (가)의 입장에서 (나)에 나타난 죄소의 죄목의 풍자는 구조적 폭력을 법과 제도를 통한 합법적 절차로 정당화시키는 사회를 비판한 것이라고 볼 수 있다. (나)의 간수는 투시죄, 결론죄, 잊지 않는 죄 등 상식적으로 죄라고 할 수 없는 죄목을 말하고 있다. 이는 사회에 저항하거나 투쟁하려는 이들을 억압하기 위한 지배 계급의 일방적인 폭력행상이다. 사회의 모순으 알고 진실을 투시하고 이를 알리고자 결단을 내리고 진리를 잊이 않으려는 자들을 국가의 법과 재판을 통해 말도 안되는 죄목을 만들어 죄를 뒤집어씌운 뒤 지배계급 스스로의 행위를 정당화하는 것이다. 이는 (가)에서 말한 구조적 폭력에 해당한다고 볼 수 있다.

(다)의 화자가 느끼는 당혹감은 가해자의 모호성으로 인한 것이라고 할수 있다. 화자는 더운 날 폭력으로 인한 피해를 받았고 적 즉, 가해자는 많다고 말하지만 정작 어제의 적을 찾지 못하고 있다. 폭력을 행사하는 주체를 명확히 인지하지 못하고 있는 것이다. 이는 구조적 폭력으로 인한 폭력 책임의 분산이 가해자를 명확히 가려내지 못하는 것이며 이 때문에 화자가 당혹감을 느끼는 것이라 할 수 있다. 더운 날에 적이 꺼진다는 표현이 폭력의 책임 소지 불분명으로 가해자가 은폐되는 현실을 말하는 것이다. 그러다가 "적이 어디에 있느냐"와 "적은 꼭 있어야 하느냐"를 통해 가해자를 정확히 알수 없다는 허탈감, 그리고 폭력의 주체 그 자체가 이 사회의 구조이므로 가해자를 밝히는 것의 무의미함이 드러나고 있음을 알 수 있다. 정리하면, 법과 제도, 언론을 통한 가해자 보호, 은폐, 그리고 폭력 책임 소지 분산이 폭력의 주체를 모호하게 만들고 결구 구조가 가해자라는 구조적 폭력이 화자의 당혹감을 촉발시킨 것이다.

<학생 예시 답안 2>

폭력의 범위는 어디까지인가? (가)는 이 물음에 답한다. 오랜 사회통념상 폭력은 신체적. 물리적 피해를 일컫는 '직접 폭력'에 국한되는 것으로 여겨져 왔다. 하지만 폭력은 더욱 광범위하게 이루어진다. 쉽게 발견되는 비권력가들의 폭력에 비해 권력자들의 폭력은 소리

없이 진행되므로 그것을 쉽게 폭력이라 인지하지 못했던 것이다. 권력자들의 폭력은 크고 체계적이며, 지속적인 방법으로 이루어진다. 이것을 '구조적 폭력'이라 하는데 구조적 폭력은 커다란 사회 위에 숨어서 행해진다. 윤리, 제도, 조직 등 사회에 책임을 떠넘기는 간접적인 방식으로 이루어지기 때문에 가해자가 불분명하다는 점 또한 특징이다. 만약 가해자가 특정된다 해도 언론, 종교, 학문과 같은 큰 세력이 가해자를 합리화하고 은폐시키기 때문에 가해 사실을 입증하기 어렵다.

이러한 구조적 폭력의 피해자들은 (나)에 여실히 나타나있다. 세 명의 죄수들은 법률 뒤에 숨어 행해진 구조적 폭력들을 풍자한다. 모든 것을 투시한 죄, 결론을 내리려 한 죄, 잊어버리지 않는 죄와 같이 그들의 죄목은 허무맹랑하지만 어찌 되었건 죄목이 있으므로 합법적이 감금이다. 이는 제도를 이용하여 합법적으로 폭력을 행사하는 권력자들의 민낯을 조롱한다. 특히나 투시를 하는 죄수는 가해자가 지배층이라는 사실을 더욱 선명히 나타낸다. 자신들에게 위협이 될 만한 존재를 그들의 힘을 이용해서 '공격이고 정당한' 죄수로 만든 것이다.

(가)와 (나)에 나타난 구조적 폭력에 대한 하위 계층의 혼란과 당혹감은 (다)에서 극대화된다. (다)의 화자는 그의 적에 대해 논한다. 양심과 독기를 빨리는 듯 하지만 정작 적의 정체에 대해서는 모른다. 자신의 적을 찾기 위해 타인들을 떠올려도 적을 찾지 못하며, 심지어는 '적은 꼭 있어야만 하느냐?'라고 스스로에게 묻기까지 한다. 분명 적이 있음에도 그들 찾지 못하는 혼란과 당혹감이 나타나는 행인 것이다.그리고 그는 적으로 순사, 땅주인, 운전수와 같은 사회적 하위 계층들을 떠올린다. 그들은 분명 적이지만 화자의 '직접적 폭력의 가해자'들이다. '구조적 폭력'을 행하는 화자의 '진짜 적'을 그는 찾지 못한다. 구조적 폭력의 가해자들은 사회적 구조, 관습 뒤에 숨어 증발되어 버렸기 때문이다. 그러므로 화자는 구조적 폭력의 가해자를 찾지 못하는 자신과 이 사회에 대해 당혹감을 느낀다. 그리고 만약 구조적 폭력이 입증되지 않는다면, 화자의 당혹감은 앞으로도 계속 사라지지 않을 것이라 추측할 수 있다.

18. 2021학년도 한양대 수시 논술 [상경계열]

[문제] [문제 1] (가)와 (나)가 (다)의 A기업 인재 채용에 주는 시사점을 서술하고, 이를 바탕으로 (다)의 AI 면접 시스템이 ㉠의 성취에 도움이 될 것인지 평가하시오. (600자, 50점)

<학생 예시 답안 1>

(다)의 A기업은 AI 면접 시스템을 활용하여 기존의 뛰어난 사원들과 비슷한 특성을 가지 이들을 신입 사원으로 채용하고자 한다. 이러한 채용 방식은 뛰어난 업무 잠재력을 가진 인재를 골라내는데 적합하다. 하지만 (가)는 아무리 뛰어난 이들 일지라도 똑같은 인단들은 창조적이고 새로운 일을 해내지 못한다고 지적한다. 창조성을 위해서는 다양성이 기반이 되어야 한다는 것이다 .이에 따르면 AI 면접 시스템은 결국 A기업의 혁신성을 약화시킬 확률이 높다. 이 시스템의 또다른 맹점은 빅데이터화한 자료가 국내 10대 기업을 대상으로 한 것이라는 점이다. (나)에 따르면 사람은 자신의 주변 환경에 큰 영향을 받고 변

화한다. A기업이 국내 10대 기업으로 성장하는 것을 목표로 하고 있더라도 그 기업들과 A기업은 엄연히 다른 환경적 특성을 가지고 있을 것이다. 따라서 10대 기업에서 우수하다고 평가된 프로파일의 인물이 A기업에서는 같은 성과를 내지 못할 가능성이 높다.

이러한 AI 면접 시스템의 문제점을 보면 이 시스템은 변화와 혁신을 통해 국내 10대 기업으로 성장하겠다는 목표에 도움이 되지 못할 것이다. 이 시스템은 기업 내의 다양성을 저하시켜 변화와 혁신의 핵심인 창조성을 떨어뜨릴 것이고, A기업에서 우수하게 업무를 해낼 인재를 골라내지 못할 것이기 때문이다.

<학생 예시 답안 2>

(가)는 소설 속 똑똑한 일가족을 예로 들어 클론들의 공동체도 똑같은 인간들의 모임이기 때문에 새로운 세계를 창조하기는 커녕 새로운 방향도 제시할 수 없다고 말한다. 이는 A기업이 AI를 통해 혁신적인 방법으로 인재를 채용해도 결국은 똑같은 인간이기에 A기업의 변화와 혁신에 큰 힘이 될 순 없음을 시사한다. 또한 (나)는 '귤화위지'라는 사자성어를 통해 A기업이 채용한 국내 10대 기업 직원들 정도의 역량을 갖춘 직원들이 기업의 문화와 환경 차이로 국내 10대 기업에선 역량을 발휘할 수 있어도 A기업에서는 그 역량을 제대로 발휘할 수 없다는 점을 암시하고 있다.

이를 종합해보면, A기업은 AI를 활용한 혁신적인 면접 방법을 통해 지원자의 특성이나 업무 잠재력을 정확하게 평가하여 A기업이 원하는 인재를 채용할 수는 있지만, (가)와 (나)가 시사한 바와 같이 채용된 인재들도 같은 사람이기 때문에 기업의 변화와 혁신에 큰 도움을 주지는 못할 것이며, A기업에서 그 역량을 모두 발휘할 수도 없어 궁극적으로 A기업이 목표하는 바인 변화와 혁신을 통해 국내 10대 기업으로 성장하는 것에 달성할 수는 없다. 따라서 AI면접 시스템은 A기업이 ㉠을 성취하는 데 있어 도움이 될 수 없다.

[문제 2] 다음 물음에 답하시오. (50점)

1. 좌표평면에서 중심이 원점이고 반지름이 2인 원 C위를 움직이는 점 P가 (0, 2)에 있다.

(가) 주사위를 던져서 나오는 눈의 수가 3의 배수이면 점 P를 원 C의 둘레를 따라 시계 반대 방향으로 30° 회전하여 이동시킨다.

(나) 주사위를 던져서 나오는 눈의 수가 3의 배수가 아니면 점 P를 원 C의 둘레를 따라 시계 방향으로 30° 회전하여 이동시킨다.

위의 규칙에 따라서 주사위를 5번 던졌을 때, 점 P의 마지막 위치와 점 (1, 0)사이의 거리를 확률변수 X라 하자. 기댓값 $\mathrm{E}(X)$를 구하시오.

모든 경우는 아래의 6가지로 분류가능하다.

① 반시계 방향으로 5회, 시계 방향으로 0회 회전
② 반시계 방향으로 4회, 시계 방향으로 1회 회전
③ 반시계 방향으로 3회, 시계 방향으로 2회 회전
④ 반시계 방향으로 2회, 시계 방향으로 3회 회전
⑤ 반시계 방향으로 1회, 시계 방향으로 4회 회전

⑥ 반시계 방향으로 0회, 시계 방향으로 5회 회전
각각의 경우가 일어날 확률은

① 경우 $\left(\frac{1}{3}\right)^5$, **② 경우** ${}_5C_4\left(\frac{1}{3}\right)^4\left(\frac{2}{3}\right)=\frac{10}{3^5}$, **③ 경우** ${}_5C_3\left(\frac{1}{3}\right)^3\left(\frac{2}{3}\right)^2=\frac{40}{3^5}$,

④ 경우 ${}_5C_2\left(\frac{1}{3}\right)^2\left(\frac{2}{3}\right)^3=\frac{80}{3^5}$, **⑤ 경우** ${}_5C_1\left(\frac{1}{3}\right)\left(\frac{2}{3}\right)^4=\frac{80}{3^5}$, **(6) 경우** $\left(\frac{2}{3}\right)^5=\frac{32}{3^5}$

이다.

점 A(0, 2)**는** 1**회 시행으로** 30° **씩 회전하므로** 5**회 시행으로 점** A**와 점** B(1, 0)**가 이루는 각의 크기는**

① 경우: 120°, **② 경우:** 180°, **③ 경우:** 120°, **④ 경우:** 60°, **⑤ 경우:** 0°, **⑥ 경우:** 60° **이므로 각의 크기가** 0° **가 될 확률은** $\frac{80}{3^5}$, 60° **가 될 확률은** $\frac{112}{3^5}$, 120° **가 될 확률은** $\frac{41}{3^5}$, 180° **가 될 확률은** $\frac{10}{3^5}$**이다.**

또한,

(1) 두 점 사이 각의 크기가 0° 일 때, 점 A는 (2, 0)에 위치하므로 두 점 사이의 거리는 1이다.
(2) 두 점 사이 각의 크기가 180° 일 때, 점 A는 (−2, 0)에 위치하므로 두 점 사이의 거리는 3이다.
(3) 두 점 사이 각의 크기가 60° 일 때, 두 점 사이의 거리는 $\sqrt{1^2+2^2-2\cdot 2\cos 60°}=\sqrt{3}$ 이다.
(4) 두 점 사이 각의 크기가 120° 일 때, 두 점 사이의 거리는 $\sqrt{1^2+2^2-2\cdot 2\cos 120°}=\sqrt{7}$ 이다.

따라서, $\mathrm{E(X)}=1\cdot\frac{80}{3^5}+\sqrt{3}\cdot\frac{112}{3^5}+\sqrt{7}\cdot\frac{41}{3^5}+3\cdot\frac{10}{3^3}=\frac{110+112\sqrt{3}+41\sqrt{7}}{3^5}$ **이다.**

답: $\frac{110+112\sqrt{3}+41\sqrt{7}}{3^5}$

2. 세 수열 $\{a_n\}$, $\{b_n\}$, $\{c_n\}$은 모든 자연수 n에 대하여 다음 조건을 만족시킨다.

(가) $a_{n+1}=3\left(a_n+2a_nc_n+\frac{a_n}{b_n}\right)$

(나) $b_{n+1}c_n=b_nc_n+c_n+2$

(다) $b_nc_n^2=1$

(라) $c_n>0$

$a_1=3,\ b_1=1,\ c_1=1$일 때, $\sum_{n=1}^{2021}\frac{nc_{n+1}}{a_n}3^{\sqrt{b_{n+1}}}$의 값을 구하시오.

조건 (나), (다), (마)로부터 $b_{n+1}=b_n+2\sqrt{b_n}+1=\left(\sqrt{b_n}+1\right)^2$**를 유도할 수 있다. 또한,** $\sqrt{b_{n+1}}=\sqrt{b_n}+1$**이므로 수열** $\left\{\sqrt{b_n}\right\}$**은 첫째항이** $\sqrt{b_1}=1$**이고 공차가** 1**인 등차수열이다. 즉,** $\sqrt{b_n}=n$**이고** $b_n=n^2$**이다.**

조건 (다), (마)로부터 $c_n=\frac{1}{n}$임을 알 수 있고,

조건 (가)로부터 $a_{n+1}=3\left(a_n+2a_nc_n+\frac{a_n}{b_n}\right)=3\left(1+\frac{2}{n}+\frac{1}{n^2}\right)a_n=3\left(\frac{n+1}{n}\right)^2a_n$을 구할 수 있다. 또한, $\frac{a_{n+1}}{(n+1)^2}=3\left(\frac{a_n}{n^2}\right)$이므로 수열 $\left\{\frac{a_n}{n^2}\right\}$은 첫째항이 $a_1=3$이고 공비가 3인 등비수열이다. 즉, $\frac{a_n}{n^2}=3^n$이고, $a_n=n^23^n$이다. 따라서,

$$\sum_{n=1}^{2021}\frac{nc_{n+1}}{a_n}3^{\sqrt{b_{n+1}}}=\sum_{n=1}^{2021}\frac{n\left(\frac{1}{n+1}\right)}{n^23^n}3^{n+1}$$

$$=\sum_{n=1}^{2021}\frac{3}{(n+1)n}=\sum_{n=1}^{2021}\left(\frac{3}{n}-\frac{3}{n+1}\right)=3-\frac{3}{2022}$$

이다.

답: $3-\frac{3}{2022}$

3. 한 변의 길이가 2인 정육각형 ABCDEF가 있다. $0\le t\le 2$인 t에 대하여, 변 AB위의 점 P와 변 CD위의 점 Q는 $\overline{AP}=\overline{CQ}=t$를 만족시킨다. 정육각형 ABCDEF는 선분 PQ에 의해 두 영역으로 나뉜다. 두 영역 중 작은 영역의 넓이를 t에 대한 식 $f(t)$로 나타낼 때,

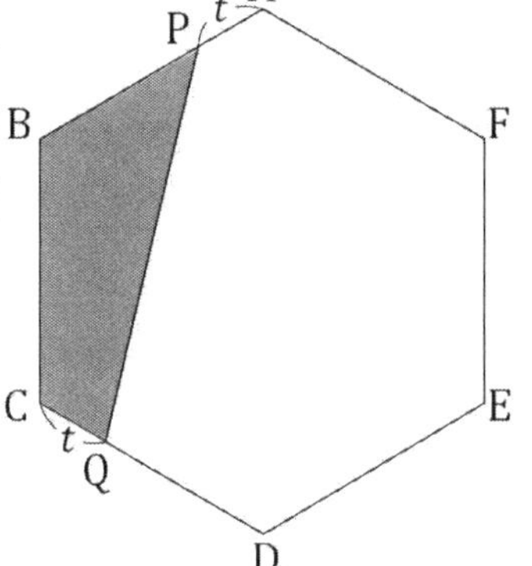

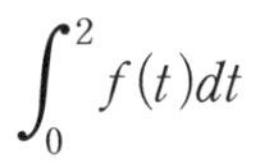
$$\int_0^2 f(t)dt$$

의 값을 구하시오.

변 EF위에서 $\overline{ER}=t$인 점 R을 잡으면 삼각형 PQR은 정삼각형이다.

$\overline{OP}=\sqrt{3+(1-t)^2}$ 이므로

(삼각형 PQR의 넓이) $=3\cdot$ (삼각형 OPR의 넓이)

$$=3\cdot\frac{1}{2}\left(\sqrt{3+(1-t)^2}\right)^2\cdot\sin\frac{\pi}{3}=\frac{3\sqrt{3}}{4}(t^2-2t+4)$$

$f(t)=\frac{1}{3}$ – (정육각형 ABCDEF의 넓이 – 삼각형 PQR의 넓이)

$$=\frac{1}{3}\cdot\left(6\sqrt{3}-\frac{3\sqrt{3}}{4}(t^2-2t+4)\right)$$

$$=-\frac{\sqrt{3}}{4}t^2+\frac{\sqrt{3}}{2}t+\sqrt{3}$$

$$\int_0^2 f(t)dt=\frac{7\sqrt{3}}{3}$$

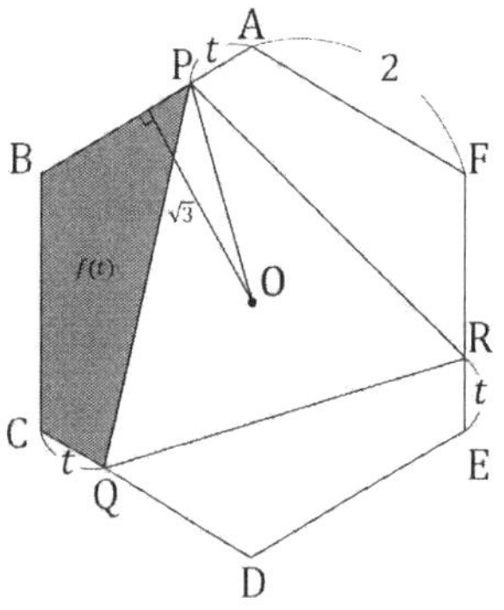

19. 2021학년도 한양대 모의 논술 [인문계열]

[문제] (가)와 (나)의 공통된 논지를 밝히고, 이를 토대로 (다)의 '어린아이'와 '시골 사람'에게 필요한 덕목이 무엇인지, 그리고 이 덕목이 지니는 사회적 의의가 무엇인지를 서술하시오. (1200자, 100점)

<학생 예시 답안 1>

언쟁과 대화를 가르는 기준은 '이해'이다. 타인과 자신의 의견이 다를 수 있음을 인정하고, 이를 이해하려는 노력이 존재해야 상호작용은 발전적인 방향으로 이어진다. (가)와 (나) 모두 이해와 존중을 바탕으로 한 대화의 중요성을 강조한다. 각기 '동정심'과 '대화 역량'이라는 다른 표현으로 서술하지만, 그 핵심에는 상대방의 입장을 이해하려는 태도가 있다. (가)에서는 전쟁을 방지하기 위한 수단으로 동정심을 제시한다. (나)는 평화의 실현을 위한 해결책으로 대화를 제시하며, 이는 상대방을 존중하는 태도에서 비롯된다. 결국 두 제시문 모두 인간 사이에서 필연적으로 발생하는 갈등을 완화하기 위한 수단으로 이해를 선택한다.

(다)의 어린아이와 시골 사람 모두 자신을 이해하지 못하는 타인에게 분노한다. 이들은 타인의 상황이 자신과 같을 것이라는 전제를 두고 대화를 진행하며, 따라서 서로의 의견이 다른 상황을 이해하지 못한다. 다름을 이해하고 "그럴 수 있겠다"라는 태도를 지니는 것이 두 사람에게 필요한 덕목이다. 타인이 자신과 다르다는 사실을 인정하는 것이 서로를 이해하는 첫걸음이며, 이는 타인에게 자신의 상황을 설명하는 계기로 작용한다. 타인의 이해를 도우려는 방향으로 진행되는 대화는 생산적이기 쉽다. 상호 간의 완벽한 이해가 이루어지지 않더라도, 그 다름을 이해하는 결론이 가능하기 때문이다.

타인과의 다름을 인정하는 역량은 사회적 생존에 필수적이다. 이러한 역량이 없다면, 개인은 자신과 동일한 의견을 지닌 타인만을 수용할 것이다. 또한, 타인 중 의견이 같은 사람과만 대화하는 폐쇄적 집단을 형성하기 때문에, 편향적인 정보 교환이 이루어진다. 이러한 확증 편향은 인간이 변화에 부정적으로 반응하도록 만들며, 개인의 생각에서 벗어난 사고가 불가능하기에 사회적 변화에 적응하는 능력이 저하된다. 반면, 타인과의 다름을 수용하는 개인은 자신과 다른 의견을 이해하기 위해 지속적으로 노력하며, 그 과정에서 수많은 의견을 교환한다. 따라서 편향적인 정보가 아니라 다양한 정보 속에서 판단을 내린다.

인간은 사회적 동물이다. 현 사회는 여성, 장애인, 성소수자 등 사회적 소수자에 대한 이

해가 대두되며, 다름을 인정하는 풍토가 형성되고 있다. 이러한 맥락에서 타인을 존중하고 이해하는 능력은 기본적으로 요구되는 역량이다. 수많은 타인이 공존하는 사회에서 생존하기 위해서 다름을 인정하는 태도는 앞으로도 더욱 강조될 것이다.

<학생 예시 답안 2>

제시문 (가)와 (나)는 평화를 위해서 상호 간 소통이 필수불가결하다는 공통 논지를 내세운다. 또한 갈등의 근본 원인으로 사회 구성원 간 소통의 부재와 관용의 부재를 제시하며, 이러한 갈등이 해결되기 위한 방법으로 소통의 필요성 인식과 관용의 자세를 강조하고 있다. 인간 개개인은 본질적으로 불완전하기 때문에 이를 보완하여 평화로운 사회로 나아가기 위해서는 서로 이해하려는 자세가 필요하다는 것이다. 갈등을 해결하기 위해서는 소통이 필요하지만, 그것이 관용 없는 소통, 즉 올바르지 못한 소통이라면 갈등을 해결할 수 없다. 즉, 사회 구성원들이 소통의 필요성만을 인식할 경우 갈등은 해결 할 수 없다. 평화를 위한 소통이 올바르게 이루어지기 위해서는 서로의 차이점을 받아들이는 관용의 자세 또한 필수적이다. 소통의 주체들이 천부적으로 주어진 합리적인 이성과 동정심을 발휘하여 타인과 내가 다른 개체라는 것을 이해하는 동시에 서로의 이익을 위한 필수불가결한 존재라는 점을 인정하며 소통에 임한다면 사회는 더욱 평화로워질 수 있다는 것이다.

이를 토대로 제시문 (다)의 어린아이와 시골 사람에게 필요한 덕목은 관용이라는 것을 알 수 있다. 제시문 (다)에서 어린아이는 자신만이 들을 수 있는 소리를 남이 못 들어 한탄하고, 시골 사람은 자신이 못 들은 소리를 남이 들어 화를 낸다. 상대방과 나의 차이를 인정하지 않는다는 점에서 둘의 사고 방식은 유사성을 지닌다. 소통은 쌍방향으로 이루어지므로 타인과의 차이점을 인정하지 않고 소통에 임하는 것은 올바르지 못한 소통이다. 따라서 관용의 자세를 통해 이를 바로잡아야 한다. 또한 시골사람의 경우 경청의 자세가 특히 강조된다. 경청의 자세도 포괄적으로 관용의 자세에 들어가지만, 시골사람이 자신이 경험한 것만을 내새워 상대방을 무시한다는 점에서 관용의 자세 중 상대방을 경청하는 자세가 특히 필요하다고 볼 수 있다.

기술의 발달로 인해 서로 긴밀하게 얽혀져 있는 현대 사회에서 소통의 자세는 더욱 중요시 되고 있다. 특히 쌍방향 매체가 발달하여 소통이 활성화되면서 소통의 양은 기하급수적으로 증가하고 있는 반면 소통의 질은 이에 상응하여 발전하지 못하고 있다. 이로 인해 사회적 갈등이 발생하고 재생산되며 확대된다. 이러한 혼란스러운 현대 사회에서의 소통에 있어 관용의 자세는 사회 구성원에게 올바른 소통의 본질적인 방향성을 제시하여 결과적으로 사회 평화에 기여한다는 점에서 사회적 의의를 갖는다.

<학생 예시 답안 3>

제시문 (가)와 (나)는 인간 사이의 상호작용을 강조하며, 서로 소통하고 존중하는 자세의 중요성을 이야기하고 있다.

먼저, 제시문 (가)는 자연과 신이 부여한 신체와 이성, 동정심을 통해 인간이 서로 도우며 살아갈 것을 중시한다. (가)의 자연은 인간을 약하고 부족한 존재로 인식하고 있다. 따라서 인간들은 독립적인 생활이 불가하여 서로 상호작용을 통해 삶을 살아가야 한다고 본다. 그러나 인간은 자신들의 이기적인 욕심으로 인해, 서로를 혐오하여 전쟁을 일으키는 갈등 상황을 발생시킨다. 자연은 이러한 상황을 부정적으로 바라보며 결과적으로는 인간이 원치 않더라도 그들의 결합은 불가피함을 이야기한다. 자신의 이익만 중시하는 인간들은 결국 그들 자신을 파멸에 이르게 만들 것이기 때문이다. 따라서 결국 인간은 자연적으로 연합할 수밖에 없다고 판단할 수 있다. 마찬가지로 다음 제시문 (나)도 인간의 상호연관성을 중시하며 사회 평화에 있어, 소통이 매우 필수적인 요소임을 강조하고 있다. 제시문 (나)는 모든 갈등의 원인이 소통의 부재라고 본다. 서로간의 대화가 이루어지지 않으면 이기적인 권력자들은 권력을 남용하고 타인을 억압하는 바람직하지 못한 상황을 발생시키기 때문이다. 또한 (나)는 국가, 사회, 종교 등 모든 인간의 사회적 활동은 서로 대화를 통해 이루어진다는 것을 강조한다. 이는 인간이 서로 대화를 함으로써, 상대방의 의견을 존중하고 이해하는 태도를 지니게 되기 때문이라고 볼 수 있다. 이를 통해 제시문 (다)를 살펴보면, (다)의 상황은 모두 자기중심에서 생각하여, 소통이 제대로 이루어지지 않아 발생한 문제라고 판단할 수 있다.

제시문 (다)의 어린아이와 시골사람은 모두 자기중심적으로 사고했다는 점에서 유사하다. 어린아이는 자신의 귀에서 들리는 소리를 상대가 듣지 못했다고 탄식하였고, 시골사람은 코를 고는 소리를 듣지 못했다고 성내며 자신의 코골이를 부인하였다. 이를 보았을 때, 어린아이와 시골사람은 모두 상대의 입장을 전혀 헤아리지 않았다고 볼 수 있다. 따라서 이들에게는 타인의 생각과 의견을 이해하고 존중하는 마음이 필요하다고 판단 가능하다. 이러한 타인에 대한 이해심과 존중심은 상대방과의 의사소통을 원활하게 만든다는 점에서 중요하다. 또한 인간의 이기심과 자기중심적 사고의 틀을 벗어나 상대의 입장에서 생각하게 하여, 인간관계를 원만하게 만든다는 점에서도 의미가 있다.

20. 2021학년도 한양대 모의 논술 [상경계열]

[문제 1번] 다음 지문을 참조하여 [자료1], [자료2]&[자료3], [자료4]에 나타난 결핵의 전파 및 사망률에 영향을 미치는 원인을 추론하고 그 영향의 내용을 설명하시오. (600자, 50점)

<학생 예시 답안 1>

결핵 전파에 영향을 미치는 요인은 실내환경과 타인과의 접촉이다. 자료2, 자료3를 보면 인쇄공과 제지업 종사자의 결핵 감염률이 높은데 밀폐된 실내환경에서 고밀도의 분진 상태로 작업을 한 결과이다. 자료3에서 미용사와 대중목욕탕 이발사의 결핵 감염률이 높은 것은 다른 직업군에 비해 타인과 직접 접촉을 하는 경우가 많기 때문이다. 마찬가지로 자료2에서 목사와 학생의 결핵 감염률이 높은 것도 타인과 접촉을 하는 시간이 많기 때문이다. 자료4의 중국인과 인디언이 타인종에 비해 결핵 사망자 비율이 높은데 두 인종이 집단생활을 하는 인종이기 때문이다. 집단생활을 할 경우 같은 접시나 식기구를 사용하는 경우가 많고 주거 환경 자체도 과밀하다. 자료1에서 40년도에 사망률이 급격하게 상승하는데 상업화에 따라 과밀 주거 환경이 조성된 탓으로 추론할 수 있다. 그리고 60-70년대에 결핵 사망률이 감소한 이유는 핵가족화에 따라 가족이 같은 접시를 사용하는 빈도 감소의 영향을 받은 것이라고 생각할 수 있다. 또한 상하이의 사망률이 40년부터 급증한 데에는 외부인의 유입 가능성도 예상해볼 수 있다. 그러나 30년대 중국 전역 감염 수를 고려했을 때 상하이의 사망률은 낮은편이다.

<학생 예시 답안 2>

지문은 결핵이라는 질병에 대해 그 원인과 영향을 밝히고 있다. 결핵은 보통 실외보다 실내와 관련된 공간에서 뚜렷하게 나타나는데, 결핵균에의한 감염, 공기를 통한 전염, 등의 요인들이 결핵의 발생에 영향을 준다. 이에 따라 결핵 발생에 큰 원인제공을 하는 생활환경에 놓인 중국인의 사망률이 늘어나고 있다는 것을 자료를 통해서도 확인 할 수 있다. 먼저, 자료 1에서는, 1901~1990년 상하이 지역 결핵 사망률이 꺾은선 그래프를 통해 제시되어있다. 꺾은선 그래프가 계속해서 줄어드는 것을 통해, 시간이 지나면서 백신 개발과 면역률 증가에 따라, 사망률이 줄어들고 있다는 것을 확인할 수 있다. 자료2에서는 광둥 지역의 직업 중 비교적 비율이 낮은 선원, 인력거꾼, 농부와 같은 실외 직업과 달리, 인쇄공, 제지업 종사자, 제봉사와 같은 실내 직업들의 감염률은 높게 나타난다. 이와 마찬가지로, 자료3도, 정부관리, 공장노동자와 같은 직업에 비해 실내에서 업무수행중 꾸준한 대면접촉을 요구하는, 미용사와 대중목욕탕 이발사의 감염률이 높게 나타나고 있다. 자료4의 경우, 뉴욕시에서 발생하는 사망자의 인종 중 중국인의 비율이 36으로 가장 높게 나타나는데, 이는 지문에서 언급한 중국인의 가족이 같은 접시를 활용하는 것과 같은 생활습관과 관련있다.

<학생 예시 답안 3>

자료 1에 나타난 상하이의 1901년부터 1990년까지의 지역 결핵 사망률을 살펴보면 극초반부에 증가했다가 그 후로 크게 보면 감소하고 있음이 나타난다. 상하이에서 흡연을 금지하지 않다가 감소하기 시작한 1902년 혹은 1903년쯤 의무적으로 금연하기 시작한 때부터 감소하기 시작했을 것이라고 생각한다. 지문 속에서 결핵의 전파와 발병에 유전적 요인이 끼치는 영향에 흡연이 포함되어 있기 때문이다. 자료2와3에서 공통적으로 살펴볼 수 있는 것은 중국에서 직업에 따른 결핵 감염률이다. 자료2에서 눈에 띄게 많은 비율을 차지하는 직업은 대중목욕탕 이발사, 자료3에서는 인쇄공이다. 두 직업의 공통점은 일하는 곳이 열악한 환기 장치가 있는 환경인 것이다. 지문에서 결핵은 중국인의 열악한 환기 장치와 관련이 있을 듯 하다라고 한 것을 보아 두 직업에서 감염률이 가장 높은 이유라고 할 수 있다. 자료4에서는 인종에 따른 결핵 사망자 비율에 주목하여 봤을 때, 중국인이 가장 많은 비율을 차지하는 것을 보아 지문에서 중국에서 결핵의 가장 큰 단일 사망 원인 중 고밀도의 분진 주거나 가족이 같은 접시를 사용하는 식습관중 중국인의 특성이 사망 원인의 주된 것이라고 생각할 수 있다.

[문제 2번] 다음 제시문을 읽고 물음에 답하시오. (50점)

<가> 동서를 가로지르는 직선 도로 위를 차 한 대가 시속 $60km/h$을 유지하며 동쪽으로 이동하고 있다. <나> 수열 $\{a_k\}_{k=1}^{\infty}$는 모든 자연수 n에 대하여 $\sum_{k=1}^{n} \frac{4a_k}{k+2} = (n^2 - n)(n^2 + 3n + 2)$를 만족시킨다.

1. 도로 북쪽에 탑이 있다. 4분 전, 운전자가 시선을 차 정중앙으로부터 $20°$ 만큼 왼쪽으

로 돌렸을 때, 탑이 정면으로 보였다. 현재, 운전자가 시선을 차 정중앙으로부터 63°만큼 왼쪽으로 돌렸을 때 탑이 정면으로 보인다. 탑과 도로 간의 최단 거리를 구하시오. (단, 도로의 폭 및 탑의 높이, 너비는 무시하며, $\sin 20^\circ = 0.34$, $\sin 43^\circ = 0.68$, $\cos 27^\circ = 0.89$로 둔다.)

4분 전의 차의 위치를 A, 현재의 차의 위치를 B라 하자. 또한 탑의 위치를 C라 하자. 문제의 가정에 의해 $\angle CAB = 20^\circ$, $\angle ABC = 180^\circ - 63^\circ = 117^\circ$ **이다.**

그러므로 $\angle ACB = 180^\circ - (20^\circ + 117^\circ) = 43^\circ$ **이다.**

제시문 <가>에 의해 $\overline{AB} = 4(\text{km})$**. 따라서 사인 법칙에 의해**

$$\frac{\overline{AB}}{\sin 43^\circ} = \frac{\overline{BC}}{\sin 20^\circ}$$

즉,

$$\overline{BC} = \frac{\sin 20^\circ}{\sin 43^\circ}\overline{AB} = \frac{0.34}{0.68} \times 4 = 2$$

탑과 도로 간의 최단거리를 h km**라 하면,**

$$h = \overline{BC}\cos\angle BCD = 2\cos 27^\circ = 2 \times 0.89 = 1.78$$

이다. 따라서 탑과 도로 간의 최단 거리는 1.78 km**이다.**

답: 1.78 km

2. 도로 남쪽에는 기지국 A, B 가 놓여있고, 두 기지국 간의 거리는 $4km$, 각 기지국과 도로 간의 최단 거리는 hkm이다. 현재 차와 기지국 A, B 간의 거리가 각각 $2km$, $3km$이다. 1분 후의 차와 기지국 A, B 간의 거리를 각각 αkm, βkm라 할 때, $\alpha^2 + \beta^2$의 값을 구하시오. (단, 도로의 폭과 기지국의 높이, 너비는 무시한다.)

<해 1>

기지국 A, B**의 좌표를 각각** A(0, 0), B(4, 0)**이라 두고, 직선 도로의 방정식을** $y = h > 0$**이라 하자. 현재 차의 좌표를** C(x, h)**라 하고, 선분** $\overline{AB}$**와** $\overline{BC}$**가 이루는 각을** θ **라 하면 코사인 법칙에 의해** $\cos\theta = \frac{3^2 + 4^2 - 2^2}{2 \cdot 3 \cdot 4} = \frac{7}{8}$**이고, 따라서**

$$x = 4 - 3\cos\theta = 4 - 3 \cdot \frac{7}{8} = \frac{11}{8}$$

$$h = 3\sin\theta = 3\sqrt{1 - \left(\frac{7}{8}\right)^2} = \frac{3\sqrt{15}}{8}$$

이다. 제시문 <가>에 의해 1분 후의 차의 좌표는 $\left(\frac{19}{8}, \frac{3\sqrt{15}}{8}\right)$**이다. 따라서**

$$\alpha^2 + \beta^2 = \left(\frac{19^2}{8^2} + \frac{9 \cdot 15}{8^2}\right) + \left(\left(4 - \frac{19}{8}\right)^2 + \frac{9 \cdot 15}{8^2}\right)$$

$$= \frac{19^2 + 13^2 + 2 \cdot 9 \cdot 15}{64} = \frac{800}{64} = \frac{25}{2}$$

이다.

<해 2> 점 C에서 선분 $\overline{AB}$에 내린 수선의 발을 D라 하자.

$$\overline{AC}^2 - \overline{AD}^2 = h^2 = \overline{BC}^2 - (4 - \overline{AD})^2$$

$$4 - \overline{AD}^2 = 9 - (4 - \overline{AD})^2.$$

이를 풀면, $\overline{AD} = \frac{11}{8}$, $h = \sqrt{4 - \left(\frac{11}{8}\right)^2} = \frac{3\sqrt{15}}{8}$ **이다.**

이제 <해 1>과 같은 방법으로 구하면, $\alpha^2 + \beta^2 = \frac{25}{2}$ **이다.**

답: $\frac{25}{2}$

3. 이차함수 $f(x)$가 1보다 큰 모든 자연수 n에 대하여 $f(x) = \sum_{k=2}^{n} \left(\frac{a_k}{k-1} - k^2(k+3) \right)$을 만족시킬 때, $\lim_{x \to -2} \frac{f(x)-1}{x+2}$을 구하시오.

$S_n = \sum_{k=1}^{n} \frac{4a_k}{k+2} = (n^2 - n) \cdot (n^2 + 3n + 2)$**라고 하자.**

$S_n - S_{n-1}$**을** $n \geq 2$**에 대해 두 가지 방식으로 구하면, 다음과 같다.**

(1) $S_n - S_{n-1} = (n-1)n(n+1)(n+2) - (n-2)(n-1)n(n+1) = 4(n-1)n(n+1)$

(2) $S_n - S_{n-1} = \frac{4a_n}{n+2}$

그러므로 $n \geq 2$**에 대해** $a_n = (n-1)n(n+1)(n+2)$**임을 알 수 있다.**

또한,

$$\sum_{k=2}^{n} \left(\frac{a_k}{k-1} - k^2(k+3) \right) = \sum_{k=2}^{n} \left(k(k+1)(k+2) - k^2(k+3) \right)$$

$$= \sum_{k=2}^{n} 2k = 2\left(\frac{n(n+1)}{2} - 1 \right) = n^2 + n - 2$$

이므로, 이차함수 $f(n) = an^2 + bn + c$**는** $n = 2, 3, 4$**일 때, 각각** 4, 10, 18**를 함숫값으로 가진다.**

대입하여 정리하면

$$\begin{pmatrix} 4a + 2b + c = 4 \\ 9a + 3b + c = 10 \\ 16a + 4b + c = 18 \end{pmatrix}$$

와 같이 일차 연립방정식으로 쓸 수 있다. 미지수 a, b, c**에 대한 일차 연립방정식을 풀면,** $a = 1$, $b = 1$, $c = -2$**을 구할 수 있고, 따라서** $f(n) = n^2 + n - 2$**이 된다.**

마지막으로, $f(x)$**를 대입하여 극한값을 계산하면,**

$$\lim_{x \to -2} \frac{f(x)-1}{x+2} = \lim_{x \to -2} \frac{x^2+x-3}{x+2}$$

는 $x \to -2$일 때, 분자는 -1, 분모는 0으로 수렴하여, 극한값이 존재하지 않는다.

답: 극한값이 존재하지 않는다.

21. 2020학년도 한양대 수시 논술 [인문계열]

[문제] (가)와 (나)를 토대로 '기억이란 무엇인가?'에 대해 답하고, 서로 충돌하는 집단기억을 타당하게 평가할 수 있는 방안에 대해 논술하시오. (1,200자, 100점)

<학생 예시 답안 1>

기억이란 선택적 망각과 재창조를 통해 구성되는 이야기이다. 이 재창조 과정은 개인적, 무의식적으로 이뤄지기도 하지만 집단적으로 발생할 때에는 의도적으로 집단의 이익을 대변하기도 한다.

(가)에서는 무의식으로 발생하는 자전적 기억의 오류에 대해 논하고 있다. 개인은 기억이 모호할 때 알고있는 사실과 조화를 이루게끔 기억을 끼워 맞춘다. 이은 개인의 목적이나 가치관이 끼어들 틈이 없는 개연적 추론에 가깝다. 그러나 (나)에서는 개인의 자전적 기억이 특정 목표를 갖고 집단화될 경우의 위험성을 보여준다. 전후 일본에서는 전쟁의 책임을 군부에게 떠넘기고 일반 국민들의 피해자성을 강조하는 여론이 급부상하였다. 이러한 피해의식을 뒷받침하기 위해서는 전쟁을 고통받았던 개인들의 기억을 수집할 필요가 있었다. 따라서 전쟁의 기억은 필연적으로 피해 기억 위주의 선별적 구성을 취하게 된다. 또한 비교적 다양화된 기억이 공존했던 전쟁 세대와 다르게 대중 매체를 통해 고정된 전쟁 기억을 접한 포스트메모리세대는 전쟁을 추상화된 개념으로 인식하게 되고 그에 따라 책임감도 옅어직 된다. 즉, 다양한 기억들이 피해자라는 하나의 인식으로 걸러져 고정된 것이 오늘날 일본의 전쟁에 대한 집단기억이다. 이러한 사실을 통해 우리는 기억의 특징에 대해 알 수 있다. 그 주체가 개인이던 집단이던 완벽한 기억이란 존재할 수 없으며 기억이란 필연적으로 선택되어지는 것이다. 또한 기억이 집단적으로 재구성될 경우 집단의 필요에 맞는 기억만이 최종적으로 선택되고, 매체를 통해 공고해진다. 즉, 역사란 승자의 기록이라는 말처럼 우리의 기억도 주관적이고 자신에게 유리한 기억만으로 구성되는 것이다.

따라서 충돌하는 집단기억을 타당하게 평가하기 위해 가장 먼저 고려되어야할 요소는 객관성.사실성이다. 객관적인 평가 방법으로 고려될 수 있는 첫 번째는 최대한 다양한 집단기억을 듣고 종합적으로 사실 여부를 판단하는 것이다. 집단이 특정한 이해관계를 바탕으로 자신에게 유리하게 기억을 변형했다면 그 이해관계에 속한 다른 당사자들의 기억을 통해 비교하면서 잘못된 점을 지적할 수 있을 것이다. 또한 두 번째 방법은 정확한 사료를 바탕으로 평가하는 것이다. 예를 들어, 일본이 식민지 수탈을 통해 전쟁물자를 축적했다는 것은 어떠한 가치판단도 들어있지 않은 사료를 바탕으로 한 것이다. 이렇게 객관적이고 사실에 입각한 판단을 통해 우리는 상충하는 집단기억에서 변하지 않는 사실을 얻어낼 수 있다.

<학생 예시 답안 2>

사람들은 흔히 기억을 객관적이며 정확한 것으로 간주하는 경향이 있다. 그렇기 때문에 자신이 기억하는 것을 '실제로 그랬다'며 곧 믿어버린다. 그러나 제시문에서 밝힌 바에 의하면 기억은 주관적으로 선택되고, 재구성되며, 자전적 기억으로서 완성된다. 심지어 자신의 감정조차 아닌 타인의 언동이나 대중매체, 혹은 작품에 영향을 받아 조작되기도 한다. 본래 겪지 않았던 사건, 상황 다른 요소들이 한데 섞여 그럴듯한 개연성을 가진 이야기로 재탄생한다. 그 과정에서는 실제 있었던 일과 순서들이 누락되거나 뒤섞어 완전히 새로운 상황이 되기도 한다.

그렇다면 기억은 신용할 수 없는 거짓말과 허무한 개연성만으로 가득 찬 허구의 이야기에 불과한 것일까. 그렇지 않다. 자전적 기억은 분명 변질되기 쉽지만 그 근간은 현실에서 발생했던 상황에 있다. 제시문 (가)에서 헤이버가 대학원 진학을 두고 갈등했던 상황을 기억하거나 (나)에서 전쟁 직후의 피폭 피해자가 전쟁 가해자로서의 일본을 기억하는 것이 그 일환이다. 아무리 재구성되더라도 기반에 있는 것은 사실일 것이다. 그러므로 기억이 무엇이냐고 묻는 질문에는 '한없이 사실에 가까운 선택적 정보가 재구성된 집합'이라고 답할 수도 있을 것이다.

그렇다면 이러한 자전적 기억들이 한데 모인 집단기억이 충돌할 때, 무엇이 타당한지를 판단하려면 어떻게 해야 할까. 집단기억이 서로 충돌하는 근본적인 원인은 그 기억을 재구성하는 요소들이 다르기 때문이다. (나)에서 일본은 전쟁 책임을 회피하기 위하여 피해자로서의 기억을 선택했다. 반면 한국과 같은 이웃 국가들은 가해자로서의 요소를 중점적으로 기억했다. 이와 같이 집단기억의 충돌은 어느 한쪽이 그르기 때문이 아니라 기억하는 방향이 달라서 발생하게 된다.

이를 바탕으로 집단기억을 타당하게 평가할 수 있는 방안을 생각해 보자. 첫 번째는 상황을 객관적 수단으로 기록해 두는 것이다. 집단기억은 서로 충돌함에도 불구하고 둘 다 옳거나 둘다 그를 수 있다. 타당성을 판별하기 위해서는 객관적이고 진실하게 기록된 사실을 기준으로 삼는 것이 좋을 것이다. 두 번째는 사회적.문화적 전후 맥락을 살피는 것이다. 기억은 상황에 따라 재구성된다. 일본이 책임과 죄책감을 피하려 했다는 맥락을 안다면 기억에서 어떤 요소가 누락되었는 지를 알 수 있다. 이처럼 맥락을 살피는 것으로 집단기억을 타당하게 평가할 수 있을 것이다.

<학생 예시 답안 3>

기억은 믿음 체계를 뒷받침하는 방향으로 변형되어 보존되기 쉽다. (가)에 따르면 개인의 기억은 사건의 선택적 수집과 재구성의 결과이다. 기억은 가변적인 형태를 지니며 시간이 흐를수록 자기 편향적으로 강화되기 때문이다. 이러한 현상은 헤이버의 경험과 같이 묘사 가능한 선명한 기억에서도 일어난다. 또한 이에 대한 자각과 성찰은 기억에의 반증이 제시되기 전까지 이루어지지 어렵다. 변형의 결과 기억 체계가 조화로워졌기 때문에 이를 깨려는 서도가 필요한 것이다. 이에 대한 확장으로서 집단 기억에 대해 설명하고 있는 (나)에 따르면 집단기억 또한 개별 기억의 선택적 수집과정을 통해 형성된다. 믿음 체계에 부합하는 개인의 기억에 집중함으로써 집단 내의 지배적 기억이 자리잡고 공유되기 때문이다. 또

한 이는 일본의 기억 공유 과정과 같이 대중 매체, 교과서, 소설, 회고록 등으로 전파되어 그 이후의 세대에게도 큰 영향을 미친다. 믿음 체계에 부합하는 기억을 사회적으로 신뢰받는 매체에 담음으로써 강화하는 것이다. 이는 전쟁의 가해자로서의 기억을 피해자로서의 기억으로 전환시킬만큼 막대한 힘을 지닌다.

따라서 집단기억 간의 충돌에 대한 해결 방안은 충분한 합리성을 요구한다. 올바른 기억에의 당위성에 대한 호소만으로는 집단 내의 믿음체계에 대한 비판적 자세를 갖게 만들 수 없기 때문이다. 우선 개인적 차원에서 각 주체는 대중매체나 교과서에 대한 무조건적 수용을 지양해야 한다. 정보 수용에의 비판적 자세와 성찰적 태도를 갖출 때 집단기억에 대한 타당한 평가가 이루어질 수 있기 때문이다. 이러한 지성적 기반이 없다면 변형된 집단기억이 세습을 통해 사실화되어 과거의 행위에 대한 책임의식을 약화시킬 수 있다. 그러므로 새로운 정보 수용 과정뿐만이 아니라 기존의 기억에 대해서도 계속해서 성찰적인 태도를 가져야 한다. 사회적 차원에서도 지속적인 평가가 이루어져야 할 것이다. 교과서를 통한 교육 과정에 있어서 서로 충돌하는 집단기억에 관한 정보를 전달할 때 일방적인 입장만이 아닌 양측의 기억 모두에 대한 교육이 이루어질 수 있도록 하는 제도를 만들 수 있다. 또한 이에 대한 토론과 양측의 입장에 대한 조사를 통해 다방면의 시각을 고려할 수 있도록 도울 수 있다. 국제 사회적 측면에서도 각 국가는 집단기억에 대한 평가에 있어 다방면의 입장에서 고려해야 할 것이며 사실 판단에 국가의 권력이 개입하지 않도록 주의해야 할 것이다. 이러한 방안이 종합적으로 실행된다면 충돌하는 집단기억에 대한 타당한 평가가 이루어질 수 있을 것이다.

22. 2020학년도 한양대 수시 논술 [상경계열]

[문제 1] [자료 1]과 [자료 2]는 X국 정부가 Y정책의 도입을 고려하게 된 배경을 보여주는 자료이고, [자료 A]~[자료 D]는 Y정책 도입에 찬성하거나 반대하는 근거로 사용될 수 있는 자료들이다. 이 자료들을 토대로 Y정책이 무엇인지 추정하고, [자료 A]~[자료 D] 중 필요한 자료를 활용하여 Y정책의 도입에 대한 자신의 견해를 밝히시오. (600자, 50점)

<학생 예시 답안 1>

[자료 1]에서는 2020년 이후로 X국의 전체 인구 중 노년층 인구의 비율이 증가하고 생산가능인구의 비율이 지속적으로 감소함을 알 수 있다. 이러한 상황은 [자료 2]에서의 X국 노인부양비 증가추세를 뒷받침한다. 따라서 X국은 노년층 비율의 증가로 인한 복지 부담의 가중으로 세수 확보가 필요한 상황이다. 이러한 상황에서 X국은 현재 60세 법정 정년을 늘리는 정책을 펼 것이다.

X국과 같은 상황에서 법정 정년을 늘리는 정책은 바람직하다고 볼 수 있다. 정년을 늘림으로써 아직 직무를 수행해 낼 능력이 충분한 사람들이 이른 나이에 퇴직하기보단 일을 하여 국가 복지 정책으로부터 자립하여 살 수 있기 때문이다. [자료 C]에서 연령이 많을수록 임금 대비 생산성이 떨어진다고 할 수 있으나, [자료 A]에서 2050년으로 갈수록 기업에서 숙련된 중고령층이 많아지는 상황에 이른 퇴직은 밑 세대들을 제대로 교육시켜줄 인원들이 없어지는 상황을 낳아 생산성을 자하시킬 것이다. 또한 정년 연장이 청년층의 실

업률 증가를 가져올 수 있다는 반론도 제기될 수 있으나 [자료 B]에서 중고령층과 청년층은 주로 종사하는 업종이 다름을 알 수 있다. [자료 D]의 중고령층 고용률 변화와 청년층 실업률 변화의 음의 상관관계도 정년연장 정책을 뒷받침함을 알 수 있다.

<학생 예시 답안 2>

자료 1은 X국의 인구 구성에서 65세 이상 인구의 비율이 급진적으로 상승할 것임을 전망하는 그래프이다. 자료 2는 X국의 노인부양비 역시 빠르게 상승할 것을 전망하는 그래프로 2000년대부터는 자료의 주요 국가들 중 노인부양비가 가장 높다. 자료들을 토대로 살펴보면 노령 사회로 가고 있는 X국 정보가 도입을 고려하는 정책은 법정 정년 연장일 것이라고 추정할 수 있다.

나는 X국의 법정 정년 연장을 찬성한다. 자료 A를 보면 2050년에 중고령층이 인구의 절반을 차지하게 된다. 자료 1에 따르면 그 때의 65세 이상 인구 비율은 중고령층보다는 많다. 그것은 노인부양비가 크다는 것이므로 생산 가능 인구의 조세 부담이 커질 것이다. 노동이 가능한 60세 이상 인구가 많지만 그들이 정년으로 인해 일자리를 찾지 못한다면 사회 전체적으로 비효율을 초래한다. 자료 C를 근거로 정년 연장을 반대할 수도 있지만 자료 D에 따르면 중고령층 고용률이 높을 때 청년층 실업률이 낮아진다. 연령별로 생산성을 따져보면 고령층 생산성이 낮지만 사회 전체의 생산성과 활력은 높아졌다고 볼 수 있다. 또한 자료 B를 보면 청년층에서 경쟁률이 비교적 낮은 직종에 중고령층 취업자가 많기 때문에 청년 일자리를 차지하는 것이 아니라 적재적소의 인력 배치가 이루어졌다고 해석할 수 있다.

<학생 예시 답안 3>

자료 1과 2는 생산가능인구수가 감소하고 노년층 인구가 증가하면서 노인부양비가 늘어나 국가적으로 생산능력이 떨어질 수 있음을 예견한다. 또한, 자료 A는 중고령층의 근로직종 영향력 확대를 B는 일부 직종에 존재하는 중고령층과 청년층 간의 편중심화 상태를 D는 중고령층 고용률의 증가가 가져오는 긍정적 측면을 보여주어 새로운 정책의 도입이 불가피함을 시사하고 있다. 특히, 자료 B를 바탕으로 해석해보면 비교적 청년층에 집중적인 보건, 교육, 회계 분야에 중고령층의 비율을 부분적으로 할당하는 동시에 정년연장을 Y 정책으로 삼을 수 있다고 여겨진다. 이는 자료 A와 D에 의해 강화될 수 있다. 그러나 자료 C에 의하면 Y정책의 도입으로 중고령층의 사회적 영향력이 확대된다면 연령이 증가함에 따라 생산성은 감소하나 임금이 상승하게 되어 합리적 고용구조가 유지될 수 없으며 이들이 청년층의 일자리 문제 등의 2차적 문제르 가져올 수 있다.

하지만, 이러하 문제는 임금피크제와 같은 정책을 보완될 수 있으며, Y정책의 도입이 중고령층의 자생능력을 향상시켜 부양바담을 줄이고 균형적 고용상태를 유지하여 사회적 후생을 증가시킬수 있으므로 Y정책의 도입은 합리적인 대안으로 풀이될 수 있다.

[문제 2] 다음 제시문을 읽고 물음에 답하시오. (50점)

- 정다면체에는 정사면체, 정육면체, 정팔면체, 정십이면체, 정이십면체가 있다.
- 면의 개수가 n인 정다면체 주사위의 각 면에는 수 1, $\cdots$, n 이 하나씩 적혀 있다.
- 정다면체 주사위를 던졌을 때 주사위의 각 면이 바닥에 놓일 확률은 같다.

1. 정육면체, 정팔면체, 정이십면체 주사위를 각각 하나씩 던질 때, 정육면체 주사위의 바닥에 놓인 면에 적혀 있는 수가 3의 배수가 되거나 정팔면체 주사위의 바닥에 놓인 면에 적혀 있는 수가 소수가 되고, 정이십면체 주사위의 바닥에 놓인 면에 적혀 있는 수는 6과 서로소가 아닐 확률을 구하시오.

> **정육면체 주사위의 바닥에 놓인 면에 적힌 수가** 3**의 배수가 되는 사건:** A
> **정팔면체 주사위의 바닥에 놓인 면에 적힌 수가 소수가 되는 사건:** B
> **정이십면체 주사위의 바닥에 놓인 면에 적힌 수가** 6**과 서로소인 사건:** C
>
> **라고 하면** $\mathrm{P}(A)=\frac{1}{3}$, $\mathrm{P}(B)=\frac{4}{8}=\frac{1}{2}$, $\mathrm{P}(C)=\frac{7}{20}$ **이고, 각 사건은 독립이다. 따라서,**
>
> $$\begin{aligned}\mathrm{P}((A\cup B)\cap C^c)&=\mathrm{P}((A\cap C^c)\cup(B\cap C^c))\\&=\mathrm{P}(A\cap C^c)+\mathrm{P}(B\cap C^c)-\mathrm{P}(A\cap B\cap C^c)\\&=\mathrm{P}(A)(1-\mathrm{P}(C))+\mathrm{P}(B)(1-\mathrm{P}(C))-\mathrm{P}(A)\mathrm{P}(B)(1-\mathrm{P}(C))\\&=\frac{1}{3}\frac{13}{20}+\frac{1}{2}\frac{13}{20}-\frac{1}{3}\frac{1}{2}\frac{13}{20}=\frac{13}{30}\end{aligned}$$

2. 정육면체 주사위와 정십이면체 주사위를 동시에 300회 던지는 시행에서 바닥에 놓인 면에 적혀 있는 수의 합이 3의 배수가 되는 횟수를 확률변수 X라 하고, 동시에 m회 던지는 시행에서 바닥에 놓인 면에 적혀 있는 수가 서로소인 횟수를 확률변수 Y라 하자. $V(6Y+3)\ge E(2X+7)$ 을 만족하는 자연수 m의 최솟값을 구하시오.

> **정육면체 주사위의 바닥에 놓인 면에 적힌 수가** a**, 정십이면체 주사위의 바닥에 놓인 면에 적힌 수가** b**라고 하자.**
>
> $a+b$**가** 3**의 배수가 되는 경우:**
>
> a**가** 1**일 때** 4**가지,** a**가** 2**일 때** 4**가지,** a**가** 3**일 때** 4**가지,** a**가** 4**일 때** 4**가지,** a**가** 5**일 때** 4**가지,** a**가** 6**일 때** 4**가지이므로 총** 24**경우가 있다. 따라서 확률은** $\frac{24}{6\times 12}=\frac{1}{3}$**이고, 확률변수** X**는** $\mathrm{B}\left(300,\ \frac{1}{3}\right)$**를 따른다.**
>
> **한편,** a, b**가 서로소가 되는 경우:**
>
> a**가** 1**일 때** 12**가지,** a**가** 2**일 때** 6**가지,** a**가** 3**일 때** 8**가지,** a**가** 4**일 때** 6**가지,** a**가** 5**일 때** 10**가지,** a**가** 6**일 때** 4**가지이므로 총** 46**가지 경우가 있다. 따라서 확률은** $\frac{46}{6\times 12}=\frac{23}{36}$**이고, 확률변수** Y **는** $\mathrm{B}\left(m,\ \frac{23}{36}\right)$**을 따른다.**
>
> $$\mathrm{E}(2X+7)=2\mathrm{E}(X)+7=2\times 300\times\frac{1}{3}+7=207$$
>
> **이고**
>
> $$\mathrm{V}(6Y+3)=6^2\ \mathrm{V}(Y)=6^2\times m\times\frac{23}{36}\times\frac{13}{36}=\frac{13\times 23\times m}{36}$$
>
> **이므로**

$$m \ge \frac{207 \times 36}{13 \times 23} = \frac{9 \times 36}{13} = 24.92 \cdots$$

이다. 따라서 $V(6Y+3) \ge E(2X+7)$**을 만족하는 최소의 자연수** m**은** 25**이다.**

3. 어떤 정다면체 주사위를 300회 던지는 시행에서 바닥에 놓인 면에 적혀 있는 수가 3의 배수가 되는 횟수를 확률변수 X라고 하자. $P(X \ge 120)$이 최소가 되는 정다면체 주사위를 모두 찾으시오.

면이 n**개인 정다면체에 해당하는 확률변수를** X_n, 3**의 배수가 나올 확률을** p_n**이라고 하자.**

$$p_4 = \frac{1}{4},\ p_6 = \frac{1}{3},\ p_8 = \frac{1}{4},\ p_{12} = \frac{1}{3},\ p_{20} = \frac{3}{10}$$

이 된다.

	X_4	X_6	X_8	X_{12}	X_{20}
이항분포	$B\left(300, \frac{1}{4}\right)$	$B\left(300, \frac{1}{3}\right)$	$B\left(300, \frac{1}{4}\right)$	$B\left(300, \frac{1}{3}\right)$	$B\left(300, \frac{3}{10}\right)$
정규분포 $N\left(m_n, \sigma_n^2\right)$	$N\left(75, \left(\frac{15}{2}\right)^2\right)$	$N\left(100, \frac{200}{3}\right)$	$N\left(75, \left(\frac{15}{2}\right)^2\right)$	$N\left(100, \frac{200}{3}\right)$	$N(90, 63)$
$P\left(X_n \ge 120\right) = P\left(Z \ge \frac{120 - m_n}{\sigma_n}\right)$	$P(Z \ge 6)$	$P(Z \ge \sqrt{6})$	$P(Z \ge 6)$	$P(Z \ge \sqrt{6})$	$P\left(Z \ge \frac{10}{\sqrt{7}}\right)$

이 때, $\sqrt{6} < \frac{10}{\sqrt{7}} < 6$**이므로,** $P(Z \ge 6)$**이 가장 작다.**

따라서, 정사면체와 정팔면체이다.